Sven Regener

Herr Lehmann

Ein Roman

GOLDMANN

FSC

Mix
Produktgruppe aus vorbildlich
bewirtschafteten Wäldern und
anderen kontrollierten Herkünften

Zert.-Nr. SGS-COC-1940
www.fsc.org
© 1996 Forest Stewardship Council

Verlagsgruppe Random House FSC-DEU-0100
Das für dieses Buch verwendete FSC-zertifizierte Papier
München Super liefert Mochenwangen.

19. Auflage
Taschenbuchausgabe August 2003
Wilhelm Goldmann Verlag, München,
in der Verlagsgruppe Random House GmbH
Copyright © 2001 by Eichborn Verlag AG, Frankfurt am Main
Umschlaggestaltung: Design Team München
Umschlagfoto: Gestaltung nach einer Idee von Moni Port
Satz: deutsch-türkischer fotosatz, Berlin
Druck und Bindung: GGP Media GmbH, Pößneck
KvD · Herstellung: Str
Printed in Germany
ISBN-10: 3 442 45330 5
ISBN-13: 978 3 442 45330 6
www.goldmann-verlag.de

1. DER HUND

Der Nachthimmel, der ganz frei von Wolken war, wies in der Ferne, über Ostberlin, schon einen hellen Schimmer auf, als Frank Lehmann, den sie neuerdings nur noch Herr Lehmann nannten, weil sich herumgesprochen hatte, daß er bald dreißig Jahre alt werden würde, quer über den Lausitzer Platz nach Hause ging. Er war müde und abgestumpft, er kam von der Arbeit im Einfall, einer Kneipe in der Wiener Straße, und es war spät geworden. Das war kein guter Abend, dachte Herr Lehmann, als er von der westlichen Seite her den Lausitzer Platz betrat, mit Erwin zu arbeiten macht keinen Spaß, dachte er, Erwin ist ein Idiot, alle Kneipenbesitzer sind Idioten, dachte Herr Lehmann, als er an der großen, den ganzen Platz beherrschenden Kirche vorbeikam. Ich hätte die Schnäpse nicht trinken sollen, dachte Herr Lehmann, Erwin hin, Erwin her, ich hätte sie nicht trinken sollen, dachte er, als sich sein Blick zerstreut in den Maschen der hohen Umzäunung des Bolzplatzes verfing. Er ging nicht schnell, die Beine waren ihm schwer von der Arbeit und vom Alkohol. Das mit dem Schnaps war Quatsch, dachte Herr Lehmann, Tequila und Fernet, morgen früh wird es mir schlecht gehen, dachte er, Arbeiten und Schnapstrinken verträgt sich nicht, alles, was über Bier hinausgeht, ist falsch, dachte er, und gerade ein Typ wie Erwin sollte seine Angestellten nicht noch zum Schnapstrinken überreden, dachte Herr Lehmann. Er kommt sich noch großzügig dabei vor, wenn er die Leute zum Schnapstrinken überredet, dachte Herr Lehmann, dabei tut er das bloß, um selbst einen Vorwand zum Saufen zu haben, aber andererseits, dachte er, ist es auch nicht richtig, die Verantwortung auf Erwin abzuwälzen, am Ende ist man immer selber schuld, wenn man Schnaps trinkt.

Der Mensch ist ein Wesen mit freiem Willen, dachte Herr Lehmann, als er sich der anderen Seite des Lausitzer Platzes näherte, jeder muß selber wissen, was er tut und was nicht, und nur weil Erwin ein Depp ist und einen zum Schnapstrinken überredet, heißt das noch lange nicht, daß Erwin schuld ist, dachte er, aber er dachte auch mit Genugtuung an die Flasche Whisky, die er heimlich hatte mitgehen lassen und die in der großen Innentasche seines langen, für einen Septembertag im Grunde viel zu warmen Mantels steckte. Er selbst hatte zwar keine Verwendung für Whisky, denn er trank ja im Prinzip schon lange keinen Schnaps mehr, aber Erwin mußte immer mal wieder bestraft werden, und Herr Lehmann konnte die Flasche zur Not seinem besten Freund Karl schenken.

Dann sah er den Hund. Herr Lehmann, wie sie ihn neuerdings nannten, obwohl die, die das taten, auch nicht viel jünger waren, obwohl tatsächlich einige von ihnen, sein bester Freund Karl und auch Erwin zum Beispiel, sogar älter waren als er, kannte sich mit Hunderassen nicht aus, aber er konnte sich beim besten Willen nicht vorstellen, daß man so ein Tier mit Absicht züchtete. Der Hund hatte einen großen Kopf mit einer mächtigen, sabbernden Schnauze und zwei großen, lappigen Ohren, die links und rechts davon herunterhingen wie zwei welke Salatblätter. Sein Rumpf war fett, und sein Rücken so breit, daß man darauf eine Flasche Whisky hätte abstellen können, seine Beine waren dagegen unverhältnismäßig dünn, sie ragten aus dem Körper heraus wie abgebrochene Bleistifte. Herr Lehmann, der es nicht übermäßig witzig fand, daß man ihn jetzt so nannte, hatte noch nie ein so häßliches Tier gesehen. Er erschrak und blieb stehen. Er traute Hunden nicht. Und der Hund knurrte ihn an.

Jetzt bloß nichts falsch machen, dachte Herr Lehmann, der andererseits aber auch keinen Sinn darin sah, sich wegen einer albernen Anrede groß aufzuregen, immer fest in die Augen schauen, das schüchtert sie ein, dachte er und konzentrierte seinen Blick auf die beiden schwarzen, blanken Löcher im Schädel seines Gegenübers. Der Hund zog im Rhythmus seines Knurrens die Lefzen hoch und runter und starrte zurück. Sie hatten etwa drei Schritte Abstand voneinander, der Hund bewegte sich nicht, und Herr Lehmann bewegte sich auch nicht. Nicht wegsehen, dachte Herr Lehmann, nichts anmerken lassen, einfach vorbeigehen, dachte er und machte einen Schritt zur Seite. Der Hund knurrte noch lauter, es war ein bösartiges, nervtötendes Geräusch. Bloß nichts anmerken lassen, das Tier spürt die Angst und nutzt sie aus, dachte Herr Lehmann, noch ein kleiner Schritt zur Seite, dachte er, nicht aus den Augen lassen, noch ein kleiner Schritt, und dann noch einer, so, und dann gleich geradeaus, dachte Herr Lehmann. Aber dann ging der Hund einfach auch ein Stück zur Seite, und sie standen sich wieder gegenüber.

Er will mich nicht vorbeilassen, dachte Herr Lehmann, der seinen bald stattfindenden dreißigsten Geburtstag nicht gerade als rauschendes Fest zu feiern gedachte, gerade weil er davon überzeugt war, daß das bloß ein Geburtstag war wie jeder andere auch, und er hatte seine Geburtstage noch nie gerne gefeiert. Das ist doch lächerlich, so etwas darf es gar nicht geben, dachte er, ich habe ihm doch gar nichts getan. Er sah die großen, gelben Zähne, und es schauderte ihn bei der Vorstellung, wie sie von den riesigen Kiefern des Hundes in eines seiner Beine, in einen Arm, in seinen Hals geschlagen wurden, ja sogar um seine Hoden wurde ihm angst und bange. Wer weiß, was das für einer ist, dachte er, vielleicht ist der auf irgendwas abgerichtet, ein Killerhund, ein Hodenbeißer, einer, dachte er, der die Schlagader im Arm trifft, und dann verblutet man hier mitten auf dem Lausitzer Platz, es ist ja niemand da, der Platz ist menschenleer, dachte er, wer soll sich so früh am Sonntagmorgen schon hier herumtreiben, die Kneipen sind ja alle schon geschlossen, es ist ja immer das Einfall, das am allerspätesten zumacht, vom Abfall einmal abgesehen, aber das zählt nicht, dachte er, um diese Zeit treiben sich ja bloß noch Verrückte herum, geisteskranke Berliner mit abgerichteten Killerhunden, Perverse, die sich im Gebüsch einen runterholen, während sie sich ansehen, dachte Herr Lehmann, wie ihre beißwütigen Hunde ihr tödliches Spiel mit mir treiben.

»Wem gehört dieser Hund hier?« rief er über den leeren Platz, »Wem gehört dieser verdammte Scheisshund?« aber niemand meldete sich. Nur der Hund knurrte noch lauter und verdrehte seinen Kopf so, daß die Augen rotglühend schimmerten.

Es ist bloß die Netzhaut, beruhigte sich Herr Lehmann, es ist bloß die blöde Netzhaut, er hat den Kopf verdreht, und jetzt fällt das Licht so in seine Augen, daß es von der Netzhaut in meine Richtung reflektiert wird, dachte er, es ist die Netzhaut, die ist rot, Karotin, Vitamin A und so Zeug, das ist ja bekannt, daß das gut für die Augen ist, dachte er, er hatte daran eine dunkle Erinnerung aus seiner Schulzeit, er war immer gut in Biologie gewesen, aber das war nun auch schon lange her, Biologie, dachte Herr Lehmann, Biologie hilft jetzt auch nicht mehr weiter, ich muß hier weg, und es erfüllte ihn ein nie zuvor gekanntes Verlangen nach seinem Zuhause, einer Eineinhalbzimmerwohnung in der Eisenbahnstraße, wo seine Bücher und sein leeres Bett auf ihn warteten, keine hundert Meter entfernt von der Stelle, an der jetzt ein völlig fremder Hund sein Leben bedrohte.

Wenn er mich nicht vorbeiläßt, dachte Herr Lehmann, den sie früher alle ganz normal Frank genannt hatten, bis eben dieser kindische Witz, ihn mit Herr Lehmann anzureden, um sich gegriffen hatte, dann muß ich eben zurückgehen. Und er sah im Geiste schon die Stationen des Umwegs, den er nehmen mußte, um die tollwütige Bestie des Lausitzer Platzes weiträumig zu umgehen, Waldemarstraße, Pücklerstraße, Wrangelstraße und dann von der anderen Seite kommend in die Eisenbahnstraße hinein, das ist ein Kinderspiel, dachte er, manchmal ist ein Rückzug besser als ein Angriff, dachte Herr Lehmann, ein taktisch kluger Rückzug kann strategisch zum Sieg führen. Umzudrehen traute er sich dabei nicht, bloß nicht umdrehen, dachte er, immer dem Tier in die Augen sehen, und er machte vorsichtig kleine Schritte rückwärts, und der Hund machte knurrend kleine Schritte vorwärts. Bloß nichts überstürzen, dachte Herr Lehmann, der sich schon sehr auf das Fußbad gefreut hatte, das er sich seit einiger Zeit immer nach der Arbeit gönnte, obwohl er sich in seinem jetzigen Zustand nicht sicher war, ob er das noch hinkriegen würde, bloß nichts überstürzen, dachte er und widerstand der Versuchung, sich einfach umzudrehen und davonzulaufen, das wäre fatal, dachte er, der Hund ist schneller als ich, der springt mich von hinten an, dachte er, und dann kann man sich überhaupt nicht mehr schützen, das ist nicht gut. Nach ein paar weiteren Schritten brach der Hund, der sein Knurren jetzt schon mit einem gelegentlichen Bellen anreicherte, seitlich aus und schlich geduckten Hauptes um ihn herum, so daß Herr Lehmann, um die Bestie nicht aus den Augen zu lassen, sich auf dem Absatz drehen mußte, bis sie sich schließlich genau andersherum gegenüberstanden. Dann eben in die andere Richtung, dachte Herr Lehmann, da wollte ich sowieso hin. Er machte wieder einige Schritte zurück, und das ganze Spiel lief umgekehrt noch einmal ab, der Hund lief um ihn herum, Herr Lehmann drehte sich mit, und am Ende standen sie wieder in der Ausgangsposition. Ich muß mit ihm reden, dachte Herr Lehmann.

»Hör mal«, begann er leise mit tiefer und, wie er hoffte, beruhigender Stimme. Der Hund setzte sich. Das ist schon mal gut, dachte Herr Lehmann. »Ich verstehe dich ja«, sagte er, »du hast es auch nicht leicht.« Er griff in die Taschen seines Mantels auf der Suche nach irgend etwas, das er dem Hund schenken konnte, manchmal, dachte er, hilft nur Bestechung, es muß ja nicht gleich etwas zu essen sein, dachte er, vielleicht will er ja bloß spielen, die Besitzer solcher Hunde sagen ja immer, daß sie bloß spielen wollen, vielleicht habe ich für ihn was zum Spielen dabei, aber er fand nichts als seinen Schlüsselbund und die Flasche Whisky, denn er gehörte, wie er jetzt zum ersten Mal bedauerte, nicht zu denen, die sich die Manteltaschen mit allerlei Kram vollstopften und diesen Kram dann vergaßen und jahrelang mit sich herumschleppten. Der Hund wurde etwas nervös, und Herr Lehmann hörte auf zu fummeln. »Du kannst ruhig sitzen bleiben«, sagte er zum Hund, »ich wollte nur gucken, ob ich was für dich habe, du kriegst doch sicher manchmal auch was von deinem Herrchen, vielleicht ist es sogar ein Frauchen, mein Gott, was für Ausdrücke das sind, Herrchen, Frauchen, wer denkt sich so was bloß aus?«

Dem Hund schien es egal zu sein; er ließ die dürren Vorderbeine einknicken, und sein fetter Leib klatschte auf den Asphalt.

»So ist es richtig, leg dich erst mal hin«, sage Herr Lehmann, dem das Hinlegen in den letzten Jahren selbst zu einer Lieblingsbeschäftigung geworden war, und bewegte sich, während er pausenlos weiterredete, mit ganz kleinen Fußbewegungen wieder zur Seite. »Da bin ich doch der letzte, der schlafende Hunde weckt«, kalauerte er drauflos, »schlafe, mein Hundchen, schlaf ein und so, ich weiß, wie es ist, wenn man müde ist, ich kenne das, ich hab's nämlich auch nicht leicht, ich bin auch müde, aber du, du armer kleiner Scheißer, bist noch viel müder ...« – Stück für Stück bewegte er sich zur Seite, »... das macht einen Hund müde, wenn er herumläuft und die Leute bedroht, weiß der Himmel, wie man als Hund auf so einen Scheiß kommt, so, jetzt bin ich schon fast einen ganzen Meter weiter links als du, und jetzt mach ich mal einen ganz klitzekleinen Schritt nach vorne, und du schläfst jetzt mal schön, nur ein ganz kleiner Schritt nach vorne, und dann noch einer ...« Der Hund schaute sich das eine Zeitlang an, dann sprang er mit einer Kraft und einer Geschwindigkeit auf, die Herr Lehmann bei diesen mageren, ganz kraftlos wirkenden Beinen nicht für möglich gehalten hätte, und knurrte und bellte so aggressiv auf Herrn Lehmann ein, daß dieser vor Schreck richtig wütend wurde.

»SCHEISSE!« schrie er aus vollem Halse über den leeren Platz. »NIMM DOCH EINER DEN SCHEISSHUND HIER WEG! NIMM DOCH EINER DEN VERDAMMTEN SCHEISSHUND HIER WEG, HIMMEL, ARSCH UND ZWIRN NOCH MAL! UND HALT'S MAUL!« brüllte er den Hund an, der daraufhin tatsächlich verstummte.

Herr Lehmann beruhigte sich wieder. Ich muß mich zusammenreißen, dachte er, ich darf jetzt nicht die Nerven verlieren. »Da wird man ja aggressiv«, sagte er entschuldigend.

Der Hund setzte sich wieder. Herr Lehmann, dessen Füße von der Arbeit schmerzten, dem die Beine wie Blei und die Knochen am ganzen Körper wie zerschlagen waren, ging selbst kurz in die Hocke, um wenigstens die Beine zu entlasten. Das brachte aber nicht viel, es war auf Dauer eher noch unbequemer. Jetzt ist es auch egal, dachte er, jetzt kann ich mich auch gleich ganz hinsetzen. Er ließ sich nach hinten fallen und kam in einer Art Schneidersitz zur Ruhe. Wenn mich einer sieht, ging es ihm kurz durch den Kopf, dann muß der mich ja für den letzten Penner halten. Der Asphalt unter seinem Hintern war kalt, und er fror. Es ist die kälteste Zeit des Tages, dachte er und richtete es so ein, daß er auf dem unteren Ende seines Mantels saß. Um diese Zeit ist es arschkalt, obwohl es tagsüber noch so heiß wird, dachte er, und wie hell es schon geworden ist, das muß ja schon verdammt spät sein, dachte Herr Lehmann. Und ihm fiel auch jetzt erst auf, wie viele Vögel überall waren, sie hockten auf den Bäumen, in den Büschen, auf der hohen Umzäunung des Bolzplatzes, auf den Sitzbänken, die nicht weit von ihm zu einem Halbkreis gruppiert herumstanden und auf denen tagsüber immer einige Penner oder alte Leute oder beides saßen, sie fliegen ja gar nicht herum, wunderte sich Herr Lehmann, sie sitzen bloß da und machen Lärm, und wie sie Lärm machen, dachte er. Es gibt doch eine Menge Tiere in der Stadt, dachte Herr Lehmann, als er auch noch zwei dunkle Schatten, Kaninchen wahrscheinlich, über die Wiese bei der Kirche huschen sah.

»Warum jagst du eigentlich keine Kaninchen?« fragte er den Hund, der sich ganz auf dem Asphalt ausgestreckt und den Kopf zwischen die Vorderpfoten gelegt hatte. Herr Lehmann entsann sich der auf nicht ganz astreine Art erworbenen Flasche Whisky, zog sie aus dem Mantel, schraubte sie auf und nahm einen kräftigen Schluck gegen die Kälte.

»Jetzt ist das auch egal«, erklärte er dem Hund. »Du bist wahrscheinlich zu blöd oder zu langsam für Kaninchen, mit deinen komischen Beinen.«

Der Whisky schmeckte furchtbar, wie Schnaps überhaupt, für Herrn Lehmann machten da die Feinheiten keine Unterschiede, aber er brachte etwas innere Wärme und verscheuchte noch einmal die Kopfschmerzen, die bei ihm, als Vorgeschmack auf den Kater des nächsten Tages, bereits eingesetzt hatten.

»Du siehst ja vielleicht aus«, sagte Herr Lehmann, der sich

in letzter Zeit immer öfter dabei ertappte, daß er mit einer gewissen Wehmut und ohne die früher übliche innere Abwehr an seine Kindheit zurückdachte, zum Hund, »wie diese Tiere, die man als Kind aus Kastanien gemacht hat, wo man so Streichhölzer in die Kastanien steckt, als Beine und so. Wenn ich einfach weglaufen würde, wer weiß, ob du mich überhaupt kriegen würdest, mit den Beinen.«

Herr Lehmann nahm noch einen Schluck, der Hund tat gar nichts. »Bin selber nicht sehr schnell«, sagte er, bloß um irgend etwas zu sagen. »Wie heißt du eigentlich?«

Er stellte die Flasche neben sich, zog die Beine an den Körper und legte die Arme darum. Der Hund blinzelte ihn friedlich an.

»Vielleicht sollten wir mal feststellen, wie du heißt«, sagte Herr Lehmann, der das für eine gute Idee hielt. Ich muß bloß wissen, wie er heißt, dachte er, dann hört er mit dem Scheiß auf, dann wird er friedlich, mit seinem Namen ist er vertraut, er hat ja ein Halsband, also hat er ein Herrchen, also hat er einen Namen, ich brauche bloß seinen Namen zu sagen, dann fühlt er sich heimisch, dann ist Autorität da, dachte Herr Lehmann. »Bello«, schlug er vor. Der Hund rührte sich nicht. »Hasso?« Nichts.

Dann hörte Herr Lehmann Schritte. Sie kamen von hinten. Er blickte sich um und sah eine Frau näherkommen, eine dicke Frau mit weiten Kleidern und einem Kopftuch. Eine Frau, dachte Herr Lehmann, vielleicht kann sie mich ablösen. Aber obwohl er sich jetzt, wo ihn jemand sah, etwas komisch dabei vorkam, wie er auf dem Asphalt saß, mit einer Flasche Whisky neben sich, stand er nicht auf, er war viel zu müde und wollte den Hund nicht reizen. Er verrenkte sich den Hals und sah der Frau entgegen, die, wohl weil sie ihn und den Hund erblickt hatte, ihren Schritt beschleunigte und ganz auf die andere Seite des Weges wechselte.

»Entschuldigen Sie«, begann Herr Lehmann, als sie auf seiner Höhe war, aber die Frau sah nicht zu ihm hin, sie blickte starr nach vorne und legte noch einen Zahn zu, als er das Wort an sie richtete. Der Hund sah zur anderen Seite und ließ sich nichts anmerken. »Warten Sie doch mal«, rief Herr Lehmann verzweifelt, »ich habe hier nämlich ein Problem, das ist nämlich …« – die Frau, so dick sie auch war, fing an zu rennen und war verschwunden, bevor er den Satz zu Ende bringen konnte. Der Hund knurrte zufrieden.

»Scheißblöde Kuh«, sagte Herr Lehmann und wandte sich dann wieder an den Hund. »Harro?« Auch dieser Name bewirkte nichts. »Bello, Rüdiger, Fiffi – nein, wie ein Fiffi siehst du eigentlich nicht aus – Kuddel, Saftsack – wie gehen denn jetzt diese Hundenamen noch mal – Otsche?« Otsche, so hatte der Hund einer lange verstorbenen Großtante von ihm geheißen, es war ein kleiner Langhaardackel gewesen, den am Ende ein Lieferwagen überfahren hatte, Herr Lehmann hatte ihn damals, als er noch ein Kind war, aus tiefstem Herzen gehaßt. »Wastl, Hansi, Lassie, Wauwau, Watschel, Spinnebein …« Der Hund zeigte kein Interesse. »Watzmann, Bootsmann, Boxi, Boskop …«

Herr Lehmann verlor die Lust an diesem Spiel. Das ist ja alles Unsinn, dachte er, ich bin ja betrunken. Er nahm noch einen Schluck von dem Whisky und schüttelte sich.

»Du mußt wissen«, sagte er dann, »daß ich Hunde schon immer gehaßt habe. Schon als kleines Kind. Und das ist lange her. Hunde gehören nicht in die Stadt, ich hab immer Angst gehabt vor Hunden. Hallo! Hallo, Polizei!« rief er schwach, als er einen Polizeiwagen den Platz entlangfahren sah. Er hob eine Hand und winkte, aber der Wagen fuhr vorbei, ohne daß man ihn bemerkte.

»Da kannst du aber froh sein«, belehrte er den Hund, »die hätten dich erschossen, aber ruckzuck. Noch denkst du, daß du im Vorteil bist, aber das kannst du vergessen. Strategisch bist du im Nachteil. Der Mensch ist dem Tier überlegen. Wenn du ein Wolf wärst und ich irgendein Bauerndepp, der durch den Wald latscht, dann hättest du vielleicht eine Chance. Aber wir sind hier in der Stadt. Es werden Leute kommen und mir helfen. Und dich wird man einsperren. Außerdem ist der Mensch im Gegensatz zum Tier in der Lage, Werkzeuge zu benutzen, Werkzeuge, du Scheißtyp, denk mal drüber nach. Das ist der entscheidende Unterschied, Werkzeuge, damit fing alles an. Zum Beispiel diese Flasche hier!« Er hob die Flasche, und der Hund knurrte. »Ich könnte dir diese Flasche auf den Kopf hauen, da sähst du aber alt aus. Das ist zwölf Jahre alter Whisky. Irischer Whisky. Kostet im Einkauf über 40 Mark oder so, was weiß ich denn, 2cl kosten bei Erwin sechs Mark, das mußt du dir mal reintun, obwohl, so genau messen wir das auch nicht ab.« Wenn man Schnaps trinkt, dachte Herr Lehmann, dann redet man immer zuviel. Und zuviel Unsinn. Und mit Hunden, dachte er, das ist das Schlimmste von allem.

Er goß, nur um einmal etwas anderes zu tun, die Verschlußkappe voll und hatte sie schon an den Mund gesetzt, als er den interessierten Blick des Tieres bemerkte. Zum Test hielt er die gefüllte Kappe erst nach links, dann nach rechts, und der Hund folgte ihr mit den Augen, sein Maul stand offen, die Zunge hing heraus, und er hechelte aufgeregt.

»Aha!« sagte Herr Lehmann. »Verstehe«, sagte er, »dann paß mal auf!«

Er beugte sich vor und warf die gefüllte Kappe so nach vorn, daß sie zwischen den Vorderpfoten des Hundes landete und der Schnaps sich in einer kleinen Lache dazwischen ausbreitete. Der Hund roch daran, rückte seinen unförmigen Leib zurecht und begann, die Flüssigkeit aufzulecken.

»Kannst noch mehr haben«, sagte Herr Lehmann, und er überschwemmte den Gehweg, der aufgrund einer glücklichen

Fügung zum Hund hin etwas abfiel, mit Schnaps. »Scheinst ja dran gewöhnt zu sein«, sagte er, als er sah, wie gierig der Hund das kleine Rinnsal aufschlabberte, das ihm entgegenfloß. »Gehörst wahrscheinlich irgendeinem Penner«, sagte Herr Lehmann und nahm auch gleich selbst noch einen schönen Schluck. Gleiche Chancen für alle, dachte er, sonst ist das unfair. Der Hund schaute ihn kurz mit glasigen Augen an und leckte dann weiter.

»Du bist gleich so was von k. o., das schwör ich dir aber. Buh!« Herr Lehrmann stieß die Flasche zum Hund hin durch die Luft, aber der reagierte gar nicht. Er leckte weiter, bis nichts mehr da war, und versuchte dann, auf die Beine zu kommen.

»Gar nicht mehr so einfach, was?« Herr Lehmann nahm einen letzten Schluck, spritzte aus purem Übermut noch etwas von dem Whisky über den Hund und stand dann selber mit wackligen Beinen auf. Der Hund machte einen kleinen Gehversuch und zog unsicher die Lefzen hoch, als Herr Lehmann ihn ganz sacht mit dem Fuß unterm Kinn berührte. Er gurgelte etwas, das wohl ein Knurren sein sollte.

»Aus dem Weg, Schurke!« rief Lehmann großartig und schob ihn mit dem Fuß so gut es ging beiseite. Der Hund versuchte den Fuß zu erschnappen, aber das klappte nicht mehr. Er war zu langsam. Lehmann trat ihn um.

»Komm doch her! Komm doch, wenn du was willst, du fette Wurst!« Der Hund rappelte sich hoch, stellte sich quer und lehnte sich an Herrn Lehmanns Beine.

»Weg da, Scheißkerl«, sagte Herr Lehmann, aber jetzt, wo sich das häßliche Tier so vertrauensvoll und haltsuchend an ihn schmiegte, tat es ihm ein bißchen leid. Er trat ein wenig zurück, und der Hund kippte langsam nach, bis sein schwerer Körper auf Herrn Lehmanns Füßen lag. Herr Lehmann kam aus dem Gleichgewicht, ruderte mit den Armen und fiel über den Körper des Hundes hinweg auf den Boden, wobei er nur mühsam verhindern konnte, daß die Flasche zerbrach.

»Was machen Sie denn da?«

Herr Lehmann schaute hoch und sah über sich zwei Polizisten. Er hatte sie gar nicht kommen hören.

»Mußte mir den Hund vom Leibe halten«, sagte er. »Wenn man einen braucht, ist ja keiner da. Von euch, meine ich. Nicht den Hund. Hab schon alles erledigt. Alles im Griff, Leute, ehrlich.«

»Der ist total besoffen«, sagte der eine Polizist, der etwa Herrn Lehmanns Alter hatte.

»Nun stehen Sie mal auf«, sagte der andere, der um einiges älter war.

»Ist nicht so einfach«, sagte Herr Lehmann, »der scheiß Hund, Sie sehen ja selbst, das sehen Sie doch.« Er stützte sich auf Arme und Beine, aber der Hund, der sich unter ihm wälzte, und die Flasche, die er noch immer in der Hand hielt, machten es ihm schwer. Der jüngere Polizist nahm ihm die Flasche aus der Hand und zog ihn, unangemessen grob, wie Herr Lehmann fand, in die Höhe.

»Ist das Ihr Hund?« fragte der andere streng.

»Nein, scheiß Hund!« Leicht schwankend stand Herr Lehmann vor ihnen und versuchte, die Flasche zu erhaschen, aber die Polizisten ließen es nicht zu. »Hat mich bedroht, der scheiß Hund. Konnte nicht nach Hause.«

Die Polizisten sahen beide zum Hund, der gar nicht mehr gefährlich aussah und bloß hechelnd und mit heraushängender Zunge ins Nichts starrte. Der jüngere von ihnen ging in die Hocke und streichelte das Tier über den Kopf. Der Hund versuchte aufzustehen, aber das gelang ihm nicht mehr.

»Der ist ja besoffen«, sagte der hockende Polizist.

»Das ist Tierquälerei, das gibt eine Anzeige, das ist strafbar«, sagte der andere.

»Wegen Tierquälerei.«

Sie wiederholen sich, dachte Herr Lehmann, das tun so Leute immer, sie sagen immer und immer wieder dieselben Worte.

»Das arme Tier, Sie haben dem ja Alkohol eingeflößt, das ist Tierquälerei. Sie sollten sich was schämen. So ein wehrloses Tier!«

»Wehrlos? Ha!« empörte sich Herr Lehmann. »Das war Notwehr, ich hatte keine Wahl und so.« Er war viel zu müde, um das genauer zu erklären. »Das war Notwehr. Ging nicht anders. Punkt«, sagte er. »Ganz klare Sache. Kein Thema.«

Die Polizisten glaubten ihm nicht. Sie wollten seinen Ausweis sehen und nahmen seine Personalien auf.

»So, Herr Lehmann!« sagte der ältere von beiden, als er ihm seinen Ausweis zurückgab. »Sie hören von uns. Und jetzt machen Sie, daß Sie nach Hause kommen. Den Hund nehmen wir mit, den sehen Sie nie wieder. Tierquälerei ist das, ich habe selbst einen Hund, eine Schande ist das.«

»Hoffentlich«, sagte Herr Lehmann.

»Hoffentlich was?«

»Seh ich den nie wieder.«

»Hauen Sie ab, aber ganz schnell, bevor ich mich vergesse!«

Herr Lehmann ging müden Schritts davon. Am Eingang der Eisenbahnstraße schaute er sich noch einmal um und sah, wie die beiden Polizisten das fette Tier zu ihrem Wagen schleppten.

»Armer Kerl«, hörte er den einen sagen. Dann erwachte der Hund aus seiner Lethargie und biß zu. Herr Lehmann ging schnell weiter und lachte erst, als er um die Ecke war.

2. MUTTER

»Frank, bist du das? Du klingst so komisch. Es hat so lange geklingelt, bis du rangegangen bist, da hab ich schon gedacht, du bist gar nicht da. Ich wollte schon wieder auflegen.«

Herr Lehmann liebte seine Eltern. Er war ihnen für vieles dankbar, und sie lebten weit weg von Westberlin, in Bremen, das ergab einen Abstand von zwei Staatsgrenzen und einigen hundert Kilometern. Was er auch sehr an ihnen schätzte, war die Tatsache, daß sie niemals im Leben auf die Idee kämen, ihn mit Herr Lehmann anzusprechen. Das einzige Problem mit ihnen war: Sie standen gerne früh auf und riefen gerne früh an.

»Mutter!« sagte Herr Lehmann.

»Ich wollte schon wieder auflegen.«

Warum, dachte Herr Lehmann, hast du es nicht getan. Ich, dachte Herr Lehmann, der sich auf seine Rücksichtnahme, die Bedürfnisse anderer Menschen betreffend, durchaus etwas zugute hielt, hätte es getan. Genauer gesagt, dachte Herr Lehmann, hätte ich es vor allem nicht dreißigmal klingeln lassen, damit geht's doch schon mal los, dachte er. Fünfmal, das ist okay, zumal die meisten Leute Anrufbeantworter haben, die nicht ohne Grund schon nach vier- oder fünfmaligem Klingeln anspringen, dachte Herr Lehmann und bedauerte, daß er sich noch immer nicht ein solches Gerät angeschafft hatte, aber der Gedanke, zu Karstadt am Hermannplatz, also im Grunde nach Neukölln zu gehen, um so etwas zu kaufen, war ihm zutiefst zuwider.

»Frank, bist du noch da?«

Herr Lehmann seufzte.

»Mutter«, sagte er, »Mutter. Es ist …«, Herr Lehmann, der schon lange keine funktionierende Uhr mehr brauchte, weil er ein ausgezeichnetes Zeitgefühl entwickelt hatte und im Notfall immer noch auf öffentliche Uhren oder die telefonische Zeitansage zurückgreifen konnte, dachte kurz nach, »… höchstens zehn Uhr! Wenn du doch weißt, daß ich nachts …«

»Schon Viertel nach zehn, da schläft man doch nicht mehr, da wundere ich mich schon, daß du noch schläfst, ich bin schon seit sieben auf den Beinen«, sagte seine Mutter auf eine so auftrumpfende Weise, daß sich Herr Lehmann, der sich eigentlich für einen durchweg ausgeglichenen Menschen hielt, dessen Temperament sich mit den Jahren abgelagert hatte wie der Griselkram in altem, teurem Rotwein, zu einer scharfen Gegenreaktion provoziert sah.

»Warum?« fragte er.

»Ich wollte schon wieder auflegen, aber dann habe ich gedacht, das kann ja nicht sein, daß du schon aus dem Haus bist, du arbeitest doch immer so spät.«

»Eben, Mutter, eben«, sagte Herr Lehmann, fest entschlossen, diesen seiner Erfahrung nach typisch mütterlichen Versuch, einer Frage auszuweichen, nicht durchgehen zu lassen. »Aber das war nicht die Frage, Mutter!«

»Welche Frage denn?« kam es ärgerlich zurück.

»Warum, Mutter. Ich fragte: Warum? Warum bist du seit sieben Uhr auf den Beinen?«

»So ein Quatsch, das mache ich doch immer.«

»Ja, aber warum?« konterte Herr Lehmann.

»Was meinst du jetzt damit, warum?«

»Mutter!« Herr Lehmann hatte Oberwasser. Sie hört mir zu, dachte er befriedigt, sie reagiert statt zu agieren, dachte er, sie ist jetzt in der Defensive, da heißt es nicht locker lassen, nachfassen, den Sack zumachen, die Sache zu einem befriedigenden Abschluß bringen, sie ein für allemal aus der Welt schaffen, klare Verhältnisse auch und so weiter … Leider hatte er darüber ein bißchen den Faden verloren.

»Wie jetzt, womit?« fragte er, ärgerlich über sich selbst, »warum … ist doch klar, ich meine …, kann man ja wohl mal fragen warum, das ist eine Frage …«

»Junge, du faselst«, kam es streng zurück. »Und sprich mal etwas deutlicher, man kann dich ja kaum verstehen.«

»Nix da«, brauste Herr Lehmann auf, der jetzt ausgesprochen schlechtgelaunt war und sich des ganzen Elends dieser Situation bewußt wurde. Es ist erniedrigend, dachte er, fast dreißig Jahre alt zu sein und nach nur dreieinhalb Stunden Schlaf, dem ein Treffen mit einem Killerhund und zwei bescheuerten Polizisten voranging, mit schmerzendem Kopf und ausgetrocknetem Mund von der eigenen Familie beleidigt zu werden, von der eigenen Mutter, dachte Herr Lehmann, ausgerechnet von der Mutter, wo es doch immer heißt, daß die Mutter von allen Menschen dieser Welt derjenige ist, oder muß es diejenige heißen, dachte er zwischendurch, der oder die, ist ja egal, dachte er, der oder die jedenfalls unbedingtes Verständnis haben sollte für alles, was das eigene Kind so macht und tut. Berühmte Beispiele schossen ihm durch den Kopf, Mütter von Serienmördern, die beteuerten, daß sie ihr Kind dennoch über alles liebten und sich selbst die Schuld für alles gaben, die jeden Morgen ganz früh aufstanden und zum Gefängnis gingen, um ihrer verdorbenen Brut selbstgekochtes Essen und/oder Heroin zu bringen, worüber ihm dann auch wieder einfiel, worum es eigentlich ging.

»Jetzt hör mal zu, Mutter«, startete er erneut seinen Gegenangriff, »hier ist die Frage: Warum …«

»Ich kann dich ganz schlecht verstehen. Hast du irgendwas im Mund?«

»Eine Zunge«, rief Herr Lehmann giftig, du willst deutliche Sprache, Mutter, dachte er grimmig, kannst du haben. »Ist es besser so?«

»Du brauchst nicht so zu schreien, ich bin nicht taub. Alles, worum ich dich bitte, ist, daß du etwas deutlicher sprichst oder jedenfalls nicht ißt, während wir reden, das gehört sich nun wirklich nicht.«

»Mutter, lenk jetzt nicht ab«, sprach Herr Lehmann übertrieben deutlich, was eingedenk seines dehydrierten Zustandes nicht leicht war. Die Dehydrierung, dachte er, aber auch der Mangel an Elektrolyten sind der wichtigste Grund für den Kater. »Warum stehst du schon um sieben Uhr auf, das war die Frage. Du bist Hausfrau, außerdem ist heute Sonntag, Mutter, du hast den ganzen Tag nichts zu tun, jedenfalls nichts, was man nicht auch später als um sieben Uhr machen könnte, warum also, wenn ich das mal so fragen dürfte, warum also stehst du in Dreiteufelsnamen morgens um sieben auf, nur um mich dann um zehn Uhr mit einem Anruf zu terrorisieren, dessen wesentlicher Inhalt darin besteht, mir zu sagen, daß du schon seit drei Stunden wach bist. Warum, Mutter, warum?«

»Also …«, kam es leicht entrüstet und ganz und gar nicht geschlagen aus der Leitung, »… – warum nicht?«

Das, dachte Herr Lehmann, ist bemerkenswert. Sie ist zäh, dachte er, soviel muß man ihr lassen, sicher eine der Eigenschaften, die ich explizit ihr verdanke, dachte Herr Lehmann, der immer schon der Meinung gewesen war, daß Zähigkeit eine seiner herausragenden Eigenschaften war, geschult durch lange und erlebnisreiche Jahre ohne festes Einkommen.

»Warum nicht? Warum nicht? Weil es sich nicht gehört«, griff Herr Lehmann zum Äußersten. »Wenn du« – Herr Lehmann bemerkte mit Erleichterung, daß mit Hilfe von Adrenalin und Disziplin seine gewohnte Eloquenz zurückkehrte – »selber sagst, daß es sich etwa nicht gehört, Mutter, daß man mit vollem Mund spricht, selbst dann nicht, wenn man um ein Gespräch nicht gebeten hat, sondern nur mit Hilfe zigfachen Klingelns aus dem Schlaf gerissen wurde, einem durch Arbeit im Schweiße seines Angesichts wohlverdienten Schlaf, wie ich noch anmerken möchte, wenn du also sagst, daß sich ebendies nicht gehört, wie kannst du dann in Gottes Namen davon ausgehen, daß es in Ordnung sei, jemanden, der nachts sein Geld verdient, der die ganze Nacht, die ganze gottverdammte Nacht arbeitet, um sein Brot sauer zu verdienen, wenn ich das mal so sagen darf, so jemanden also aus dem Schlaf zu reißen, stumpf hundertmal das Telefon klingeln zu lassen, obwohl einem dann klar sein muß, daß derjenige entweder nicht da ist oder schläft, wie also kannst du davon ausgehen, daß sich so etwas gehört? Ganz zu schweigen davon, daß, wenn du die Frage, warum du um sieben Uhr aufstehst, mehr als schlicht mit den Worten ›warum nicht‹ beantwortest, sich natürlich auch umgekehrt die Frage stellt, warum du dich darüber wunderst, daß ich um zehn Uhr noch schlafe, wo doch die Frage, warum ich das tue, ebenso leicht mit der Antwort ›warum nicht‹ beantwortet werden könnte, wenn das überhaupt eine Antwort ist und nicht etwa eine völlig unzulässige Gegenfrage!«

So, dachte Herr Lehmann, das mußte einmal gesagt werden. Wobei es ihm andererseits jetzt, wo er ein bißchen aufgewacht war und er seinem Ärger in einer längeren Rede hatte Luft machen können, auch ein bißchen leid tat, seiner Mutter so eine Standpauke gehalten zu haben. Er war sich nicht sicher, ob das wirklich hatte sein müssen, es gehört sich eigentlich nicht, so mit seiner Mutter zu reden, dachte er, schließlich liebt man seine Mutter, sie hat einem das Leben geschenkt, dachte Herr Lehmann, soviel ist sicher, und daß sie nicht die Hellste ist, ist gewiß nicht ihre Schuld, dachte Herr Lehmann, sie ist eben nur eine einfache Frau, dachte er, obwohl ihm der Begriff ›einfache Frau‹ dabei unangenehm aufstieß, das ist kein guter Begriff, ›einfache Frau‹, dachte er, das ist bourgeoiser Bildungsbürgerscheiß, dachte Herr Lehmann.

»Ernst, willst du nicht mal mit ihm sprechen? Er redet so komisch!«

»Mutter, was soll das denn jetzt?«

Aus der Tiefe der fernen Wohnung seiner Eltern war ein abwehrendes Gemurmel zu hören.

»Immer soll ich ihn anrufen«, hörte Herr Lehmann seine Mutter sagen. »Dabei war es doch deine Idee …«

»Was jetzt, Mutter, was ist los? Willst du lieber erst mal in Ruhe mit deinem Mann sprechen? Und dann später noch mal anrufen? Denk an die Kosten«, spielte Herr Lehmann einen weiteren Trumpf aus.

Aber seine Mutter hörte nicht zu. Herr Lehmann, der nur mit einer Unterhose bekleidet war, und er ging immer mit Unterhose ins Bett, seit ihm einmal eine frühere Freundin erklärt hatte, daß es unhygienisch sei, nackt zu schlafen, und daß die dauernde Kochwäscherei verschmutzter Laken, um die Herr Lehmann sie im übrigen nie gebeten hatte, eine Umweltsauerei ersten Ranges sei, versuchte die Zeit, in der seine Mutter damit beschäftigt war, einen wahrscheinlich auch schon ins dreißigste Jahr gehenden Konflikt nicht erkalten zu lassen, dadurch zu nutzen, daß er in die Küche hinüberging, um dort unter äußerster Anspannung beider Telefonschnüre, sowohl der glatten, aber dennoch stets verwickelten wie auch der von Natur aus spiralförmigen, einige Gläser Leitungswasser zu trinken und einen Kessel Kaffeewasser aufzusetzen.

»Hallo, hallo«, rief er in den Hörer, während er mühsam den Gasherd entzündete, und »Ich bin auch noch da!«, während er zwei Löffel Kaffee in einen Becher tat, aber in Wirklichkeit genoß er diese Atempause, trotz der schwierigen

Kopfhaltung, die er einzunehmen gezwungen war, um am Ball zu bleiben.

»*Du* sagst doch immer, daß wir ihn anrufen sollen, und *ich* soll das dann immer tun.«

»Hab … nicht …«

»Das ist ja nun die Höhe. Wer hat denn gerade …«

»Was kann ich dafür, daß …«

»… seit Jahren schon, und immer heißt es hinterher, das hätte ich aber …«

»Ich habe nicht gesagt, daß …, ich habe nur gesagt, daß ihm einer Bescheid …«

»Und was soll das nun wieder heißen, daß ihm einer Bescheid sagen muß, wer soll das denn sein, wenn nicht ich?«

»Was Bescheid sagen?« warf Herr Lehmann in den Äther, während er, der er Kaffeemaschinen nicht leiden konnte und sowieso der Meinung war, daß der Filter in der Geschichte des Kaffees einen der größten Irrtümer überhaupt darstellte, weil der direkt aufgegossene Kaffee viel gesünder war, schon deshalb, weil auf diese Weise all jene Schwebstoffe, die der Filter sonst zurückhielt, dazu beitrugen, die Wirkung des Koffeins über eine längere Zeit zu verteilen und damit einen negativen Effekt auf den Kreislauf in jeder Form zu verhindern, sich etwas aufgoß, was er, seit seine alte Kaffeemaschine nicht mehr funktionierte, euphemistisch als Cowboykaffee bezeichnete.

»Was Bescheid sagen?« schrie er in den Hörer, nicht so sehr aus Erregung, sondern in dem schlichten Bedürfnis, dem Wahnsinn ein Ende zu machen. »Hallo, hallo, Mutter, hallo, Mutter, hallo, Mutter, Mutter …«

In diesem Moment, und das war Herrn Lehmann, der eigentlich schon lange nichts mehr darauf gab, was die Nachbarn von ihm dachten, weil er sie allesamt für asoziale Vollidioten hielt, vor allem dann, wenn sie ihrer Vorliebe für

Kurzgebratenes frönten und das Treppenhaus und manchmal sogar seine Wohnung mit billigem Fett ausräucherten, dann doch unangenehm, klopfte es laut durch die Wand. Das ist die blöde Schnappe mit den Rastalocken, dachte er, und ihm wurde bewußt, was für Mißverständnisse entstehen konnten, wenn ausgerechnet diese Frau mit anhörte, wie er laut und ohne Unterlaß nach seiner Mutter schrie.

»Was willst du denn, Frank?« meldete sich ebendiese Mutter zurück.

»Mutter, *du* hast *mich* angerufen, hast du das vergessen? Ich stehe hier rum und höre euch bei euren Streitereien zu …«

»Das ist doch kein Streit, wie kommst du jetzt darauf, daß wir uns streiten, Streit ist ja nun wirklich was ganz …«

»Denk an die Kosten«, ermahnte Herr Lehmann seine Mutter aufs neue. »Und sag mir endlich, was du eigentlich willst, bitte«, erniedrigte er sich hinzuzufügen, »bitte Mutter, was willst du eigentlich?«

»Also, man kann seinen eigenen Sohn ja wohl auch mal ohne Grund …«

»Ja, Mutter«, unterbrach Herr Lehmann beschwichtigend, »ja, natürlich.«

»… da braucht man ja wohl wirklich keine Rechenschaft abzulegen, wenn man den eigenen Sohn …«

»Ja, Mutter! Ist schon gut«, bemühte sich Herr Lehmann eine Situation zu entspannen, von der er wußte, daß sie unendlich weit eskalieren konnte, hier war alles möglich, bis hin zu Tränen.

»Wir kommen nach Berlin!«

Darauf war Herr Lehmann nicht vorbereitet, das war ein harter Schlag. So hart, daß Herr Lehmann schwieg. Sie kommen nach Berlin, sie kommen nach Berlin, dachte er und konnte es sich einfach nicht vorstellen.

»Frank, bist du noch da?«

»Ja, Mutter. Wieso kommt ihr nach Berlin?«

»Aber Junge, das wollten wir doch immer schon mal.«

»Davon«, sagte Herr Lehmann gereizt, »habe ich noch nichts gemerkt. In den ganzen Jahren, in denen ich jetzt hier wohne, habe ich davon noch nichts gemerkt, Mutter, daß ihr nach Berlin kommen wollt.«

»Aber sicher doch, da war doch oft die Rede von.«

»Nein, Mutter«, sagte Herr Lehmann, »davon war nie die Rede. Es war immer die Rede davon gewesen, daß ihr nicht nach Berlin kommen wollt, weil euch das mit der DDR nicht geheuer ist und mit durch den Ostblock fahren und so, und daß ihr euch nicht von den Vopos demütigen lassen wollt und der ganze Quatsch.«

»Aber Frank, wirklich, das ist doch heute alles gar nicht mehr so schlimm, nun stell dich mal nicht so an.«

»Ich? Wieso ich? Was heißt denn jetzt, ich soll mich nicht so anstellen?«

»Das sind doch ganz olle Kamellen, das ist doch schon lange nicht mehr so schlimm heute, da gibt es doch Verträge und so.«

»Das habe *ich* immer gesagt, *ihr* habt aber gesagt …«

»Jetzt stell dich doch nicht so an wegen ein paar Polizisten, wir haben ja nun wirklich nichts verbrochen, da brauchen wir gar nichts zu befürchten.«

»Ich stelle mich nicht an.«

»Das klang mir aber eben noch ganz anders.«

Das bringt jetzt nichts, dachte Herr Lehmann resigniert. Man kommt nicht dagegen an.

»Wann kommt ihr denn?« wechselte er das Thema.

»Das ist eine ganz tolle Sache«, sagte seine Mutter. »Das ist alles inklusive, Busfahrt, Hotel und ein Theaterbesuch.«

»Ja, aber wann kommt ihr denn?«

»Das ist ein Theater am Kurfürstendamm, da soll der Ilja

Richter mitspielen, das heißt, das heißt ... Ernst, wie heißt das noch mal, was die da spielen? ... Na, in dem Theater! ... Natürlich, mit dem Ilja Richter ... Was? ... Nein, der doch nicht ... Bist du sicher?«

»MUTTER!«

»Harald Juhnke, das ist mit Harald Juhnke, sagt dein Vater«, sagte Herrn Lehmanns Mutter.

»Mutter, wann? Wann kommt ihr denn nun, verdammt noch mal?!«

»Ach so, das ist noch ein bißchen hin, das ist Ende Oktober erst, wann ist das noch mal, Ernst?«

»Ende Oktober«, entfuhr es Herrn Lehmann heftiger als er wollte. »Ende Oktober, verdammte Scheiße, das ist ja noch sechs Wochen hin oder länger oder was ...« Er war sich über das heutige Datum nicht ganz sicher, es war nur irgendwie Anfang September, soviel war klar. »Ihr kommt Ende Oktober, und da rufst du mich heute schon deswegen an?« Aber eigentlich ist es falsch, hier zu protestieren, dachte er gleichzeitig, das ist ungerecht, es ist nur fair, wenn man lange vorher gewarnt wird, so etwas will vorbereitet sein.

»Aber freust du dich denn gar nicht? Und was soll das heißen, mit solchen Wörtern zu kommen, wenn die ...«, ab diesem Moment wurde die Stimme von Herrn Lehmanns Mutter brüchig, und er wußte, daß jetzt alle Dämme brechen würden, »... eigenen Eltern zu Besuch kommen, und das nach all den Jahren, wo du schon da wohnst, und ich hatte mich schon so gefreut, endlich mal zu sehen ...«, jetzt war der Tränenfluß in vollem Gange, Herr Lehmann konnte das an ihrer Stimme hören, die dennoch nicht in diesen Tränen erstickte. Sie kann das gleichzeitig, dachte Herr Lehmann, volle Pulle weinen und normal weiterreden, dachte er, sich selbst in eine tiefe Erbitterung hineinsteigernd, immer und immer weiterreden, »... wie du eigentlich lebst«, fuhr seine Mutter fort,

»und dann das Restaurant, wo du arbeitest, und was du für Freunde hast, und überhaupt muß man doch …«

»Wollt ihr mich jetzt besuchen oder wollt ihr mich überwachen?« entfuhr es Herrn Lehmann, der eigentlich lieber nachgeben und ihr versichern wollte, was sie sowieso wissen müßte, daß er nämlich nichts gesagt hatte, was darauf hindeutete, daß er sich nicht auch freute, daß man im Gegenteil ja sogar froh sein konnte, wenn der eigene Sohn es bedauerte, daß es noch so lange hin war, bis sie kamen, aber das wollte er nicht, das wäre die vollendete Niederlage gewesen, und mit den vollendeten Niederlagen bei seiner Mutter mußte jetzt mal Schluß sein. So darf das nicht ausgehen, dachte er, dann ist der ganze Tag versaut. Ihm fiel ein, wie er neulich bei seinem besten Freund Karl im Fernsehen eine Sendung über Depressive gesehen hatte, und die eine Frau hatte gesagt: »Morgens ist es am schlimmsten, da fängt der Tag an«, und genauso ging es ihm jetzt, deshalb mußte er irgend etwas tun, er mußte eine letzte Attacke wagen.

»Überwachen? Überwachen? Was denkst du denn von uns«, kam es derweil schrill aus Bremen herüber, das Weinen war schon wieder vorüber, es kommt und geht wie ein tropischer Regen, dachte Herr Lehmann.

»Warum kommt ihr nicht noch ein bißchen später?« Herr Lehmann hatte diese plötzliche Eingebung und wußte, daß er zurück im Spiel war.

»Wieso? Was ist denn da?« fragte seine Mutter mißtrauisch.

»Na denk mal nach …?«

»Aber Frank, was soll denn das jetzt!«

»Hast du meinen Geburtstag vergessen, oder was?« Herr Lehmann haßte diesen Quatsch, aber was, dachte er, soll man machen, im Krieg ist jedes Mittel recht.

»Wieso soll ich deinen Geburtstag vergessen haben«, kam es aus dem Hörer. »Der ist doch erst im November.«

»Ja nun, aber wenn schon, denn schon«, sagte Herr Lehmann triumphierend.

»Das ist doch noch lange hin, wieso fängst du denn jetzt damit an?«

»Das ist nicht viel länger hin als die Sache, wegen der du angerufen hast.«

»Welche Sache?«

»Na, die mit eurem Ding, daß ihr nach Berlin kommt.«

»Ach so, das ist doch was ganz anderes, das ist Ende Oktober.«

»Ende Oktober, Anfang November, wo ist da der große Unterschied. Du hast meinen Geburtstag vergessen«, sagte Herr Lehmann fröhlich. »Du hast eine Reise nach Berlin gebucht und vergessen, daß ich kurz danach dreißig Jahre alt werde.«

»Ach Unsinn, wie sollte ich das vergessen?«

»Das frage ich mich auch«, sagte Herr Lehmann erheitert. Ich habe gewonnen, dachte er.

»Eine Mutter vergißt so etwas nicht. Dreißig, mein Gott, schon dreißig Jahre. Das weiß ich doch. So alt schon. Und mir ist es immer noch, als wäre es gestern gewesen, daß ich dich in meinem Arm hielt …«

»Ja, ja …«, versuchte Herr Lehmann nun doch wieder abzuwiegeln.

»… so ein kleines und schmächtiges Ding, was du warst. Und wir hatten so viele Sorgen wegen dir! Immer warst du krank.«

»Ja, ja, okay!«

»Und geschrien hast du auch so viel, ganz anders als dein Bruder. Deinen Geburtstag vergessen, so ein Quatsch. Eine Mutter würde niemals den Geburtstag ihres Kindes vergessen.« Und dann hörte Herr Lehmann, wie seine Mutter in ihre Wohnung hineinrief: »Ernst, können wir auch noch eine Woche später fahren?«

»Schon gut, Mutter«, rief Herr Lehmann, der nichts weniger wollte als das, aber der Faden war schon wieder gerissen, und er lauschte noch einmal einige Zeit einem aufgeregten Gemuffel auf der anderen Seite der Leitung, von dem er diesmal leider gar nichts verstehen konnte, weil seine Mutter daran gedacht hatte, ihre Sprechmuschel mit der Hand zu bedecken. Er saß mittlerweile an dem kleinen Tisch in seiner kleinen Küche, in einer etwas schrägen, ungesunden Körperhaltung, damit die Leitung reichte, und probierte jetzt erst einmal seinen Kaffee. Der einzige Nachteil bei Cowboykaffee, dachte er, besteht darin, daß es unmöglich ist dafür zu sorgen, daß sich wirklich alle Kaffeekrümel setzen, denn das tun sie im Grunde genommen, dachte er, Kaffee muß sich setzen, Tee darf ziehen, kam ihm ein alter Spruch seiner ostpreußischen Großmutter in den Sinn, und darum, dachte Herr Lehmann, ist der Kaffeefilter als solcher natürlich völlig sinnlos, aber trotzdem gibt es immer ein paar Krümel, die an der Oberfläche bleiben, das ist komisch, dachte Herr Lehmann und fragte sich, was mit diesen Krümeln los war, daß sie sich so ganz anders als ihre Kollegen verhielten.

»Nein«, meldete sich seine Mutter wieder, »das geht leider nicht. Das ist wirklich schade.«

»Warum nicht?« fragte Herr Lehmann grausam und fügte, um noch einen draufzusatteln, hinzu: »Schließlich wird man nur einmal dreißig!«

»Ich weiß, ich weiß«, Herr Lehmann konnte förmlich hören, wie seine Mutter sich am anderen Ende der Leitung vor Bedauern krümmte, »aber da haben die Meierlings ihre Silberhochzeit, die rechnen ja fest mit uns, das können wir nicht mehr absagen. Du bist doch trotzdem Ende Oktober in Berlin, oder nicht? Du kommst da ja sowieso nie raus!«

»Hm, das hängt davon ab …«, sagte Herr Lehmann genüßlich.

»Aber wir kommen doch extra wegen dir.«

»Fällt mir schwer zu glauben, Mutter.«

»Frank!« Das kam jetzt beinahe flehentlich. »Wenn wir nach all den Jahren mal nach Berlin kommen … Es tut mir ja leid wegen deinem Geburtstag, wenn ich gewußt hätte, daß dir das so wichtig ist …«

»Na ja, so wichtig ist das auch wieder …«

»Es tut mir wirklich leid, daß es später nicht geht.«

»Genau.«

»Wir konnten ja nicht wissen, daß dir das so viel bedeutet.«

»Na ja, so schlimm ist das auch wieder nicht.«

»Und ich hatte im Februar Geburtstag, da warst du auch nicht hier. Und dein Bruder auch nicht. Da solltest du vielleicht nicht so drauf rumreiten, auf deinem Geburtstag.«

»Hm …«

»Und wenn wir schon mal nach Berlin kommen, da kannst du ja wohl mal für uns da sein.«

»Sicher, klar.«

»Das ist ein Wochenende, am 28. und 29. Oktober ist das.«

»Ich werd's mir aufschreiben, Mutter, damit ich das nicht vergesse, ich mach mir gleich einen Zettel.«

»Wenn wir schon mal nach Berlin kommen, da müssen wir uns doch sehen.«

»Ja klar, Mutter.«

»Also wirklich!«

Herr Lehmann seufzte. Na gut, dachte er. Na gut, Mutter: Einigen wir uns auf Unentschieden.

3. FRÜHSTÜCK

Daß es eine blöde Idee gewesen war, an einem Sonntag und um diese Zeit die Markthallenkneipe aufzusuchen, hätte Herrn Lehmann, das dachte er sofort, als er nicht lange nach dem Anruf seiner Mutter die Markthallenkneipe betrat, eigentlich vorher klar sein müssen. Warum bin ich bloß hierhergekommen, dachte er, welcher Teufel hat mich geritten, hier reinzugehen, fragte er sich, als er noch in der Nähe der Tür, aber immerhin schon in der Markthallenkneipe stand und mit einem Blick die ganze traurige Wahrheit erfaßte: daß es nämlich überhaupt keinen Sinn ergab, an einem Sonntag die Markthallenkneipe aufzusuchen, was auch ein Grund dafür war, daß er den Sonntag an sich so sehr haßte, weil ihm nämlich an den Sonntagen der naheliegende Weg aus seiner Wohnung heraus und in die Markthallenkneipe hinein immer durch eine geradezu unmenschliche Ansammlung von Frühstückern, die sich hier immer sonntags wie auf ein Kommando einfanden, verleidet wurde.

Es ist unmöglich, dachte Herr Lehmann, während er völlig sinnlos in der Nähe der Tür stand und den Raum links von ihm und die darin befindlichen Menschen beobachtete, sich hier auch nur zehn Sekunden lang aufzuhalten, dieser Frühstückskram macht alles kaputt, wie er jeden Sonntag alles kaputtmacht, dachte er und blickte der Vollständigkeit halber noch einmal in die andere Richtung, nach rechts, wo es zu den Toiletten ging und wo nur wenige Tische standen, die aber, wie zu erwarten, ebenso besetzt waren von Frühstückern, wie überhaupt nach Herrn Lehmanns Beobachtung alle Kneipen der Stadt an den Sonntagen besetzt waren von Frühstückern. Der Frühstücker, dachte er zerstreut, während er einem mageren Mädchen, das er komischerweise gar nicht kannte und das sich mit einem riesigen Tablett an ihm vorbeiquälte, auswich, ist ja der Feind an sich, und es ist sonntags immer Frühstückszeit, dachte er, jedenfalls bis 17 Uhr, auch in der Markthallenkneipe, obwohl sie behauptet, auch Restaurant zu sein, was es in diesem Fall nicht besser macht, dachte Herr Lehmann.

Eine Kneipe, die auch Frühstück serviert, sollte sich nicht Restaurant nennen dürfen, dachte Herr Lehmann, während er noch immer nichtsnutzig in der Nähe des Eingangs stand und sich nicht wenig blöd dabei vorkam, es ist unwürdig, wenn Köche, so denn diese sogenannten Restaurants überhaupt richtige Köche beschäftigen, sich mit dem Aufstapeln von Käse- und Wurstscheiben auf Tellern beschäftigen. Und schlimm ist es auch für die Leute hinter dem Tresen, dachte er, die durch die Frühstücker so dermaßen beansprucht werden, daß sie nicht einmal ihre Freunde und Kollegen bemerken, wenn diese in der Nähe des Eingangs stehen und sich nicht zu helfen wissen, dachte Herr Lehmann. Es sollte Pflicht und moralischer Anspruch der Besitzer bzw. Betreiber von Restaurants sein, auch wenn sie Erwin heißen und meinen, jede blöde Mark mitnehmen zu müssen, dachte er, diese Restaurants, auch wenn sie vielleicht nebenher noch Kneipen sind, wogegen an sich nichts zu sagen ist, denn getrunken wird immer, das ergibt ja noch irgendwie einen Sinn, dachte er, von den Frühstückern als solchen freizuhalten, denn das sind die allerunerträglichsten Menschen überhaupt, dachte Herr Lehmann, während er noch immer wie bestellt und nicht abgeholt in der Nähe der Eingangstür stand und nicht

34

weichen wollte, weil er den Frühstückern, die dort alles ok-
kupierten, den Triumph nicht gönnte, ausgerechnet ihn aus
der Markthallenkneipe zu vertreiben. Es ist kein Wunder,
dachte er, daß einen die eigenen Kumpels nicht wahrnehmen
und einem dabei helfen, einen freien Tisch und ein bißchen
Ruhe zu finden, wenn sie sich gleichzeitig mit solch einem
Frühstückergesocks herumschlagen müssen, wie es hier frei
herumläuft.

Warum ist zum Beispiel ein Begriff wie Orangensaft ge-
schützt, so daß nur aus hundert Prozent Orangen hergestell-
ter Orangensaft Orangensaft heißen darf, dachte Herr Lehmann, dem langsam, während er noch immer ratlos in der
Nähe des Eingangs stand, die Beine schwer wurden, während
der andere Kram je nach Fruchtgehalt aber Orangennektar
oder Fruchtsaftgetränk mit Orangengeschmack heißen muß,
nicht aber der Begriff Restaurant, obwohl der Begriff Restaurant bei weitem schützenswerter ist als etwa der Begriff Orangensaft, dachte er, vor allem vor den Frühstückern ist der Begriff Restaurant zu schützen, nicht aber der Begriff Orangensaft, das ergäbe keinen Sinn, ging es ihm immer sinnfreier
durch den vom Schnapsgebrauch ungewöhnlich verkaterten
Kopf, während er noch immer in den großen, wenigstens
nicht mit Musik beschallten Raum hineinstarrte, in dem niemand, aber auch niemand Anstalten machte, einen komplet-
ten Tisch zu räumen, was der einzige Ausweg für Herrn Lehmann gewesen wäre, außer der sofortigen Flucht natürlich,
die ihm jetzt als das Beste erschien, wäre sie nicht mit Kapi-
tulation und anschließender Ratlosigkeit verbunden gewesen.

Er war in seiner Verzweiflung fast bereit, sich irgendwo da-
zuzusetzen, das tat er auch an den anderen Tagen der Woche
manchmal, aber natürlich nicht an einen Tisch, an dem jemand frühstückte, was nach Herrn Lehmanns Erfahrung
nicht nur eine ganz und gar absurde, sondern auch eine un-

angenehm raumgreifende Tätigkeit war, die aber, das fiel ihm auch jetzt, während er noch immer trotzig in der Nähe des Eingangs stand, wieder auf, für die Frühstücker der ganze Lebensinhalt zu sein schien, sie lebten darin auf, wie sie da andächtig Tellerchen hin- und herschoben, Wurstscheiben auseinanderfieselten, Eier köpften, Salatgarnituren, die gar nicht zum Essen gedacht waren, zusammengefaltet in ihre Münder schoben, Käserinden abschnitten und im Zeitlupentempo Brötchen öffneten, sie aßen nicht nur Unsinn, was an sich schon schlimm genug war, sondern frönten vor allem einem gemeinschaftlichen Ritual, dessen ganzer Sinn darin bestand, davon war Herr Lehmann jetzt überzeugt, ihm den Besuch der Markthallenkneipe unmöglich zu machen.

Das sind ja Wahnsinnige, dachte Herr Lehmann maßlos, während er, wie auf ein Wunder wartend, in der Nähe der Tür inmitten eines unerträglichen Hin und Hers verharrte, belästigt von Leuten, die sich im Vorbeigehen wie sexuell unterzuckert an ihm rieben, obwohl er doch rücksichtsvoll darauf achtete, daß so viel Raum zwischen ihm und dem nächsten Hindernis blieb, daß auch der letzte motorische Idiot Platz zum reibungsfreien Vorbeikommen finden konnte. Frühstück, schon das Wort ist hassenswert, wenn man so darüber nachdenkt, dachte er, was soll das überhaupt heißen, Frühstück, Frühstück, das frühe Stück, wahrscheinlich haben das mal irgendwelche Bauern erfunden, dachte er, während er immer wieder seine Position verändern mußte, um den Frühstückern auszuweichen, die dauernd irgendwo aufstanden und auf dem Weg von irgendwo nach irgendwo, zum Klo und zurück oder wie auch immer, niemals aber das Lokal verlassend, was das einzig akzeptable gewesen wäre, ihn bedrängten, irgendwelche Bauern, dachte er, die sich schon vor Sonnenaufgang irgendwelche Stücke von irgendwas auf ein Messer gespießt in den Mund schieben, bevor sie rausgehen und ihre Knechte verprügeln, dachte er. Aber noch biederer und noch häßlicher als das Wort Frühstück sind die Frühstücker, wollte er sich innerlich nicht beruhigen, während er dort noch immer stand und darauf wartete, daß man ihn bemerkte, was ihm langsam peinlich wurde. Auch Frühstücker sind Menschen, gab er innerlich zu, aber warum müssen sie ihr furchtbares Hobby ohne Scham in die Öffentlichkeit tragen, dachte er, ohne in seiner Rage noch Halt zu finden, sie sind wie Nudisten oder Swinger oder so, dachte er, sie heben fettige Finger, und dann sagen sie Dinge wie »Kann ich noch ein Ei haben« oder »Ich hatte noch einen Milchkaffee bestellt«, dachte Herr Lehmann, und dabei merken sie gar nicht, wie furchtbar das ist.

Ich sollte jetzt wirklich gehen, das bringt hier nichts, dachte Herr Lehmann, während er noch immer in der Nähe des Eingangs stand und nun wirklich absolut keine Lust mehr hatte, sich das noch weiter anzuschauen. Es ist auf nichts und niemanden mehr Verlaß, nicht einmal auf Kollegen und alte Freunde, dachte er, und er hatte sich schon zur Tür umgedreht und mit dem endgültigen Verlassen der Markthallenkneipe nur noch ein wenig warten müssen, weil andere Leute, die ebenfalls gerade gingen, dabei aber keinen ganzen Tisch frei gemacht hatten, wie er bedauernd feststellte, sich vorgedrängelt hatten, als er seinen Namen rufen hörte.

»Frank!«

Natürlich wußte er, daß er gemeint war, und er wußte natürlich auch, wer ihn da rief, er hatte schließlich lange genug auf diesen Ruf gewartet, aber dennoch war er versucht, ihn zu ignorieren und trotzdem zu gehen. Das würde Karl ganz recht geschehen, dachte er, obwohl, dachte er gleich wieder, das ist ungerecht, Karl kann ja nichts dafür, die Frühstücker sind schuld, dachte Herr Lehmann, obwohl er Karl natürlich sofort gesehen und sich schon darüber gewundert hatte, daß sein bester Freund Karl heute morgen überhaupt hier arbeitete, im Gegensatz zu Heidi, bei der er sich nicht gewundert hatte, weil sie fast immer morgens arbeitete, denn sie machte gerne Frühstücksschichten und war auch sonst etwas seltsam. Bei seinem Freund Karl war das etwas anderes, sein bester Freund Karl arbeitete zwar in der Markthallenkneipe, aber natürlich machte er immer nur die Spätschichten, so wie Herr Lehmann im Einfall auch, darin waren sie sich seit je einig gewesen, daß Frühstücksschichten das Dämlichste waren, was es gab. »Wir sind keine Kellner und keine Milchkaffee-Aufschäumer«, hatte sein bester Freund Karl immer gesagt, wenn sie auf das Thema Frühstücksschichten zu sprechen kamen, und das war selten genug, denn das Thema Frühstücksschichten war für sie beide überhaupt kein Thema, sie machten so etwas nicht, kein Wunder also, daß Herr Lehmann seinen besten Freund Karl sofort entdeckt hatte, denn als einer, der mit diesem ganzen Frühstückskram nie etwas zu tun gehabt hatte, fiel er hier besonders auf, er paßte hier nicht rein, nicht um diese Zeit. Außerdem war Karl, als der Riesenschrank von einem Mann, der er war, groß, breit und stark, nirgendwo zu übersehen, schon gar nicht, wenn er hinter einem Tresen stand.

Herr Lehmann drehte sich also, als sein bester Freund Karl ihn endlich bemerkt hatte und seinen Namen rief, um. Karl hatte beide Hände im Spülwasser und grinste zu ihm herüber. Dann zog er die Hände aus dem Becken und winkte mit zwei großen Biergläsern, daß es nur so spritzte. Ohne lange darüber nachzudenken, warum es um diese Tageszeit, die ja leider vor allem Frühstückszeit war, überhaupt so große Biergläser abzuwaschen gab, weil gerade für Herrn Lehmann in seinem jetzigen Zustand völlig auf der Hand lag, daß hier an einem Sonntagmorgen auch viel Apfelsaftschorle durch die Kehlen ging, ging Herr Lehmann zu ihm hin.

»Was machst *du* denn schon hier?« rief ihm sein bester Freund Karl entgegen. »Das ist doch gar nicht deine Zeit.«

»Das wollte ich eigentlich dich fragen. Und was essen«, sagte Herr Lehmann.

»Dann setz dich doch irgendwo hin«, sagte sein bester Freund Karl, »ich bring dir gleich die Karte.«

»Ich weiß nicht, das ist doch Scheiße hier!«

Sein bester Freund Karl lachte. Karl ist immer gutgelaunt, dachte Herr Lehmann, das ist seltsam bei ihm, daß er immer so gutgelaunt ist. »Das nervt doch hier«, platzte es aus ihm heraus, »das nervt doch, mein Gott, guck dir die Scheiße doch mal an«, und irgendwie bedauerte er es, daß er das so sagte, daß es so hart herauskam, das klingt so negativ, das kann man jetzt bei Karl nicht bringen, dachte er, man müßte positiver sein, irgendwie besser gelaunt, dachte Herr Lehmann.

»Quatsch, da ist doch noch Platz genug«, widersprach ihm sein bester Freund Karl, »setz dich doch einfach irgendwo dazu!«

»Das ist doch Scheiße, dazusetzen.«

Sein bester Freund Karl seufzte. »Da hinten, der große Tisch, da sitzt nur ein einziger Typ dran.«

»Hab ich jetzt keinen Bock drauf«, sagte Herr Lehmann, dem seine Aufsässigkeit sehr unangenehm war. Aber der Gedanke, mit einem Fremden, selbst wenn der nicht frühstückte, am selben Tisch zu sitzen und am Ende sogar noch angesprochen zu werden, und sei es nur auf die ganz blöde Tour wie »Kannst du mal den Aschenbecher rüberschieben« oder so, war ihm noch viel unangenehmer. Der Tag hatte durch den Anruf seiner Mutter schlimm begonnen, und wenn er es recht bedachte, hatte der Tag davor auch schlimm geendet, und er wollte ja nicht viel, nur seine Ruhe und eine kleine Ecke für sich allein.

Sein bester Freund Karl seufzte. »Dann nimm halt den

kleinen Zweier dort«, er wies auf einen ganz kleinen Tisch mit zwei Stühlen in der Nähe der Schwingtür zur Küche, »der ist ja nun wirklich frei.«

»Nein, nein, das geht nicht«, sagte Herr Lehmann, »der ist fürs Personal, das kann ich wirklich nicht machen ...«

»Frank!« sagte sein bester Freund Karl resolut. »Halt jetzt die Klappe und setz dich dahin.«

»Kann ich nicht bringen«, sagte Herr Lehmann, der sich auf seine Prinzipien allerhand zugute hielt. »Was sagen denn dann die anderen, mit so was soll man gar nicht erst anfangen.«

»Heidi«, rief sein bester Freund Karl zu der Frau hinüber, die in diesem Moment mit einem Messer in der Orangensaftpresse herumstocherte. »Hast du was dagegen, wenn Herr Lehmann sich an den kleinen Tisch setzt?«

»Nerv mich jetzt nicht«, rief sie zurück, ohne aufzusehen.

»Interessiert kein Schwein«, sagte sein bester Freund Karl.

»Sag mal«, lenkte Herr Lehmann, dem jede Sonderbehandlung zuwider war, obwohl er in diesem Fall, das mußte er sich eingestehen, ein bißchen auf den kleinen Personaltisch spekuliert hatte, schnell ab, »was machst *du* eigentlich hier?« Und wieso bist du so gutgelaunt, hatte er anhängen wollen, tat es aber lieber nicht, weil er dann hätte zugeben müssen, selbst eher schlechtgelaunt zu sein, und das würde ihn noch weiter ins Unrecht setzen, als es schon dadurch der Fall war, daß er einen Tisch okkupierte, der dem Personal vorbehalten war.

»Bin eingesprungen«, sagte sein bester Freund Karl fröhlich, »direkt aus dem Orbit hierher, war gar nicht mehr im Bett. Erwin hat mich um neun am Telefon erwischt, da kam ich gerade nach Hause. Ich weiß auch nicht, wie der das immer macht.«

Herr Lehmann musterte neugierig das Gesicht seines besten Freundes, was nicht so einfach war, weil dieser jetzt wieder mit Feuereifer Gläser spülte. Herr Lehmann konnte keinerlei Müdigkeit darin erkennen, was schon deshalb seltsam war, weil sein bester Freund Karl auch schon so alt war wie er selbst. Ich sollte ein härterer Knochen sein, dachte Herr Lehmann, so wie Karl, der würde sich niemals durch einen Hund und einen Anruf seiner Mutter aus der Bahn werfen lassen, darum nennt ihn auch niemand Herr Schmidt, dachte Herr Lehmann und fühlte sich dadurch nur noch elender.

»Ich setz mich dann mal hin«, sagte er. Karl nickte nur, und mit müden Knochen schleppte Herr Lehmann sich an den kleinen Tisch, der eigentlich dem Personal vorbehalten war.

»Der ist nicht frei, der ist nur fürs Personal«, sagte das magere Mädchen, das ihm vorhin schon aufgefallen war, und das er nicht kannte.

»Sag ich doch«, murmelte Herr Lehmann und stand, rot geworden, wieder auf.

»Das ist okay«, sagte Heidi, die in diesem Moment vorbeikam. »Herr Lehmann darf das.«

»Herr Lehmann?!« sagte das dürre Mädchen mit einem, wie Herr Lehmann fand, unangemessen ironischen Unterton. »Herr Lehmann, aha! Arbeitest du auch hier?«

»Ich arbeite auch für Erwin, aber ich will wirklich nicht …«, sagte Herr Lehmann, dem das jetzt unangenehm war, zumal er allgemeine Aufmerksamkeit erregte, an den Tischen ringsum wurden die Köpfe gehoben, man starrte ihn geradezu an, und Herr Lehmann hatte nicht übel Lust, das Wort an diese Leute zu richten und etwas zu sagen, was ihm, wie er wußte, später leid tun würde, weshalb er es auch nicht tat. Heute ist nicht der Tag, ausfallend zu werden, dachte er, ich hätte niemals aufstehen und ans Telefon gehen dürfen, das und das Schnapstrinken, das waren die Fehler, dachte Herr Lehmann.

»Jetzt setz dich einfach mal hin«, sagte Heidi, faßte ihn an den Schultern und drückte ihn zurück auf den Stuhl. »Darum kümmer ich mich selber«, fügte sie, an das dürre Mädchen gewandt, hinzu. Herr Lehmann, den das alles irgendwie an die Notaufnahme des Urbankrankenhauses erinnerte, in der er mal wegen einer akuten Nebenhodenentzündung vorgesprochen hatte, war Heidi sehr dankbar.

»Wie geht's denn so, Herr Lehmann? Willst du was trinken?«

»Weiß nicht. Erst mal ein großes Glas Leitungswasser.«

»Du siehst ganz schön mitgenommen aus, Herr Lehmann.«

»Schön, daß du das sagst, Heidi. Aber die Kombination aus Herr Lehmann sagen und duzen ist das Übelste, was es gibt. Es gibt nichts Schlimmeres, außer vielleicht Nebenhodenentzündung.«

»Hast du eine Nebenhodenentzündung?«

»Nein, Heidi, nein. Ich habe keine Nebenhodenentzündung. Ich habe Durst.«

»Du hast einen Kater, Herr Lehmann. Immer wenn du einen Kater hast, bist du nicht zum Aushalten. Ich schick dir mal Karl.«

»Denk an das Wasser.«

Kurz darauf kam sein bester Freund Karl mit einem Weizenbierglas voll Leitungswasser.

»Das sieht ja ekelhaft aus«, sagte Herr Lehmann. »War das Glas auch richtig sauber?«

»Okay«, sagte sein bester Freund Karl, »was willst du lieber trinken?«

»Weiß nicht. Pfirsichsaft?«

»Haben wir nicht, Frank, das ist der einzige Saft, den wir aus irgendeinem Grund nicht haben. Und du weißt das.«

»Ja nun, dann weiß ich auch nicht …«

»Frank, komm schon, hier ist die Karte, willst du einen Kaffee?«

»Nee, hab ich schon zu Hause so viel von getrunken, lieber irgendwas Erfrischendes. Irgendwie … Kirschsaft vielleicht?«

»Bist du sicher, daß du Kirschsaft willst?«

»Na ja, was weiß ich, also …«

»Ich bring dir mal ein Bier.«

»Aber nicht vom Faß, bloß nicht vom Faß.«

»Schon klar …«

Sein bester Freund Karl brachte ihm ein Beck's, setzte sich ihm gegenüber und seufzte. Herr Lehmann nahm einen vorsichtigen ersten Schluck und sah seinem besten Freund Karl dabei zu, wie er sich die Augen rieb. Plötzlich sieht er doch müde aus, dachte er, auf Dauer kann so etwas nicht gutgehen, dauernd durchmachen und so, auf Dauer fordert das Alter seinen Tribut, dachte er und nahm einen zweiten Schluck, worauf er merkte, daß er Hunger hatte.

»Ich brauch keine Karte«, sagte er entspannt.

»Was willst du denn?«

»Schweinebraten«, sagte Herr Lehmann, der nie etwas anderes aß, wenn er in der Markthallenkneipe war.

»Frank!«

»Was denn?«

»Frank, es ist elf Uhr. Kannst du nicht irgendein Frühstück bestellen, wie alle anderen auch?«

»Frühstück«, sagte Herr Lehmann, der sich schon viel besser fühlte. »Frühstück, das ist doch Quatsch ist das.«

»Ich weiß. Nimm doch das amerikanische«, sagte sein bester Freund Karl, und es lag eine Erschöpfung in seiner Stimme, die es Herrn Lehmann dann doch leid tun ließ, daß er solche Umstände machte. »Das sind Spiegeleier mit Speck und Bratkartoffeln, das ist doch okay.«

»Nee, danke.«

»Manchmal könnte ich dich an die Wand klatschen, Frank, vor allem, wenn du einen Kater hast. Die Hütte ist gestopft voll, wir haben eine neue Frau an den Tischen, die nichts rafft, und außerdem noch eine neue Frau in der Küche, was meinst du, was die mir um die Ohren haut, wenn ich der jetzt mit Schweinebraten komme.«

»Du hast Angst vor einer Frau in der Küche?«

»Du kennst die nicht. Die hat sogar Koch gelernt. Richtig gelernt.«

»Na und?«

»Die kann man nicht einfach so rumschubsen …«

»Wieso rumschubsen? Was hat Schweinebraten mit rumschubsen zu tun?«

»Frank, stell dich nicht blöd.« Sein bester Freund Karl stand auf und grinste erschöpft. »Na ja, mir soll's egal sein. Ich schick sie dir raus, du kannst ja mal selber mit ihr sprechen.«

Besorgt sah Herr Lehmann, der sich nun wünschte, er hätte die Eier genommen, obwohl es Frühstückskram war und man in seinem Alter, wie er fand, mit Cholesterin nicht vorsichtig genug sein konnte, seinem besten Freund Karl hinterher, wie er in die Küche wankte. Ich muß ein bißchen mehr auf ihn aufpassen, dachte Herr Lehmann, manchmal übernimmt er sich. Vielleicht sollte ich mal mit ihm reden und ihm sagen, daß er sich lieber öfter hinlegen sollte, dachte er, aber das würde er sicher als Anmaßung betrachten.

»Die kommt gleich raus, rede du mal schön selbst mit ihr«, sagte sein bester Freund Karl, als er zurückkam, und klopfte ihm auf die Schulter. »Willst du noch ein Bier? Obwohl, wenn ich mir dich so ansehe, dann denke ich, du solltest dich lieber noch ein bißchen hinlegen, Alter. Du siehst irgendwie angegangen aus, würde ich mal sagen.«

Herr Lehmann wollte etwas erwidern, aber sein bester Freund Karl war schon wieder hinter dem Tresen und wusch Gläser.

Herr Lehmann gab sich für einen Moment der Müdigkeit hin. Sein bester Freund Karl hätte das nicht sagen sollen, daß er angegangen aussah. Und Heidi schon gar nicht. So was sagt man nicht, dachte er, wenn einem einer so was sagt, dann geht es einem gleich schlecht, egal ob zu Recht oder nicht, dachte er. Und jetzt, da der Zorn auf seine Mutter und die Frühstücker und die Hunde und überhaupt das ganze Elend dieser Welt verraucht war, war er wieder furchtbar müde, zumal das erste Bier auch die Kopfschmerzen, die ihn vor allem aus dem Haus getrieben hatten, ein bißchen verscheucht hatte. Das dürre Mädchen, das ihn zuvor von seinem Platz hatte verscheuchen wollen, stellte ihm wortlos ein neues Bier hin.

Als er diese zweite Flasche anbrach, war sie plötzlich da. Sie ließ sich ihm gegenüber auf den anderen Stuhl fallen und musterte ihn kritisch. Sie war groß, kräftig und schön. Er hatte noch den Flaschenhals im Mund, als sie ihn ansprach:

»Ist es da nicht ein bißchen früh für?«

Herr Lehmann setzte die Flasche ab.

»Wofür?«

»Beides, Bier und Schweinebraten.«

»Find ich nicht.« Herr Lehmann wußte, daß dies ein harter Kampf werden würde, der seine ganze Konzentration erforderte. Darum nahm er seinen Blick von ihrem großen Busen und begann schon einmal, seine Argumente zu sortieren.

»Das merke ich«, sagte sie trocken.

»Was wofür früh ist, und was wofür spät ist«, begann Herr Lehmann eine Stegreiftheorie zu entwickeln, »ist allein Gegenstand der gesellschaftlichen Verabredung. Oder sagen wir mal so ...:«, wechselte er die Richtung, um gar nicht erst auf die schiefe soziologische Bahn zu geraten, »wenn es okay ist, daß hier so Volldeppen bis 17 Uhr frühstücken, dann wird es ja wohl auch okay sein, um elf Uhr einen Schweinebraten zu bestellen.«

»Ich würde es lieber anders herum ausdrücken«, kam es unbeeindruckt aus dem Mund der schönen Frau, die, wie Herr Lehmann jetzt bemerkte, eine richtige Arbeitskleidung trug, eine, wie man sie sonst nur von Fernsehköchen kannte, eine weiche Hose mit kleinen weißen und blauen Karos und ein weißes, langes Kittelhemd, das seltsam geknöpft und blütenrein weiß war, im Gegensatz zu dem schmutzigen Lappen, der an einer dünnen Kette um ihre vollen Hüften baumelte, was man aber jetzt, da sie saß, nur sehen konnte, wenn man genauer hinsah, was Herr Lehmann kurz einmal tat, »wenn die Welt schon mit Arschlöchern vollgestopft ist, die bis 17 Uhr frühstücken, wieso brauchen wir dann auch noch Knallchargen, die um elf Uhr schon Schweinebraten bestellen?«

Herr Lehmann war begeistert. So hatte er noch nie eine Frau reden hören. Eigentlich wollte er überhaupt keinen Schweinebraten mehr, aber wenn sie so mit ihm sprach, hatte er natürlich keine Lust, die Sache fallenzulassen.

»Was ist schon dabei, einen Schweinebraten zu machen?« fragte er. »Der ist doch sowieso von gestern abend, da schneidet ihr doch nur was ab, ein bißchen kalte Soße drüber und ab in die Mikrowelle, das kenne ich doch, da erzählt mir keiner was.«

»Soso, da erzählt dir keiner was!« sagte sie unbeeindruckt und steckte sich eine Zigarette in den Mund. »Kannst du mal den Aschenbecher rüberschieben?«

Herr Lehmann schob ihr den Aschenbecher rüber.

»Nein, da erzählt mir keiner was.«

»Und wenn ich dir sage, daß kein Schweinebraten von gestern abend da ist? Was ist dann?«

Herr Lehmann hätte jetzt doch gern die Unterhaltung in andere Bahnen gelenkt. Warum, dachte er, kann ich nicht mit ihr darüber reden, wie alt sie ist, wie sie heißt und was sie macht, wenn sie heute fertig ist?

»Dann sage ich, daß es jetzt vielleicht erst Viertel nach elf ist, aber ab halb eins geht hier der normale Mittagessenscheiß los, und dann braucht ihr sowieso Schweinebraten.«

»Und wenn ich dir sage, daß ich auch nicht von gestern bin, und daß der Schweinebraten schon im Ofen ist, und daß der noch eine Stunde braucht, und daß du bis dahin höchstens so ein Scheißfrühstück haben kannst wie die anderen Penner hier auch« – sie wedelte mit der Zigarette in der Luft herum, als wollte sie den ganzen Raum segnen, und alles was darin war, und außerdem erhob sie die Stimme, damit, wie es Herrn Lehmann schien, alle etwas davon hatten, »diese ganzen Brötchenkauer hier mit ihrer Scheißwurst und ihrem Scheißkäse und dem ganzen Mist, der hier so über den Tisch geht, wenn ich dir also sage, daß du höchstens irgend so einen Quatsch haben kannst und daß, wenn du gerne Schweinebraten essen willst, du vielleicht um halb eins, wo ja, wie du zu wissen scheinst, das Mittagessen hier losgeht, du gerne noch einmal anklopfen kannst, aber ganz nett, und daß du dann vielleicht einen richtig guten Schweinebraten, wenn nicht gar den Schweinebraten deines Lebens haben kannst, bis dahin aber vielleicht sowieso zu besoffen bist, um das noch zu merken, wenn ich dir das sage, was sagst du dann, du …« – sie beugte sich vor und pustete Zigarettenrauch aus – »… Klugscheißer?«

Es verstrichen einige Sekunden, in denen Herr Lehmann sich entscheiden mußte, wie er weiter vorgehen sollte. Sollte er einlenken? Sollte er zugeben, daß sie recht hatte? Sollte er ein amerikanisches Frühstück bestellen? Sollte er einfach das Thema wechseln? Sie etwa fragen, ob sie über ihren schwarzen Haaren, die sie hinten zusammengebunden hatte, in der Küche auch eine Kochmütze trug? Andererseits: Sollte er sich wirklich widerstandslos als Klugscheißer bezeichnen lassen?

»Zum Beispiel«, sagte er, »würde ich sagen, wenn ich denn

gefragt werde, daß es hier sonntags um zehn Uhr losgeht, und daß die Küchenleute, zu denen du ja wohl gehörst, bestimmt schon um halb zehn hier sind, und daß, wenn du um halb zehn einen Schweinebraten vorbereitest, dieser Schweinebraten ja wohl um elf Uhr so weit fertig sein müßte, daß man ein Stück davon abschneiden kann, und scheiß auf die Kruste, ich nehm ihn auch ohne Kruste, und von Knödeln wollen wir gar nicht reden, Bratkartoffeln sind auch okay, und Bratkartoffeln habt ihr sowieso, die sind ja auch bei diesem amerikanischen Frühstück dabei, daß also der Schweinebraten schon so weit sein müßte, daß man ein Stückchen, es müßte ja nur das äußerste sein, für mich abschneiden könnte, egal, ob die Kruste noch nicht kroß ist, da scheiß ich drauf, ich finde sowieso, daß die Kruste überschätzt wird, daß man ein paar Bratkartoffeln dazutun könnte, Soße findet sich immer, und fertig ist das Gartenhäuschen, das würde ich sagen …«, auch Herr Lehmann beugte sich nun vor, »… Klugscheißer, der ich nun mal bin!«

Es folgte eine kleine Pause, in der sie ruhig und unbeeindruckt rauchte und ihn beobachtete. Herr Lehmann wünschte sich plötzlich, er würde auch rauchen. Vor allem aber wünschte er sich, er würde nicht einen solchen Unsinn daherreden. Das ist doch alles Quatsch, sie muß mich ja hassen, dachte er, ich würde mich jedenfalls hassen, wenn ich Koch wäre und mir jemand mit so einem Scheiß kommen würde, dachte Herr Lehmann.

»Soso, auf die Kruste kommt es also nicht an«, sagte sie schließlich.

»Nein, auf die Kruste kommt es nicht an.«

»Dir nicht oder allgemein nicht?«

»Allgemein ist mir egal.«

»Gibt's hier noch mehr von deiner Sorte?«

»Nein.«

»Na«, sagte sie, drückte ihre Zigarette aus und stand auf, »dann ist ja gut.«

»Okay«, sagte Herr Lehmann, der nicht wollte, daß sie schon ging, »dann warte ich noch ein bißchen. Ist ja sowieso bald halb eins.«

»Ich kann natürlich auch einen halbfertigen Schweinebraten aus dem Ofen ziehen und verstümmeln. Weil wir so gute Freunde sind.«

»Nein, nein, das muß nicht sein, ist nicht so wichtig.«

»Was bist du eigentlich? So 'ne Art Bundeskanzler, oder was?«

»Schon gut, schon gut.«

»Also mir ist das eigentlich scheißegal. Kann ich ja in Zukunft immer machen. Demnächst gibt's dann auch noch halbgekochte Kartoffeln für alle.«

»Nein, wirklich, keine Umstände! Ich nehm erst mal noch ein Bier. Vielleicht lese ich auch eine Zeitung. Oder einen Kaffee.«

Sie blieb noch kurz stehen. Ihre Blicke trafen sich und Herr Lehmann glaubte zu sehen, daß sie ihn nicht wirklich haßte, was ihn sehr erleichterte. Dann lächelte sie.

»Trink nicht so viel«, sagte sie und tippte, als sie an ihm vorbeikam, ganz kurz mit dem Finger auf seine Schulter. »Der Tag ist noch lang.«

»Ja«, sagte er und wollte noch etwas hinzufügen, aber er wußte nicht was, und sie war schon wieder in der Küche verschwunden.

Herr Lehmann seufzte und trank sein Bier aus. Dann bestellte er sich einen Kaffee. Der Tag war noch lang. Er hatte sich verliebt.

4. MITTAGESSEN

Herr Lehmann bekam seinen Schweinebraten kurz vor zwölf Uhr von seinem besten Freund Karl mit den Worten »Mit bestem Gruß von der schönen Köchin« serviert, und kurz danach setzte sich die schöne Köchin selbst wieder an seinen Tisch und sah ihm beim Essen zu. »Ist es okay, wenn ich rauche?« fragte sie.

»Ja sicher.«

»Sollte man eigentlich nicht machen.«

»Seh ich nicht so eng.«

»Und, wie ist er, der Schweinebraten?«

»Ja, ist sehr gut, super, wirklich.«

»Dann ist ja gut.«

»Ja, ist super. Der beste, den ich hier je gegessen habe.«

»Du brauchst hier nicht gleich rumzuschleimen.«

»Ich schleim nicht rum. Mach ich nie.«

»Dann ist ja gut.«

»Ja. Seit wann arbeitest du eigentlich hier?«

»Das ist jetzt meine zweite Schicht.«

»Hat Erwin dich eingestellt?«

»Der Typ, dem das hier gehört? So einer mit langen, dünnen Haaren?«

»Ja. Schon etwas schütter, möchte ich sagen.« Es ist immer gut, über Erwin zu sprechen, dachte Herr Lehmann, da kann man nicht viel falsch machen.

»Ja, der hat mich eingestellt. Komischer Typ.«

»Wieso?«

»Weiß nicht … irgendwie komisch.«

»Soso.«

»Weiß auch nicht.«

»Na ja, er hat schon was Spezielles«, räumte Herr Lehmann ein. »Erwin ist Schwabe, die halten hier alles am Laufen.«

»Kennst du Karl eigentlich schon lange?«

»Wir sind irgendwie alte Freunde. Wir haben mal zusammen gewohnt. Am Anfang, als ich nach Berlin kam. Du kommst aber auch nicht von hier, oder?«

»Wieso?«

»Na ja, du klingst eher so, als ob du aus meiner Gegend kommst.«

»Was meinst du mit klingen?«

»Na ja, so halt.«

»Was ist denn deine Gegend?«

»Bremen und so.«

»Ich komm aus Achim. Wenn du das kennst.«

»Achim, das ist doch Richtung Verden, ist da nicht auch der Grundbergsee?«

»Nicht eigentlich.«

»Da waren wir mal auf dem Campingplatz. Ich meine, meine Eltern und mein Bruder und so. Als ich klein war.«

»Auf dem Campingplatz? Am Grundbergsee?«

»Ja.«

»Klingt nach einer tollen Jugend, das muß ich schon sagen. Camping am Grundbergsee, sehr glamourös. Das hat Klasse.«

»Sehr witzig, hm? Tolle Sache, da kann man als Landei so richtig drüber ablachen, oder was?«

»Vorsicht, Vorsicht.«

»Für uns war das Spielen mit Kuhfladen wenigstens eine Abwechslung, nicht wie bei euch in Achim.«

»Was weißt du schon von Achim. Du weißt ja nicht mal, wo das liegt.«

»Immerhin habe ich am Grundbergsee schwimmen gelernt.«

»Das ist natürlich viel wert.«

»Unbedingt.«

»Am Grundbergsee schwimmen gelernt, Wahnsinn.«

»Irgendwo muß man's ja lernen.«

»Sicher, klar, ganz toll.«

»Und es ist schwieriger, im Süßwasser schwimmen zu lernen als im Salzwasser, da hat man nicht so viel Auftrieb.«

»Logisch. Sehr gut beobachtet.«

»Und arschkalt war's auch.«

»Das macht die Sache dann noch schwieriger.«

»Ja.«

»Dann ist ja gut.«

»Und wie wird man Koch, wenn man in Achim wohnt?«

»Köchin!«

»Okay, okay, wie wird man Köchin, wenn man in Achim wohnt?«

»Hab's in Bremen gelernt. Im Ibis-Hotel.«

»Im Ibis-Hotel?«

»Ja, verdammt noch mal, im Ibis-Hotel. Sprech ich irgendwie undeutlich, oder was?«

»Nein. Aber das ist auch nicht gerade superglamourös, im Ibis-Hotel kochen lernen.«

»Du bist ja wohl die Art Typ, die von allem was versteht, was? Vom Schweinebraten, vom Grundbergsee, von Achim, vom Schwimmenlernen, von Süßwasser und Salzwasser, von Hotels, vom Kochlernen ... – da bist du überall Experte, oder was? Da kannst du locker mitreden.«

»Ich hab mit dem Quatsch nicht angefangen, glamourös. Und wer über den Grundbergsee lästert, sollte dies bedenken:

Das Ibis-Hotel an sich ist praktisch der Grundbergsee unter den Hotels.«

»Soll ich jetzt das Scheiß-Ibis-Hotel hier verteidigen, oder wie? Außerdem habe ich über den Grundbergsee nicht gelästert. Über den Grundbergsee kann man gar nicht lästern, der ist einfach bloß da. Ich kenn den Grundbergsee überhaupt nicht, wenn du es genau wissen willst.«

»Aha!«

»Was machst *du* denn überhaupt, wenn du mal nicht gerade am rumnerven bist?«

»Ich arbeite auch für Erwin. Aber nicht hier. Im Einfall auf der Wiener Straße, kennst du vielleicht.«

»Nein. Kenn ich nicht.«

»Wie lange bist du schon in Berlin?«

»Was geht's dich an?«

»Nur so …«

»Wenn du's genau wissen willst: seit einem Monat.«

»Seit einem Monat?«

»Na und? Irgendwas dabei?«

»Nein, nein, schon gut. War nicht so gemeint. Ich bin seit 1980 in Berlin, das sind jetzt schon neun Jahre.«

»Na und? Und da soll ich jetzt Beifall klatschen, oder was?«

»So war das nicht gemeint.«

»Da ist man wohl ein ganz toller Hecht, wenn man hier schon neun Jahre wohnt, oder was? Ist mir schon aufgefallen, daß da einige ganz stolz drauf sind, wie lange sie schon in Berlin wohnen. Ist ja auch eine ganz tolle Leistung, hier zu wohnen. Tun ja bloß zwei Millionen Leute, hier wohnen. Ganz große Sache. Supertoll.«

»Das mein ich doch gar nicht.«

»Ach nein, er meint das nicht so, ganz klasse. Ich wohn seit 1980 hier«, äffte sie ihn nach. »Gibt's dafür auch irgendwie

Schulterklappen oder so? Ihr Typen seid doch sowieso nur alle wegen der Bundeswehr hier.«

»Hallo, hallo, ich habe gesagt, ich hab das nicht so gemeint.« Warum, dachte Herr Lehmann, sind die Frauen, in die ich mich verliebe, immer so empfindlich?

»Wie denn sonst?«

»Na ja, irgendwie … nur so eben, ich meine, ich wollte … jedenfalls wohne ich schon lange nicht mehr in Bremen, hätte ja sonst sein können …«

»Was?«

»Nix.«

»Dann ist ja gut.«

»Ja.«

»Genau.«

»Außerdem bin ich nicht wegen der Bundeswehr nach Berlin gekommen.«

»Soso, toll.«

»So schlau war ich nicht.«

»Hätt ich auch nicht vermutet.«

»Dann ist ja gut.«

»Genau.«

»Ja.«

»Und was machst du da, in der Kneipe, wie heißt die noch mal?«

»Einfall.«

»Soso. Einfall, toller Name.«

»Ich hab's nicht erfunden.«

»Und was machst du da?«

»Na hinterm Tresen stehen natürlich.«

»Und das findest du gut, oder was?«

»Wie, gut finden?«

»Na, ob du das gut findest eben. Hinterm Tresen stehen und die Leute abfüllen. Das ist doch kein Lebensinhalt!«

»Moment mal«, sagte Herr Lehmann. »Was soll das heißen, Lebensinhalt? Lebensinhalt ist doch ein total schwach-
sinniger Begriff. Was willst du damit sagen, Lebensinhalt?
Was ist der Inhalt eines Lebens? Ist das Leben ein Glas oder
eine Flasche oder ein Eimer, irgendein Behälter, in den man
was hineinfüllt, etwas hineinfüllen muß sogar, denn irgendwie scheint sich ja die ganze Welt einig zu sein, daß man so etwas wie einen Lebensinhalt unbedingt braucht. Ist das Leben
so? Nur ein Behältnis für was anderes? Ein Faß vielleicht?
Oder eine Kotztüte?«

Sie starrte ihn verblüfft an.

»Oder was? Ist das so?« setzte Herr Lehmann nach.

»Was weiß ich, das sagt man halt so.«

Das reicht jetzt, dachte Herr Lehmann, ich sollte damit
aufhören. Ich überfahre sie, dachte er, das geht nicht gut. »Lebensinhalt ist doch eine Scheißmetapher, das steht ja wohl mal
fest«, fuhr er dennoch fort, »aber selbst wenn man sie ver-
wendet, was soll das denn dann sein? Gibt es irgendeinen, der
mir das mal sagen kann? Kann ich jetzt zu einem von den Leuten hier an den Tisch gehen und ihn fragen: Entschuldigung,
kannst du mir mal ein, zwei Lebensinhalte nennen? Nix! Nix!
Aber alle glauben, es gibt so was. Und keiner denkt darüber
nach. Wenn man von Lebensinhalt spricht, dann sieht man
das Leben nur als Gefäß, als Mittel zum Zweck, in das es etwas hineinzufüllen gilt, statt daß man sich vielleicht mal darüber klar wird, daß das Leben einen Wert an sich hat, und daß
man, wenn man sich dauernd damit beschäftigt, es mit Inhalt
zu füllen, das vielleicht überhaupt nicht kapiert. Aber bleiben
wir ruhig beim Bild des Lebens als Gefäß«, konnte er sich
nicht bremsen. »Ein Gefäß, in das man etwas hineinfüllen
muß, kann es so lange nicht sein, wie mir keiner sagen kann,
was genau dieses Hineinzufüllende eigentlich sein soll. Dann
kann man es nur noch anders herum sehen, wenn man an der

Metapher festhalten will: Dann ist das Leben ein Gefäß, das man gefüllt hingestellt bekommt, und zwar gefüllt mit Zeit. Und in diesem Gefäß ist ein Loch drin und die Zeit fließt unten raus, so ist das nämlich, wenn man überhaupt von einem Gefäß sprechen will. Und Zeit, das ist das Blöde daran, kann man nicht nachfüllen.«

»Ich habe doch gar nicht von einem Gefäß gesprochen.«

»Das ist doch jetzt mal eben egal«, sagte Herr Lehmann. Romantisch ist das nicht, dachte er, romantisch ist was anderes. »Du hast mit Lebensinhalt angefangen. Und wenn man von Lebensinhalt spricht, dann muß man das auch zu Ende denken. So ein Wort will durchdacht sein. Was also hat die Tatsache, daß man in einer Kneipe arbeitet, mit Lebensinhalt zu tun? Das ist doch der letzte Scheiß, Lebensinhalt. Man lebt und erfreut sich dran, das reicht doch völlig.« Gleich steht sie auf und geht, dachte er, und dann habe ich's verkackt auf lange Zeit.

Die schöne Köchin wirkte aber nicht verärgert, eher erstaunt. »Mein Gott, wie kann man sich über ein einzelnes Wort so aufregen. Ist doch egal, ob ich Lebensinhalt sage oder was anderes, du weißt doch, was gemeint ist.«

»Nein, weiß ich nicht. Ich weigere mich zu wissen, was gemeint ist, wenn man mir Dinge, die mein Leben betreffen, madig machen will, ohne daß man darüber nachdenkt, was man eigentlich sagt.«

»Jedenfalls ist das kein vernünftiger Beruf. Man kann doch nicht nur in einer Kneipe arbeiten.«

»Aha!« Herr Lehmann reckte einen Zeigefinger in die Höhe und nahm ihn gleich wieder runter. Jetzt auch noch der Zeigefinger, dachte er, das wird ja immer schlimmer.

»Da kommen wir der Sache schon näher. Man kann also nicht nur in einer Kneipe arbeiten. Was ist denn so schlimm daran? Wieso kann man nicht nur in einer Kneipe arbeiten?«

»Weil das doch viel zu öde ist.«

»Finde ich nicht.«

»Machst du denn nicht noch was anderes?«

»Wieso fragt einen dauernd einer, ob man noch was anderes macht?« Ich rede gar nicht mit ihr, dachte Herr Lehmann bedauernd, eigentlich rede ich mit dem Rest der Welt, und sie bekommt es ab. »Und die meisten, die ich kenne, sagen dann: Ja, ich arbeite in einer Kneipe, aber eigentlich mache ich Kunst, eigentlich mache ich Musik in einer Band, eigentlich studiere ich, eigentlich, eigentlich, und alle meinen damit, daß sie das nicht auf Dauer machen werden, daß irgendwann das richtige Ding losgeht, so wie Karl mit seinen Skulpturen und so, ich meine, nichts gegen Karl und seinen Kram da, aber was ist das für ein trauriger Umgang mit dem, was man tut, wenn man es immer nur als Zwischenlösung ansieht, als nichts Richtiges?«

»Was für Skulpturen?«

»Das ist doch jetzt mal egal. Das ist nicht die Frage. Die Frage ist: Warum ist das eine etwas wert, das andere aber nicht? Wenn ich jetzt sagen würde, eigentlich bin ich Künstler, dann würde doch jeder sagen: Ach so, na dann, alles klar. Aber was ist so schlimm daran, einfach nur hinterm Tresen zu stehen, und das auch noch gerne zu tun? Die ganze Stadt ist voller Kneipen, warum denn? Es gibt mehr Kneipen als Kirchen oder Galerien oder Konzerthäuser oder Clubs oder Discos oder was weiß ich was. Die Leute mögen das, sie gehen gerne in Kneipen. Es ist gut und nützlich, in einer Kneipe zu arbeiten. Es macht den Leuten genauso viel Spaß, in eine Kneipe zu gehen, wie in ein Museum oder in ein Konzert. Warum wollen dann immer alle Künstler sein oder sonstwas, aber keiner will jemand sein, der nur in einer Kneipe arbeitet. Würdest du einen Künstler fragen, warum er nicht mal was anderes macht? Zum Beispiel in einer Kneipe arbeiten? Na ja«, lenkte Herr Lehmann lächelnd ein, froh, eine kleine Abschwächung gefunden zu haben, »tatsächlich gibt es sogar viele Künstler, die irgendwann eine Kneipe aufmachen. So gesehen habe ich doppelt recht, weil ich mir den Umweg über die Kunst gleich spare.«

»An Kunst habe ich überhaupt nicht gedacht. Was hat denn jetzt die Kunst damit zu tun. Ich habe bloß gesagt ...«

»Die Leute gehen in eine Kneipe und besaufen sich«, unterbrach Herr Lehmann sie. Das ist nicht gut, dachte Herr Lehmann, es ist nicht gut, wenn ich sie unterbreche. »Manche mehr, manche weniger. Und das macht ihnen Spaß. Wie würde das Leben der Leute in dieser Stadt aussehen, wenn es keine Kneipen oder Cafés, oder wie auch immer die Dinger sich nennen, gäbe. Was ist gegen eine Arbeit zu sagen, die darin besteht, den Leuten etwas zu bieten, was sie gern haben? Lebensinhalt! Vielleicht sind die Leute hinterm Tresen die einzigen, die so was wie Lebensinhalt geben. Vielleicht füllen wir ja den Lebensinhalt in die Leute rein, Mund auf, Lebensinhalt rein, fertig.«

»Moment mal, das ist jetzt ganz schön primitiv. Entweder gibt es jetzt einen Lebensinhalt, den man oben reinfüllen kann, und das soll dann auch noch was zu saufen sein, oder nur den, der unten rausläuft, wie du vorhin noch lang und breit erklärt hast.«

»Die Zeit, ja sicher. Aber sieh's mal so: Wenn man was getrunken hat, läuft die Zeit langsamer.«

Sie dachte kurz nach. »Nein, sie läuft schneller. Man selber wird langsamer, und deshalb kriegt man nicht mehr alles mit, was passiert. Also läuft die Zeit schneller.«

»Nix da, langsamer. Wenn man was getrunken hat, und um einen herum läuft alles schneller ab, dann liegt das daran, daß für einen selber die Zeit langsamer abläuft. Man selber hat mehr Zeit. Oder nimmt sich mehr Zeit. Wenn einer viel getrunken hat und er geht aufs Klo, dann braucht er vielleicht doppelt so lange, wie wenn er nüchtern ist. Das heißt, er nimmt sich mehr Zeit. Und das kann er nur, weil er mehr Zeit hat.«

»Totaler Quatsch. Genau umgekehrt ist es richtig. Wenn man betrunken ist, dann erlebt man in derselben Zeit viel weniger. Man schafft also zum Beispiel in einer bestimmten Zeit auf dem Weg zum Klo nur drei Schritte, statt wie sonst sechs. Das heißt aber doch, daß die Zeit schneller gelaufen ist. Nehmen wir mal an, man braucht normalerweise für sechs Schritte drei Sekunden, und betrunken braucht man für sechs Schritte sechs Sekunden, dann ist bei derselben Sache die Zeit doppelt so schnell gelaufen, also ist für den Betrunkenen die Zeit doppelt so schnell.«

Sie ist gut, dachte Herr Lehmann voller Respekt, sie ist gut. Und sie hat wahrscheinlich auch noch recht, dachte er.

»Moment, Moment«, sagte er. »Das gilt aber nur, wenn man die Zeit als etwas Absolutes nimmt. So geht das aber nicht. Meiner Meinung nach ist das wie mit einer Sanduhr. Der nüchterne Sand rinnt schneller raus als der betrunkene Sand, und deshalb ist mit betrunkenem Sand die Zeit langsamer.«

»Betrunkener Sand?«

»Na ja, jetzt mal metaphorisch gesprochen.«

»Also das ist jetzt aber wirklich eine blöde Metapher. Ich meine, wie kann man sich über ein Wort wie Lebensinhalt aufregen, und dann mit betrunkenem Sand kommen, das ist doch Schwachsinn.«

»Ist es nicht.«

»Ist es wohl. Außerdem ist es, wenn wir darüber reden, wie für wen die Zeit verläuft, in welchem Tempo und so weiter, völlig daneben, gleichzeitig den Begriff ›sich Zeit nehmen‹ ins Spiel zu bringen, das ist nämlich was ganz anderes. Wenn der eine für sechs Schritte drei Sekunden braucht, der andere aber sechs Sekunden, dann verläuft für den letzteren die Zeit schneller, weil schon sechs Sekunden um sind, bis er etwas hingekriegt hat, was der andere in drei Sekunden schafft.«

»Falsch, falsch, falsch. Das ist totaler Quatsch. Die Sekunden sind ja nicht absolut, sondern richten sich nach äußeren Gegebenheiten. Sechs Schritte sind so oder so drei Sekunden. Drei nüchterne Sekunden für den Nüchternen und drei betrunkene Sekunden für den Betrunkenen, so sieht das aus. Deshalb ist das mit dem betrunkenen Sand nicht falsch, im Gegenteil. Während der Betrunkene sechs Schritte geht, vergehen für ihn drei betrunkene Sekunden, während gleichzeitig für den Nüchternen, der vielleicht am Zigarettenautomaten steht, während der Betrunkene seine Schritte macht, sechs Sekunden vergehen. Darum läuft für den Betrunkenen die Zeit langsamer als für den Nüchternen. Er hat eine andere Zeit als der Nüchterne. Wenn man diese beiden Zeiten, die nüchterne und die betrunkene, miteinander vergleicht, dann geht die Zeit für den Betrunkenen eindeutig langsamer.«

Sie lächelte. Die Sache schien ihr zu gefallen. Sie hat Feuer gefangen, sie steht auf so was, dachte Herr Lehmann, das ist gut. Er war sehr verliebt.

»Das ist unlogisch«, sagte sie. »Je schneller jemand ist, desto langsamer vergeht die Zeit. Das ist wie mit einer Eintagsfliege. Für die ist ein Tag das ganze Leben. Deshalb erwischt man die auch so schwer. Sie sieht deine Hand, die dir beim Zuschlagen schnell vorkommt, ganz langsam auf sich zukommen und kann deshalb ganz locker wegfliegen. Weil ihre Wahrnehmung schneller ist.«

»Du meinst, weil die Eintagsfliege eine schnellere Wahrnehmung hat, vergeht die Zeit für sie langsamer.«

»Ja, natürlich. Und nüchterne Leute sind schneller in der Wahrnehmung als betrunkene, also kriegen sie mehr mit, also haben sie mehr von der Zeit, also vergeht die Zeit für die nüchternen Leute langsamer.«

Vielleicht hat sie recht, dachte Herr Lehmann fasziniert, vielleicht aber auch nicht. Er beschloß, den Notausgang zu nehmen. »Und warum lebt die Eintagsfliege dann nur einen Tag?« fragte er.

»Haha. Willst du jetzt etwa sagen, daß Betrunkene länger leben?«

»Das wäre eine Möglichkeit.«

»Ich glaube, du bist völlig bescheuert.«

»Kann schon sein.«

»Macht ja nichts.«

»Nein, irgendwie nicht.«

»Dann ist ja gut.«

»Ja.«

»Hört mal, ihr beiden Turteltäubchen«, sagte Karl, der, von beiden unbemerkt, an ihren Tisch gekommen war, »wie ich sehe, habt ihr euch prima miteinander angefreundet, aber ich glaube, du mußt mal wieder in die Küche zurück. Ich meine, ich sage das ungern, aber …«

»Okay, okay.«

»Was meinst du, Karl? Vergeht die Zeit schneller oder langsamer, wenn man betrunken ist?«

»Über so was redet ihr miteinander? Na, da haben sich ja zwei gefunden.«

»Nicht ausweichen. Das ist wichtig.«

Karl dachte kurz nach. »Ich glaube, sie läuft schneller. Aber am nächsten Morgen gleicht sich das wieder aus.«

»Na bitte«, sagte die schöne Köchin zufrieden lächelnd.

»Aber über so was reden nur Suffköppe«, sagte Karl. »Und nur abends am Tresen.«

»Stimmt nicht. Langsamer läuft die Zeit, wenn man trinkt, und am nächsten Morgen wieder schneller.«

»Frank, echt mal, Katrin muß wieder in die Küche.«

»Ich sag nichts mehr. Ist ja auch egal. Jedenfalls ...«

»Laß mal. Ich muß jetzt in die Küche. Vielleicht später. Ich gehe nachher schwimmen. Ins Prinzenbad. Du kannst ja auch hinkommen.«

»Herr Lehmann und schwimmen, das möchte ich gerne mal sehen«, sagte Karl.

»Ich kann schwimmen.«

»Genau. Er hat's gelernt. Am Grundbergsee.«

»Ich glaube, hier läuft irgendwas, was ich nicht verstehe.«

»Der Grundbergsee hat übrigens mit Achim nichts zu tun«, sagte Katrin und stand auf. »Der Grundbergsee ist an der Autobahn nach Hamburg, bei Oyten oder so, und Achim ist an der Autobahn nach Hannover.«

»Wann gehst du denn schwimmen?«

»Wenn ich hier fertig bin. Aber vorher gehe ich erst noch mal nach Hause. So gegen sechs bin ich dann da.«

»Ich war schon lange nicht mehr im Prinzenbad. Ist das überhaupt noch offen?«

»Das ist bis Mitte September geöffnet«, sagte Karl. Und zu Katrin: »Das möchte ich noch einmal im Leben sehen, daß Herr Lehmann ins Prinzenbad geht!«

»Kannst du dir ja überlegen«, sagte sie und ging in die Küche.

Herr Lehmann verrenkte sich den Hals, um ihr hinterher-zugucken.

»Hm«, sagte sein bester Freund Karl. »Oyten, Achim, Grundbergsee, Autobahn, das klingt ja mächtig romantisch. Macht ihr beide einen Heimatkundezirkel?«

Herr Lehmann sagte nichts. Er versuchte nachzudenken.

»Heh, Frank, was geht da ab?« ließ sein bester Freund Karl nicht locker und knuffte ihn in die Schulter. »Worüber denkst du nach? Wie das noch mal war mit dem Brustschwimmen?«

»Über nichts«, sagte Herr Lehmann, der sich gerade ein gemeinsames Leben mit Katrin, der schönen Köchin, die jetzt auch einen Namen hatte, vorzustellen versuchte.

»Willst du noch ein Bier?«

»Nein«, sagte Herr Lehmann abwesend. »Ich glaube, ich leg mich erst mal wieder hin.«

»Das ist immer gut«, sagte sein bester Freund Karl.

5. KAFFEE UND KUCHEN

Scheiße, dachte Herr Lehmann, ich muß aufwachen. Und das tat er dann auch. Wenn er nachmittags schlief, hatte er immer wilde Träume, und meistens gefiel ihm das ganz gut, es ist besser als Fernsehen, dachte er oft, zumal er keinen Fernseher mehr hatte, seit sein kleines Schwarzweißgerät nicht mehr funktionierte und er Fernsehen am Nachmittag sowieso immer deprimierend gefunden hatte. Aber das hier war zu hart gewesen. Als er aufwachte, war er am ganzen Körper schweißnaß, was nicht nur von der drückenden Hitze kam, die über der ganzen Stadt lag, in der es, wie er schätzte, etwa gegen fünf Uhr am Nachmittag war. In seinem Traum war es Nacht gewesen, eine Nacht der finsteren Sorte, und er war durch die Manteuffelstraße gelaufen, bis er in einem Hochhaus angekommen war, das gedroht hatte einzustürzen, sofern nicht bald die Hunde kämen, er hatte auf dem Balkon auf sie gewartet, weil er nicht hatte hinuntergehen können, denn auf der Treppe waren die Männer von der Bierlieferung gewesen und hatten alles blockiert. Es ist sicher der Alkohol, dachte er und verrieb beim Aufstehen den Schweiß auf seiner nackten Brust und wollte sich schon in die Duschkabine in der Küche stellen, als ihm einfiel, daß das gar nicht nötig war, weil er ohnehin ins Prinzenbad gehen mußte, um Katrin, die schöne Köchin, wie sein bester Freund Karl sie genannt hatte, zu treffen.

Noch vor dem Hinlegen hatte er die dafür nötigen Dinge

zusammengesammelt: eine Badehose, nach der er lange hatte suchen müssen, ein Handtuch, das leidlich sauber oder jedenfalls von dunkler Farbe war, und ein Vorhängeschloß, das er bei seinem letzten (und ersten und einzigen) Besuch im Prinzenbad, der schon Jahre zurücklag, gegen ein Pfand von 20 Mark und eine Leihgebühr von 50 Pfennig am Einlaß erworben hatte. Das alles stopfte er, immer noch ganz benebelt von Schlaf und Traum, in eine Plastiktüte, zog sich ein T-Shirt über und ging hinunter auf die Straße. Auf dem Weg zur U-Bahn hielt er sich im Schatten und kam an allen Schnorrern vorbei, ohne ein einziges Mal angesprochen zu werden, was ihm einiges darüber verriet, welchen Eindruck er in seinem jetzigen Zustand auf seine Umwelt machte. Als er oben auf dem Bahnsteig auf die U-Bahn wartete, wurde ihm sogar leicht übel, und er spielte mit dem Gedanken umzukehren, aber dann kam die U-Bahn und nahm ihm die Entscheidung ab.

Das ist genau so ein Tag, an dem man auf keinen Fall ins Prinzenbad fahren sollte, dachte Herr Lehmann mißmutig, während die Linie 1 so langsam und öde, wie er es von ihr gewohnt war, in Richtung Prinzenstraße zuckelte, da sind jetzt riesige Schlangen vor der Kasse und dann steht man in der prallen Sonne, dachte er, und die Schweine von Dauerkartenbesitzern drängeln sich vor, was jetzt aber ungerecht gedacht ist, denn die Dauerkartenbesitzer drängeln sich nicht vor, sie müssen bloß nicht an der Kasse stehen, was nur logisch und gerecht ist, dachte Herr Lehmann, der denselben Gedanken schon damals, bei seinem ersten (und letzten und einzigen) Besuch im Prinzenbad, gedacht hatte, wie ihm jetzt einfiel, ein Besuch, der nicht seine eigene Idee gewesen war, sondern auf eine damalige Freundin zurückging, die der Meinung gewesen war, er brauchte ein bißchen Bewegung, und Schwimmen sei überhaupt sehr gesund. Schwimmen ist das Gesündeste, was es gibt, hatte sie gesagt, sie war so eine Dauerkartenbesitzerin gewesen, genau wie sein bester Freund Karl, und sie hatte schon 1000 Meter abgeschwommen, bevor Herr Lehmann überhaupt durch die Kasse gekommen war. Ihr Name war Birgit gewesen, und sie war ungefähr zwei Wochen lang mit ihm gegangen, oder wie immer man das nennen sollte, dachte Herr Lehmann, jedenfalls hatte er das geglaubt, wohingegen sie nach diesen zwei Wochen behauptet hatte, sie wären überhaupt nie richtig zusammengewesen, vielmehr sei sie die ganze Zeit eigentlich immer noch mit ihrem vorherigen Freund zusammengewesen, so hatte sie das genannt, zusammensein, dachte Herr Lehmann, sie hatte immer zusammensein gesagt, auch eine zweifelhafte Wortwahl, wenn man mal so darüber nachdenkt, dachte Herr Lehmann, mit genau jenem vorherigen Freund, von dem sie noch eine Woche vorher ungefragt geschworen hatte, da sei gar nichts mehr, sie sei jetzt mit Herrn Lehmann zusammen, worauf Herr Lehmann im Grunde gar keinen großen Wert gelegt hatte, denn, erinnerte er sich, als er an diese Birgit denkend am U-Bahnhof Prinzenstraße aus der U-Bahn trat, er hatte, da muß man ehrlich sein, dachte er, nur ihren Körper gewollt.

Sie hat aber auch einen besonders schönen Körper gehabt, dachte er, als er aus dem U-Bahnhof heraus in das gleißende Sonnenlicht trat, die Skalitzer Straße überquerte und sich die letzten 50 Meter zum Prinzenbad schleppte, und vielleicht, dachte er, als er zur Kasse des Prinzenbads ging und »einmal« sagte und »keinesfalls« auf die Frage, ob er Student sei, und dafür eine Karte bekam, die ihm sofort wieder abgenommen wurde von einem Mann in weißen Shorts, Badelatschen und sonst nichts, vielleicht ist Schwimmen ja wirklich gesund, obwohl andererseits, dachte er, wieso soll gerade Schwimmen gesund sein, wenn man die Menschen hier so sieht, dachte er, als er das Schwimmbad betrat, dann machen die nicht gerade einen sehr gesunden Eindruck, dachte Herr Lehmann, und dann fiel ihm erst auf, daß es an der Kasse überhaupt keine Schlange gegeben hatte, aber er wußte in diesem Moment natürlich auch schon, warum das so war: Es konnte überhaupt niemand mehr draußen anstehen, weil alle schon drin waren.

Und wenn er ›alle‹ dachte, dann meinte er in Gedanken auch alle. Es war ein unglaubliches Gewusel und ein phantastischer Lärm um ihn herum, und Herr Lehmann blieb einige Zeit verwirrt in der Nähe des Eingangs stehen, um sich überhaupt erst einmal zu orientieren. Er mochte es nicht, sich irgendwo bewegen zu müssen, wo er sich nicht auskannte, und das allgemeine Gewimmel verwirrte ihn sehr, ihm wurde sofort bewußt, daß er nicht richtig dazugehörte. Überall liefen Leute herum, halbnackte Menschen jeden Alters und Geschlechts stapften durch Fußwaschbecken oder duschten sich darin stehend und prustend kalt ab, Rentner schritten schlurfend vorbei, junge Türken hauten sich gegenseitig unter Geschrei und Gejohle mit nassen Handtüchern auf die Oberkörper, kleine Kinder trugen leere Flaschen in den Armen oder wickelten stolpernd Eis am Stiel aus dem Papier, und aus den Umkleidebereichen rechts und links von Herrn Lehmann quollen auch unaufhörlich Leute heraus und drängelten Leute hinein, weiter hinten war eine Art Kneipen- oder Imbiß- oder Kioskbereich oder, wie Herr Lehmann es für sich zusammenfaßte, die Gastro zu sehen, und da standen Unmengen von Menschen in mehreren Schlangen nach irgend etwas an oder saßen an Tischen und verzehrten bereits irgend etwas, Leute riefen einander etwas zu, Leute winkten, rannten, schlenderten, und vom Schwimmbeckenbereich, der etwas hinter Büschen und Hecken verschwand, drangen Plansch- und Schreigeräusche und eine für ihn unverständliche Lautsprecherdurchsage zu ihm durch, und dahinter, in der Ferne, das wußte Herr Lehmann, gab es noch unendliche Liegewiesen, und überall waren Leute, und über allem lag ein leichter Chlorgeruch mit einem Hauch von Pommes.

Um erst einmal nichts falsch zu machen, ging Herr Lehmann zum Umkleidebereich rechts von ihm, den kannte er schon, da hatte er sich schon damals umgezogen, als er das letzte (und erste und einzige) Mal hier gewesen war. Der Männerbereich war dort mit einem großen Piktogramm und der Signalfarbe Blau ausgewiesen, und das war auch gut so, denn Herr Lehmann hatte vor allem davor Angst, aus Versehen in den Frauen-Umkleidebereich zu gehen und dort des Spanner- und Lustmolchtums bezichtigt zu werden, gerade jetzt zog dieses Bild in einer Art Wach-Alptraum durch sein Bewußtsein und ließ ihn erschaudern. Deshalb ging er vorsichtig und sich anderen Männern, die das gleiche taten, anschließend in den Männer-Umkleidebereich und hatte das gute Gefühl, die schwierigste Hürde bereits genommen zu haben. Dann benutzte Herr Lehmann, der schon in den siebziger Jahren der Meinung gewesen war, daß die befreiende Wirkung der Zurschaustellung des eigenen nackten Körpers maßlos überschätzt wurde, eine der Umkleidekabinen, um in seine Badehose zu steigen. Es handelte sich dabei um Badeshorts, so hatten sie es bei Karstadt am Hermannplatz genannt, als er sie gekauft hatte, damals, um Birgit einen Gefallen zu tun, es war ein scheußliches Ding mit einem grellbunten, schwindelig machenden Muster, das er nur deshalb genommen hatte, weil die anderen Modelle, die sie damals bei Karstadt am Hermannplatz gehabt hatten, noch schlimmer gewesen waren, so war damals die Mode in Neukölln gewesen, dachte Herr Lehmann und stieg in das grauenhafte Textil hinein, das jetzt, wo Herr Lehmann auf seinen dreißigsten Geburtstag zuging, am Hintern etwas spannte. Dann warf er sich das Handtuch über die Schulter, nahm das Vorhängeschloß in die rechte und seine Kleidung und die Schuhe in einem Bündel in die linke Hand, verließ die Umkleidekabine, fand mit einiger Mühe einen leeren Spind, warf alles außer dem Handtuch hinein, versperrte ihn mit dem Vorhängeschloß und trat hinaus ins Freie.

Und Herr Lehmann fühlte sich wirklich irgendwie frei, als er so durch das Gedränge tappste und dabei den warmen Stein unter seinen nackten Fußsohlen verspürte. Irgendwie fand er es jetzt doch gut, daß es hier so voll war, er mochte den Trubel irgendwie und fühlte sich darin unbeobachtet. Unter all den Leuten war es egal, was er tat, es war egal, daß seine Badehose spannte und daß seine Haut, von den Unterarmen und dem Gesicht einmal abgesehen, weiß wie ein Fischbauch war. Das interessiert hier kein Schwein, dachte Herr Lehmann, hier fällt überhaupt nichts und niemand mit irgend etwas auf, dachte er und machte sich bloß Sorgen, was Katrin, die schöne Köchin aus der Markthallenkneipe, wohl denken würde, wenn sie ihn so sah. Und die Frage war auch, wie er sie überhaupt finden sollte. Er suchte nach einer öffentlichen Uhr, und als er eine sah, zeigte sie ihm an, daß es erst halb sechs war, so daß er davon ausgehen konnte, daß sie noch nicht hier war. Das ist gut, auf diese Weise kann ich mich ein bißchen einschwimmen, das wird mich abkühlen, das ist gesund, dachte er etwas willenlos und ging durch die Fußbecken hindurch zum Sportbecken. Sportbecken, dachte Herr Lehmann, Sportbecken, während er am Rand desselben stand und es etwas ratlos überschaute. Komisches Wort, Sportbecken, dachte er, er kannte die einzelnen Schwimmbeckenbezeichnungen genau, er hatte sie sich gemerkt, damals, Birgit hatte ihm das alles erklärt, sie hatte überhaupt dauernd vom Sportbecken geredet und davon, daß sie nur im Sportbecken schwimmen würde. Sportlich geht es hier allerdings zu, dachte Herr Lehmann jetzt und betrachtete versonnen die Leute in dem milchigen Wasser, während eine Lautsprecheransage darauf hinwies, daß Stefan, drei Jahre alt, seine Mutti suchte und daß das Rauchen im gesamten Beckenbereich nicht erlaubt war. Hinter ihm und überhaupt um das gesamte Sportbecken herum lagen und saßen Unmengen von Menschen auf Handtüchern, in seinem Rücken sogar auf mehreren Ebenen auf einer Art Steintribüne, aber noch mehr waren im Wasser, und alle versuchten, so gut es eben ging, ihrem Treiben einen Sinn zu geben. Einige waren richtige Sportler, ernsthafte Athleten, oder sie sahen zumindest so aus, sie durchpflügten mit Schwimmbrille und Schwimmhaube dermaßen autistisch das Wasser, daß sie, wie Herrn Lehmann sogleich auffiel, niemandem ausweichen mußten, ihnen vielmehr alle anderen Schwimmer freie Bahn gaben, von denen es einige wenigstens noch schafften, einen geschickten Zickzackkurs durchzuhalten, während die große Mehrheit sich irgendwie durchquälte, Brustschwimmer zumeist, die ständig erschreckten, auswichen, anhielten, sich zur Seite warfen, wegtauchten, auf der Stelle hundepaddelten und überhaupt alles taten, um nirgendwo anzuecken. Erschwert wurde die Lage noch durch die Chaoten, Kinder und türkische Jugendliche, die an den Kopfenden des Beckens unermüdlich ins Wasser sprangen, wieder herauskamen und wieder hineinsprangen, dabei kreischten, sich schubsten und überhaupt alles durcheinanderbrachten. Sie waren die eigentlichen Herren der Lage, alle anderen Beckeninsassen mußten irgendwann durch ihren Wirkungsbereich hindurch, und alle, da war Herr Lehmann sich sicher, hatten Angst, von einem arschbombenden Chaoten versenkt zu werden. Herr Lehmann freute sich darüber, daß ihm dieses Wort in den Sinn kam, Arschbombe, er hatte es lange nicht mehr gehört oder gedacht, es erinnerte ihn an seine frühe Jugend, wie ihn überhaupt alles hier an seine frühe Jugend erinnerte, und er beschloß, sein eigenes Schwimmen mit einem solchen Sprung ins Wasser zu beginnen.

Als er aber zum Kopfende des Beckens ging, um arsch-
bombend zur Tat zu schreiten, überlegte er es sich plötzlich
wieder anders. Das ist unwürdig, dachte er, während aus den
Lautsprechern die Ansage kam, daß ein kleiner Nackedei seine Mutti suchte und daß Kinder mit Schwimmhilfen nichts
im Sportbecken zu suchen hatten, ich werde bald dreißig,
dachte er, nicht daß es richtig wäre, deshalb kokett zu sein
oder sich Herr Lehmann nennen zu lassen, dachte Herr Lehmann, aber eine Arschbombe kann nicht die Antwort darauf
sein, dachte er, und wie schnell fällt man hier auf einen drauf,
und dann ist der querschnittgelähmt, und so etwas ist nie wieder gutzumachen, dachte Herr Lehmann. Außerdem hatte
ihn eine Probe mit der Fußspitze davon überzeugt, daß das
Wasser trotz des heißen Wetters sportlich kalt war, und er
gehörte zu denen, die in ihrer Jugend noch die Grundregeln
des Schwimmengehens gelernt hatten, die darin bestanden,
daß man sich bei heißem Wetter langsam abkühlen sollte, erst
Arme und Beine benetzen, bevor man ins Wasser ging, außerdem war da noch von schwerem Essen und Alkohol die Rede
gewesen, aber darüber wollte er lieber gar nicht erst nachdenken. So oder so entschied er sich für den vernünftigsten
Weg und ging über eine der Leitern ins Wasser, die sonst nur
die Rentner benutzten. Das Wasser war, wenn man sich langsam hineingleiten ließ, nicht so kalt, wie er gedacht hatte, und
er stockte nur einmal kurz, als es sein Genital erreichte. Dann
war er drin und schwamm schnell ein paar Meter von den
springenden Kindern weg. Ich sollte einige Bahnen schwimmen, das ist sicher gut, dachte Herr Lehmann, am besten
Kraulen, das bringt's, dachte er, es soll besser für den Rücken
sein als etwa Brustschwimmen, dachte er, am besten aber ist
das Rückenschwimmen für den Rücken, das ergibt ja auch einen Sinn, schon durch das Wort, dachte er kraulend vor sich
hin, aber dann schluckte er Wasser, stieß mit zwei, drei ande-

ren Schwimmern zusammen, bekam einen Fußtritt und entschied, daß das alles Mist war. Er schwamm zurück zur Leiter und stieg wieder aus dem Wasser. Man muß seine Grenzen kennen und daraus die richtigen Schlüsse ziehen, dachte er, während er sich abtrocknete. Er sah auf einer großen Uhr, daß es schon zwanzig vor sechs war, strich sich die nassen Haare zurück und machte sich auf die Suche nach der schönen Köchin.

Zunächst ging er dorthin zurück, wo er hergekommen war, zum Eingangsbereich mit den Umkleidekabinen. Dort stand er einige Zeit in der Hoffnung herum, sie ankommen zu sehen, und als ein Platz auf einer Bank frei wurde, von der aus man den Eingang gut beobachten konnte, setzte er sich erst einmal hin, bis ihm das nach einigen Minuten zu blöd wurde. Zum einen kamen dauernd Leute, setzten sich neben ihn, drängelten ihn gar zur Seite, bloß um sich die Füße abzutrocknen und sich dann ihre Socken und Schuhe anzuziehen, und zum anderen wurde ihm mit der Zeit klar, wie blöd das aussehen würde, wenn Katrin, ein Name, den er, nur um ihn auszuprobieren, leise vor sich hinmurmelte, ihn hier beim Hereinkommen sehen würde, wie einen kleinen Frank, der seine Mutti sucht, dachte er, auf einer blöden Schuhe-Anzieh-Bank sitzend. Dann, dachte Herr Lehmann grimmig, kann ich mir ja auch gleich ein Schild umhängen mit der Aufschrift: Bin nur wegen dir hier, warte wie ein Trottel. Also stand er auf, um ein bißchen durch die Gegend zu schlendern, was seiner Begegnung mit der schönen Köchin etwas Zufälliges, Beiläufiges geben würde, »Hallo, schön, daß du auch da bist«, usw., so sollte es sein, dachte er, eine souveräne Begegnung von zwei freien Benutzern ein und derselben öffentlichen Einrichtung, deren Bekanntschaft noch frisch und deren gegenseitige Erwartungen ergebnisoffen waren, dachte er.

Außerdem, dachte Herr Lehmann, als er wieder durch das

Fußbecken in den Schwimmbereich stapfte, wo der Lautsprecher gerade durchsagte, daß der kleine Marco, etwa zwei Jahre alt, seine Mutti suchte und das Springen von der Seite des Beckens zu unterlassen war, ist es durchaus möglich, daß sie hier schon irgendwo ist, dachte er, während er am Sportbecken entlangschlendernd die vielen dort lagernden Leute absuchte und sich gleichzeitig fragte, was sie wohl anhaben würde, Bikini oder Badeanzug, wobei er insgeheim auf Badeanzug tippte, weil er das erheblich attraktiver fand und davon ausging, daß ihr das bei ihrer eher kräftigen Figur weitaus besser stehen würde als ein Bikini, den er immer schon für einen Modeirrtum gehalten hatte. Es kann ja gut sein, daß sie sich nach der Arbeit beeilt hat hierherzukommen, dachte er, es ist ja ungewöhnlich heiß und schwül für einen Septembertag, da legt man schon mal einen Zahn zu, sie könnte hereingekommen sein, als ich gerade im Becken war, dachte Herr Lehmann, während er so unauffällig wie möglich die flache Tribüne mit den darauf lagernden Leuten betrachtete. Dort gab es eine Menge sich sonnender Frauen mit bloßem Busen, und das hemmte ihn ein wenig, alles genau und gründlich abzusuchen, er wußte, wie schnell man sich den Ruf eines Spanners einhandelte, wenn man nach jemandem Ausschau hielt und einem dabei lauter Frauen mit nacktem Busen ins Blickfeld rückten, und außerdem erkannte er mit der Zeit immer mehr Kunden aus dem Einfall, im Grunde war seine Kund- und Trinkbekanntschaft vollständig anwesend, die ersten begannen schon, ihn zu erkennen, hoben die Hand zum Gruß, winkten sogar, was Herrn Lehmann mehr als peinlich war, er wollte eigentlich nicht, daß sie ihn in dieser unwürdigen Aufmachung sahen.

Also ging er weiter, verließ hintenherum, am gesperrten Dreimeterbrett vorbei, das Sportbecken und drang in den Bereich des Nichtschwimmerbeckens und des Mehrzweckbeckens vor, obwohl er davon ausging, daß Katrin, die schöne Köchin, nicht der Typ war, der sich im Nichtschwimmer- oder im Mehrzweckbecken verlustierte, wenngleich er sich wegen des Mehrzweckbeckens nicht ganz sicher war, so daß er weiterging, um einen Blick darauf zu werfen. Es ist immerhin möglich, dachte Herr Lehmann, daß sie das Mehrzweckbecken vorzieht, obwohl er vom Mehrzweckbecken nicht viel wußte, außer daß es existierte und einen bürokratisch anmutenden Namen hatte. Dieses Mehrzweckbecken lag links an der Seite und etwas höher, so daß es kaum einzusehen war, wenn man nicht direkt hinging, was Herr Lehmann, der dabei zwischen auf dem Steinfußboden lagernden Großfamilien hindurchbalancieren mußte, jetzt tat. Das Mehrzweckbecken selbst bot an seinen Rändern kaum Platz für lagernde Menschen, weil es von einer niedrigen Mauer eingefaßt war, und wer sitzt schon gerne auf Waschbetonplatten, dachte Herr Lehmann. Hier gab es nur noch Chaoten und Rentner, und beide machten sich das Leben schwer. Am anderen Ende war, durch ein Seil abgetrennt, ein Nichtschwimmerbereich, den konnte er sich wohl sparen, und dahinter begann der große Bereich der Liegewiesen, aber da würde sie wohl kaum sein, das paßt nicht zu ihr, dachte Herr Lehmann.

Sie ist keine von denen, dachte Herr Lehmann, während er am unsymmetrischen, großen Nichtschwimmerbecken vorbei in Richtung Gastro ging und dabei noch einmal die Schwimmer im rechts von ihm gelegenen Sportbecken überprüfte, die nach ein paar Schwimmzügen schlappmachten und sich auf die Liegewiese hauten, dachte er, durchstapfte ein Fußwaschbecken und stand plötzlich vor der Gastro, wo die Schlangen schon kürzer geworden waren, woraufhin er nach rechts abbog, um einerseits die Lage am Eingang noch einmal zu überprüfen und um andererseits ein bißchen Geld aus seiner Hose im Spind zu holen, denn die Gastro schien ihm hier der einzige Ort zu sein, wo er sich nicht fremd fühlen würde.

Überhaupt ist das die Lösung, dachte Herr Lehmann, als er den Umkleidebereich betrat, ich ziehe mich an und setze mich mit einem Kaffee draußen hin, dachte er, da kann ich den Eingangsbereich im Auge behalten, sehe nicht wie ein Neuköllner Badehosenfuzzi aus und kann, falls ich sie sehe, dachte er, einfach sagen, daß ich schon geschwommen habe und nur noch einen Kaffee nehme, das ist genial und nicht einmal gelogen. Und so tat er es, er zog sich an, sah noch einmal zum Eingang hinüber, wo sie aber auch jetzt nicht zu sehen war, und stellte sich dann bei der Gastro in eine Schlange.

Die Frage ist bloß, dachte er, während er zwischen hippeligen Kindern stand, die sich dauernd vordrängelten und hin- und herhüpfend ihren Kram bestellten, Süßigkeiten zumeist, wobei es ihnen schwerfiel, sich zu entscheiden, sie zeigten mal auf dieses und mal auf jenes, kramten in dem Kleingeld, das sie fest in feuchten Fäusten hielten und rechneten unaufhörlich nach, es sind viele, dachte Herr Lehmann, und es werden immer mehr, das sind alles gute Freunde, und sie lassen sich gegenseitig vor, die Frage ist bloß, nahm er den anderen Gedanken wieder auf, wie ich sie treffen kann. Wenn sie zum Beispiel jetzt gerade hereinkommt und zum Sportbecken geht, dachte er, dann ist alles verloren, dann schwimmt sie da und geht wieder nach Hause, deshalb ist es dringend erforderlich, dachte er, daß ich so schnell wie möglich draußen einen Sitzplatz kriege, von dem aus ich den Eingang sehen kann.

Glücklicherweise ist die Gastro an einem etwas erhöhten Punkt, beruhigte sich Herr Lehmann, während es in der Schlange nur schneckenhaft voranging, was ihn sehr nervös machte. Andererseits, dachte er, kann man ja nun nicht die Kinder hier anpfeifen, das ist irgendwie asozial, das kommt schlecht an, dachte Herr Lehmann und bewunderte dabei die Frau am Tresen, die mit einer Engelsgeduld und unbeschadet der geringen Umsätze, die mit Weingummi-Schlangen,

Weingummi-Teufelchen, Weingummi-Krokodilen und ähnlichem zu machen waren, geradezu vorbildlich auf die Wünsche und vor allem die vielen Sinneswandel ihrer zwergenhaften Kundschaft einging. Die hat die kleinen Scheißer richtig lieb, dachte Herr Lehmann und liebte dafür wiederum die Frau, wir sollten alle so sein, dachte er, darum geht es, wenn man hinter dem Tresen steht, dachte er, jeder, der kommt, ist gleich und hat die gleichen Rechte, nichts mit Beck's, Budweiser oder Engelhardt fragen und dann gar nicht erst die Antwort abwarten, nein, von der Frau kann man sich wirklich eine Scheibe abschneiden, dachte Herr Lehmann, aber trotzdem war er nervös und wünschte sich, daß er endlich einen Kaffee bekam und sich damit auf seinen Beobachtungsposten begeben konnte.

»Hallo! Hallo! Sie sind dran.«

»Der ist doch auch noch da«, sagte Herr Lehmann und zeigte auf einen kleinen Jungen.

»Der muß sich erst noch entscheiden«, sagte die Frau und lächelte. »Was soll's denn sein?«

»Einen Kaffee bitte.«

»Haben Sie einen leeren Becher?«

»Muß ich?«

»Nein«, sagte die Frau, »aber das macht dann zwei Mark Pfand obendrauf, nicht daß Sie sich über den Preis wundern.«

»Ja klar«, sagte Herr Lehmann und merkte, daß er Hunger hatte.

Die Frau brachte den Kaffee. »Alles?«

»Nein, äh, ich nehme noch, ich nehme noch …« Herr Lehmann überflog hektisch die Vitrine rechts von ihm, aber da war nicht mehr viel drin, nur noch einige Plastikschälchen mit etwas, das wie Milchreis aussah, und einige panierte Stücke Fleisch, die wohl erst noch in die Friteuse mußten, und das dauerte ihm zu lange. »… ich nehme, äh, ja, ne.«

»Da drüben haben wir noch Kranzkuchen, sonst ist nichts

mehr da, die Brötchen sind alle«, sagte die Frau geduldig, und Herr Lehmann schämte sich ein bißchen, weil er jetzt selber alles aufhielt.

»Ja gut, nehm ich«, machte er der Sache ein Ende.

»Hallo Herr Lehmann!«

Er drehte sich um. Hinter ihm stand plötzlich Jürgen, ein alter Bekannter.

»Kannst du mir vier Bier mitbringen?«

»Und vier Bier«, sagte Herr Lehmann automatisch zu der Frau.

»Schultheiß oder Kindl?«

Gute Frage, dachte Herr Lehmann. »Schultheiß oder Kindl?« fragte er Jürgen.

»Scheißegal«, sagte Jürgen.

»Schultheiß«, sagte Herr Lehmann und spürte, wie die Leute in der Schlange hinter ihm unruhig wurden.

»Und Streichhölzer«, rief Jürgen.

»Streichhölzer auch noch«, sagte die Frau und legte welche dazu. »War's das dann?«

»Jaja«, sagte Herr Lehmann verlegen und bezahlte.

»Ist doch alles derselbe Dreck«, sagte Jürgen, als er neben ihm auftauchte, um ihm beim Tragen zu helfen. »Was machst du denn hier? Wir haben dich vorhin schon gesehen«, fügte er hinzu.

»Wer ist wir?« fragte Herr Lehmann.

»Die anderen und ich«, sagte Jürgen sinnlos.

»Ah ja«, sagte Herr Lehmann ironisch.

Jürgen fiel das gar nicht auf. Sie gingen zusammen hinaus, und draußen rief er: »Leute, guckt mal, wer hier ist, Herr Lehmann!«

»Oho! Herr Lehmann, vorhin schon bewundert.«

»Wo ist denn die schicke Badehose hin, die hätte ich gerne noch mal in Ruhe betrachtet.«

Die anderen waren Marko, Klaus und Michael, sie saßen schon an einem Tisch und warteten auf ihr Bier. Herr Lehmann kannte sie alle ziemlich gut, mit Marko und Jürgen hatte er früher einmal im Hasen gearbeitet, einer mittlerweile aufgegebenen Kneipe von Erwin, die beiden waren damals rausgeflogen, weil Erwin der Meinung gewesen war, sie hätten eine allzu große Affinität zum Freibier; so hatte er es tatsächlich ausgedrückt, denn Erwin hatte früher einmal Germanistik studiert und redete manchmal so. Jetzt arbeiteten Marko und Klaus in Jürgens Kneipe, dem Abfall, das war die Kneipe direkt neben dem Einfall, in dem Herr Lehmann arbeitete. Jürgen hatte das Abfall so genannt, um Erwin zu ärgern, denn eigentliche Konkurrenz machten sie sich nicht, im Abfall ging es immer erst richtig los, wenn das Einfall gerade zumachte, weshalb das Abfall auch immer bis mindestens neun Uhr morgens geöffnet blieb. Außerdem war da noch Michael, den alle immer nur Micha nannten, und der immer mit dabei war, wenn Jürgen, Marko und Klaus irgendwo auftauchten, und von dem niemand genau wußte, womit er eigentlich sein Geld verdiente, er machte irgendwas mit Journalismus. Herr Lehmann setzte sich zu ihnen an den Tisch.

»Schau mal an, der Herr Lehmann, mit Kaffee und Kuchen!«

»Das sieht gut aus, das ist nahrhaft.«

Sie nahmen ihr Bier und prosteten Herrn Lehmann zu. Herr Lehmann nahm ihnen ihr Geschwätz nicht krumm. Sie meinten es nicht böse, und er mochte sie gern. Normalerweise hätte er sich gefreut, sie hier zu treffen, obwohl es, wenn man ehrlich war, kaum einen Tag gab, an dem er sie nicht irgendwo traf.

»Ich sage ja immer, kein Nachmittag sollte ohne Kaffee und Kuchen sein.«

»Vor allem sonntags nicht.«

Das Problem war nur, daß Herr Lehmann von dort, wo sie saßen, den Einlaßbereich des Prinzenbades schwer überschauen konnte. Aber er hatte natürlich keine Wahl, als sich zu ihnen zu setzen, es war undenkbar, sich allein an einen anderen, günstigeren Tisch zu setzen, wie hätte er das erklären sollen?

»Guck dir den Herrn Lehmann an, immer sportlich, immer auf dem Posten.«

»Ihr seid doch alle Idioten«, sagte Herr Lehmann nachsichtig und nippte an seinem Kaffee. Darüber freuten sich die anderen und lachten zufrieden.

»Was ist das für ein toller Kuchen«, fragte Marko und beugte sich ganz dicht davor. »Der sieht ja aus wie das Kantsche Ding an sich.«

»Was ist das Kantsche Ding an sich?«

»Hab ich vergessen. Hat irgendwas mit Erkenntnis zu tun.«

»Kranzkuchen. Die Frau hat gesagt, es sei Kranzkuchen.«

»Damit wär ich vorsichtig, echt vorsichtig.«

»Was macht ihr denn überhaupt hier? Ist das so eine Art Stammtisch oder was?«

»Wir sind hier immer«, sagte Jürgen, »jeden Sonntag. Marko hat sogar eine Dauerkarte.«

»Zum Saufen oder was?«

Da lachten sie. »Nix«, sagte Klaus und hob zwei schmächtige Arme. »Schwimmen, eisern, eisern. Wir haben dich vorhin beobachtet, das war ja auch gigantisch, was du da so gebracht hast. Sag mal, warum lehnst du dich eigentlich immer so zurück? Läuft da hinten irgendwas, was wir nicht wissen?«

»Dachte, ich hätte jemand gesehen«, sagte Herr Lehmann harmlos.

»Herr Lehmann sieht immer irgendwas, was wir nicht sehen. Deshalb war er auch so schnell wieder aus dem Becken raus, da hat er irgendwas gesehen.«

»Das war wirklich Hardcore-Training, Herr Lehmann.«

»Jetzt hört mal schön mit dieser Herr-Lehmann-Scheiße auf. Das ist schon lange nicht mehr lustig. Außerdem hat das da genervt, in dem Becken.«

»Ja, das ist sonntags immer hart. An den Sonntagen trennt sich die Spreu vom Weizen.«

»Selber schuld, wenn ihr immer nur sonntags kommt«, sagte Marko und fummelte an der Schwimmbrille, die er auf dem Kopf trug.

»Du bist ja auch ein ganz großer Sportsfreund«, sagte Klaus. »Ich hol noch mal Bier. Will noch einer? Du, Frank?«

»Nee, muß nachher noch arbeiten.«

»Das müssen wir alle.«

»Na gut.«

»Kann ich deine Tasse haben?« fragte ein kleiner, dicker Junge Herrn Lehmann.

»Da ist doch noch was drin«, sagte Herr Lehmann.

»Ich denke, du kriegst jetzt ein Bier«, sagte der Junge.

»Sag mal, belauschst du hier die Leute oder was? Außerdem sind da zwei Mark Pfand drauf.«

»Ja klar«, sagte der Junge. »Darum ja.«

»Guck mal, da ist Karl«, sagte Jürgen.

Herr Lehmann schaute in die Richtung, die Jürgen ihm wies, und tatsächlich, da war sein bester Freund Karl mit Katrin, der schönen Köchin. Sie trug einen schwarzen Badeanzug und sah umwerfend aus.

»Wer ist denn die dicke Frau da bei ihm?« fragte Marko.

»Kann ich jetzt die Tasse haben?« ließ der kleine Junge nicht locker.

»Hau ab«, sagte Herr Lehmann. Karl ging mit der schönen Köchin am Gastrobereich vorbei in Richtung Liegewiesen. Er sah sie nicht, und auch das Mädchen schaute nicht her. Sie trug ein weißes Handtuch über dem Arm und schritt kerzengerade und voller Anmut den Weg entlang. Herr Lehmann wunderte sich, wie jemand barfuß mit solcher Grazie laufen konnte. Alle anderen Menschen, Karl eingeschlossen, watschelten nur, sie aber schwebte geradezu einher.

»Hallo!« rief Herr Lehmann. »Hallo Karl«, in der Hoffnung, daß auch sie dann herschauen würde.

»Arschloch«, sagte der Junge.

»Welcher Karl?« fragte Michael, der seine Brille nicht aufhatte.

Klaus kam mit dem Bier wieder. »*Der* Karl?« fragte er.

»Ja, *der* Karl«, sagte Jürgen.

»Ach so, *der* Karl«, sagte Michael.

»He, Karl, komm mal rüber«, brüllte Klaus. Das wirkte. Beide schauten jetzt her. Herr Lehmann winkte ihnen zu. Katrin, die schöne Köchin, winkte zurück. Die beiden redeten irgendwas miteinander, und dann kamen sie endlich herüber.

»Hallo«, sagte Katrin, »du bist ja doch hier.« Sie stand jetzt neben ihm und schaute auf ihn herunter. Bloß gut, dachte Herr Lehmann, daß ich die Neuköllner Badehose nicht mehr anhabe.

»Da sind ja wieder die Richtigen zusammen«, begrüßte sein bester Freund Karl die ganze Runde und haute dann Herrn Lehmann auf die Schulter. »Na, ordentlich was weggeschwommen?«

»Er ist quasi der Mark Spitz von Kreuzberg«, sagte Marko trocken. »Wir haben ihn gesehen, war Wahnsinn.«

»Und ihr sitzt hier rum und trinkt Bier«, sagte Katrin scheinbar zu allen, aber Herrn Lehmann war es, als richte sie das Wort nur an ihn.

»Nix, ich trink nur Kaffee«, sagte er und zeigte auf seine Tasse, neben der das noch nicht angebrochene Bier stand.

»Wie nun«, sagte Klaus. »Ich dachte, du wolltest eins.«

»Nein, ich muß noch arbeiten. Setz dich doch«, sagte er zu

Katrin. Sie nahm sich einen Stuhl und setzte sich dazu, ebenso sein bester Freund Karl.

»Was ist das denn?« fragte Karl und zeigte auf Herrn Lehmanns Kranzkuchen. »Kranzkuchen, nicht schlecht.«

»Iß ruhig«, sagte Herr Lehmann und schaute weiter Katrin an, die seinen Blick auf seltsame Weise erwiderte. »Ich muß nachher noch arbeiten.«

»Wann denn?«

»Um acht.«

»Ach so. Weiß jemand«, fragte sie in die Runde, »wann die hier zumachen?«

»Ich glaube, schwimmen ist bis halb acht«, sagte Marko, »und um acht müssen alle draußen sein.«

»Na ja, dann sollte man aber schnell noch schwimmen«, sagte Karl.

»Und du mußt heute abend arbeiten? Wo ist das denn?« fragte Katrin.

Herr Lehmann erklärte es ihr.

»Na ja, vielleicht guck ich da mal rein. Ist das denn gut da?«

»Schwer zu sagen. Kann ich nicht beurteilen«, sagte Herr Lehmann.

»Na gut«, sagte sie und stand auf. »Ich geh dann mal schwimmen. Bis denn dann«, sagte sie zu allen und ging weg.

»Wer ist das denn?« fragte Marko Karl, »wo hast du die denn aufgegabelt?«

»Die kocht bei uns. Jungs, ich geh jetzt auch mal schwimmen«, sagte Karl und stand auf. »Soll ja gesund sein.«

»So wie du aussiehst«, sagte Marko und musterte Karls massigen Körper, »bist du ja wohl eher der Diesel unter den Schwimmern.«

»Es kommt nicht darauf an, wer der Schnellste ist«, sagte Karl mit erhobenem Zeigefinger, »es kommt darauf an, wer am meisten Wasser verdrängt.«

Sie sahen ihm nach, als er der schönen Köchin hinterherlief, und Herr Lehmann fragte sich noch einmal, wie Karl bloß so munter sein konnte, obwohl er die letzte Nacht nicht geschlafen hatte. Vielleicht ist es das Schwimmen, dachte Herr Lehmann, wahrscheinlich ist er sportlicher, als ich immer dachte, und er hat eine Dauerkarte.

»Was will er denn mit der?« fragte Marko Herrn Lehmann.

»Wieso? Die arbeitet jetzt in der Markthalle.«

»Was ist denn jetzt mit dem Bier hier?« fragte Klaus.

»Gib mal her«, sagte Herr Lehmann.

»Kann ich jetzt die Tasse haben?« fragte der kleine Junge von vorhin, der plötzlich wieder da war.

»Ja, jetzt nimm sie schon.«

»Da ist aber noch was drin«, sagte der kleine Junge.

»Ich denke, du willst das Bier nicht«, sagte Klaus. »Ich denke, du mußt noch arbeiten.«

»Trink's doch selber«, sagte Herr Lehmann zu dem kleinen Jungen. Und zu Klaus: »Gib schon her, ist doch egal.«

»Arschloch«, sagte der kleine Junge und ging mit der Tasse davon.

»Ist doch egal«, wiederholte Herr Lehmann, »ist nicht mein Tag. Hab vorhin noch geschlafen, hat mich ganz duselig gemacht. Na ja«, fügte er nachdenklich hinzu, »vielleicht hätte ich einfach liegenbleiben sollen.«

»Schlafen am Nachmittag ist komisch«, sagte Michael. »Da hat man immer so komische Träume.«

»Ja«, sagte Herr Lehmann, »komische Träume.«

6. ABENDBROT

Nach all den Aufregungen des Tages war Herr Lehmann am Abend froh, daß er endlich wieder arbeiten konnte. Er war überhaupt immer froh, wenn er arbeiten konnte. Es hatte etwas Beruhigendes, erfrischend Gewohntes, das kühle, schattige Halbdunkel des Einfall zu betreten und den vertrauten Geruch von Zigaretten, Bier und Putzmitteln zu atmen. Den Nachmittag hatten zwei Schwule bestritten, Sylvio, der erst vor zwei Jahren wie auch immer aus dem Osten herübergekommen war, und Stefan, sein Exfreund, und die beiden waren ganz aufgekratzt, als Herr Lehmann von ihnen die Kasse übernahm.

»Ganz bezaubernde Leute heute, Herr Lehmann, ganz reizend.«

»Ich heiße Frank, du Ostbrot«, sagte Herr Lehmann gutgelaunt.

»Stefan, hast du das gehört, Herr Lehmann hat mich Ostbrot genannt.«

»Nun laß mal den Herrn Lehmann, der hat's schwer genug. Er darf heute mal wieder mit Erwin arbeiten.«

»Wieso denn schon wieder mit Erwin?«

»Verena kommt heute nicht. Es geht ihr nicht gut, dem armen Ding.«

»Gibt's denn überhaupt keine Springer mehr?«

»Sieht so aus, als hätte Erwin ein Personalproblem«, sagte Sylvio. »Erst hat er keine Schichten für mich, und jetzt sitzt er in der Scheiße. Er kommt um neun, läßt er dir ausrichten. Und ich bin jetzt ganz schnell weg.«

»Ich auch«, sagte Stefan.

»Viel Spaß mit Erwin.« Sie lachten fröhlich und ließen Herrn Lehmann hinter dem Tresen allein.

Es war nicht viel los. In der Kneipe selbst saß nur ein Mann am Tresen und trank Weizenbier. Herr Lehmann kannte ihn mittlerweile, er saß oft dort, er hieß Volker oder so, und er trank immer nur Weizenbier. Draußen hockten einige Leute an den Tischen und rührten sich kaum. Auf der Straße war es auch ruhig, die Luft war so drückend und schwül, daß die wenigen Passanten sich vorbeischleppten wie die Unterwasserschnecken. Das wird noch ein übler Abend, dachte Herr Lehmann.

Und so verplätscherte die nächste Stunde. Herr Lehmann trank eine Tasse Tee nach der anderen und aß die vom Tage übriggebliebenen Sandwiches. Er mochte sie am liebsten, wenn sie schon etwas durchgeweicht waren, und das waren sie nach einem langen Tag im Einfall. Sie wurden von Verena gemacht, sie verdiente sich ein kleines Zubrot damit, daß sie für fast alle von Erwins Kneipen die Sandwiches herstellte, und ihm, Herrn Lehmann, zuliebe tat sie für das Einfall immer besonders viel Mayonnaise drauf. Ab und zu kam jemand von draußen herein und holte sich ein Getränk, der Mann am Tresen, der wahrscheinlich Volker hieß, wollte ein neues Kristallweizen ohne Zitrone und ein kleiner Junge Silbergeld für Zigaretten. Herr Lehmann genoß diese Zeit, sie gab ihm Gelegenheit zum Nachdenken. Er träumte ein bißchen von Katrin, der Köchin aus der Markthallenkneipe, und versuchte noch einmal, sich ein gemeinsames Leben mit ihr vorzustellen, aber er kam dabei nicht weit. Es war schwer, sich das Leben mit einer Frau vorzustellen, die sonntags ins Prinzenbad ging und ihn dabei nicht besonders beachtete. Wahrscheinlich findet sie mich blöd, und wer weiß, dachte er, während er die Straße beobachtete, was sie sonst noch für Macken hat, man will es ja gar nicht wissen, dachte er und nahm einen Lappen, um hinter dem Tresen ein bißchen sauberzumachen.

Um neun Uhr kam Erwin, sein Chef, und mit ihm die Hektik.

»Kerle, Kerle, Kerle«, sagte er und machte sich einen Pfefferminztee mit Milch, eine Angewohnheit, die Herrn Lehmann mehr störte als alles andere, und da war noch eine Menge an Erwin, was einen stören konnte. »Kerle, Kerle, Kerle«, wiederholte er und seufzte. Erwin war Schwabe durch und durch und gleichzeitig überzeugter Kreuzberger. Er war schon seit ewig hier und hatte sich über die Jahre ein kleines Kneipenimperium aufgebaut, das von den Yorckbrücken bis ans Schlesische Tor reichte. Neuerdings experimentierte er sogar mit Kneipen in Schöneberg, aber »da läuft das anders«, hatte er Herrn Lehmann einmal gesagt, »da ist das nicht so einfach, da muß man irgendwas bieten«, und das sagte für Herrn Lehmann eigentlich alles über Erwin. Es hieß, er habe vor 15 Jahren als Student mit Hilfe einer kleinen Erbschaft seine erste Kneipe übernommen, es sei das Einfall gewesen, die Kneipe, in der Herr Lehmann jetzt arbeitete, und dann habe er nach und nach mit Hilfe einer geschickt zusammengesuchten Mannschaft von studentischen Hilfskräften die örtliche Gastronomie aufgerollt. Manche munkelten, er sei Millionär, aber sein Lebensstil war der eines Sozialhilfeempfängers. Jetzt sah er sehr mitgenommen aus, unrasiert und mit fettigen Haaren stand er da, schlürfte seinen Pfefferminztee mit Milch, rieb sich die Tränensäcke und sagte: »Kerle, Kerle, Kerle«.

»Erwin«, fragte Herr Lehmann aufmunternd, »was ist los?«

»Frag nicht«, sagte Erwin.

»Was machst du überhaupt hier? Ist Verena krank oder was?«

»Die spinnen alle. Hat Migräne. Verträgt das Wetter nicht. Als ob ich mit ihr Sex haben wollte.«

»Hm«, sagte Herr Lehmann, der mit Verena mal Sex gehabt hatte, vorsichtig. »Kann doch sein. Haben viele bei dem Wetter.«

»Und ich? Wer fragt mich, ob ich Migräne habe?« Erwin hielt kurz inne, drehte die Musik lauter und senkte zugleich die Stimme. »Die Leute nehmen zu viele Drogen, das sag ich dir«, sagte er verschwörerisch.

»Verena doch nicht.«

»Hast du eine Ahnung«, sagte Erwin. »Du würdest doch nicht merken, daß einer kokst, wenn's ihm aus der Nase staubt. Weißt du, was du bist, Herr Lehmann?«

»Also die Kombination aus Duzen und Herr Lehmann sagen ist wirklich das Übelste, was es gibt«, sagte Herr Lehmann, »das gibt's sonst nur bei Drospa an der Kasse.«

»Du bist ein Fossil. Du gehst auf eine Party und denkst, huch, was sind die alle gut drauf. Du hast ja keine Ahnung, was abgeht. Das ist ja schon niedlich, wie du drauf bist.«

»Komm, Erwin, das ist jetzt aber auch Quatsch.«

»Was ist das überhaupt für Musik, die da läuft? Hast du die eingelegt?«

»Keine Ahnung«, sagte Herr Lehmann, der bis jetzt überhaupt nicht darauf geachtet hatte. Es lief eine Bumm-Bumm-Musik ohne Gesang, im Gegensatz zu der sonst hier üblichen Rockmusik. Herrn Lehmann war das egal, Musik sagte ihm nichts, nach seiner Meinung war sie in Kneipen nur dazu gut, daß die Leute sich in Ruhe anschreien konnten. »Ich versteh davon nichts. Das ist noch von Sylvio und Stefan.«

»Ich sag dir, die Schwulen, die sind immer ganz vorne. Das ist Acid House, Herr Lehmann.«

»Frank.«

»Das ist das neue Ding. Und da geht was mit Drogen, alter Schwede. Ein Kumpel von mir war letztens auf so 'ner Party in Schöneberg, das geht zwei, drei Tage in einem durch, da liegen die in ihrer Scheiße und ficken.«

»Also echt mal, Erwin, das ist nun wirklich Blödsinn«, sagte Herr Lehmann. »Worauf willst du eigentlich hinaus?«

»Frank!« Erwin hob einen Zeigefinger.

»Moment«, sagte Herr Lehmann, der es eigentlich gar nicht wissen wollte. Draußen wurde es langsam voller, die Leute fanden schon nicht mehr alle Platz an den Tischen, manche kamen herein, andere standen mit ihrem Bier in der Faust auf der Straße herum oder setzten sich in die Bushaltestelle. Herr Lehmann mußte erst einige Leute bedienen, die geduldig am Tresen warteten. Es waren gut erzogene Kunden, die ins Einfall kamen. Erwin nickte düster und tat gar nichts.

»Die sollen da mal aus der Bushaltestelle gehen«, rief er plötzlich und sprang von dem Barhocker auf, auf dem er gesessen hatte. »Da krieg ich nur wieder Ärger mit dem KOB.«

»Vielleicht wollen sie ja Bus fahren«, schlug Herr Lehmann vor, während er Flaschen entkorkte und Geld kassierte.

»Sag das mal der BVG«, rief Erwin, »die haben sich schon beschwert, sagt der KOB. Was meinst du, wie schnell die einem den Laden zumachen.«

»Mein Gott, Erwin, jetzt bleib mal locker«, sagte Herr Lehmann. »Du regst dich viel zu sehr auf. Wahrscheinlich arbeitest du zuviel«, baute er ihm eine goldene Brücke zu einem anderen Thema. Aber ohne Erwin.

»Die machen wieder Razzien, in Schöneberg haben sie das Loch zugemacht, wegen Drogen.«

»Schöneberg«, sagte Herr Lehmann abwiegelnd. »In Kreuzberg wird doch höchstens gekifft.«

»Und das ganze Speed«, schrie Erwin gegen die Bumm-Bumm-Musik, die Herr Lehmann nach und nach immer lauter machte, an, »was meinst du, was die in Kreuzberg für Speed nehmen, von Koks mal ganz zu schweigen, was meinst du, was die hier bei den Leuten alles finden, wenn da mal 'ne Razzia ist.«

Der Laden füllte sich immer mehr mit Leuten, die nach Getränken verlangten, und sogar Erwin hatte das jetzt gemerkt und arbeitete mit. Was ihn aber, zu Herrn Lehmanns Bedauern, nicht daran hinderte, weiter seinen Kram zu reden, wenn auch in fragmentarischer Form.

»Und dann die ganzen Junkies … Und dieses neue Zeug, Ecstasy … Und diese ganzen Designerdrogen …«

Herr Lehmann hörte nicht mehr hin. Seiner Meinung nach war Erwins einziges Problem, daß er jeden Montag den Spiegel las und das, was er da las, viel zu ernst nahm. Draußen deutete alles auf ein Gewitter hin. Die Leute sind komisch drauf, irgendwie hektisch, dachte Herr Lehmann. Von der nahegelegenen Feuerwache kamen Sirenengeheul und Blaulichtreflexe herüber, und es kam ein Wind auf, der Staub und Müll durch die Straße wirbelte und an der Markise rüttelte.

»Erwin«, unterbrach er seinen Chef, der immer noch von Drogen faselte und davon, daß man ihm bald alle Kneipen dichtmachen würde. »Erwin, ich hol mal eben die Markise rein.«

»Ja, ja«, rief Erwin, der sich gerade seinen ersten Spezialbrandy, wie er es nannte, eingeschenkt hatte, »gute Idee. Du bist eine Perle, Herr Lehmann!« Er hob das Glas und prostete Herrn Lehmann zu.

Herr Lehmann holte die lange Kurbel aus der Küche und ging nach draußen. Während er an der Markise kurbelte, fielen die ersten Regentropfen, und die Leute, denen er gerade in diesem Moment das Dach über dem Kopf nahm, protestierten fröhlich. Dann kam es wie aus Eimern herunter und alles stürmte in die Kneipe hinein, außer Herrn Lehmann, der weiter die Markise einkurbelte, und den Leuten, die sich in der Bushaltestelle drängelten und ihn johlend anfeuerten. Als Herr Lehmann endlich fertig war und in die Kneipe zurückkam, war er klatschnaß, und Erwin war sehr besorgt.

»Mensch Kerle, so kannst du nicht weiterarbeiten. Du bist ja ganz durchgeweicht. Ich hol dir mal ein T-Shirt von oben.« Praktischerweise wohnte Erwin seit seiner Scheidung von Frau und Kind direkt über dem Einfall, weshalb dies auch der einzige Laden war, in dem er noch selber arbeitete. Der Spezialbrandy hatte ihm gutgetan, er sah jetzt viel entspannter aus. »Nimm erst mal einen von dem hier.« Er schwenkte die Spezialbrandyflasche, auf der sein Name vermerkt war.

Herr Lehmann lehnte den Schnaps dankend ab, wollte aber das T-Shirt haben, denn sich wegen Erwins Markise zu erkälten, ging in seinen Augen zu weit. Die Kneipe war jetzt knüppelvoll, die Leute drängelten sich aneinander vorbei und umeinander herum, und es roch nach Schweiß und nassen Kleidern. Die Stimmung war gut, das allen gemeinsame Erlebnis, vor dem Regen geflüchtet zu sein, bekam ihr blendend, und es wurde gesoffen, was das Zeug hielt. Herr Lehmann hatte nichts dagegen. Er stand gerne hinter dem Tresen, wenn der Laden voll war. Er mochte die Hektik und das schnelle Arbeiten, es ist besser als herumzuhängen, dachte er einmal mehr, während die Leute sich auf der anderen Seite des Tresens drängelten, manche rufend, andere bloß flehentlich guckend, manche sich vordrängelnd, andere aus der zweiten Reihe mit Geldscheinen wedelnd, sie wollten alle seine Aufmerksamkeit erregen, und er war gut darin zu erkennen, wer als nächster dran war und wer sich nur vordrängelte. Er war überhaupt gut, bei ihm saß jeder Handgriff, und mit einer Geschwindigkeit, die in der ganzen Kneipenszene ihresgleichen suchte, machte er Bierflaschen auf, mischte Weinschorlen zusammen, goß Schnäpse je nach Bekanntheitsgrad und Sympathie mehr oder weniger großzügig in die Gläser, rechnete zusammen, kassierte, begrüßte Freunde und Bekannte, gab dem einen oder anderen was aus und fühlte sich wohl.

Nach einer Weile kam Erwin wieder, und der fühlte sich jetzt auch wohl. Sein Gesicht glänzte rosig, er grinste und drückte Herrn Lehmann ein zusammengeknülltes T-Shirt in die Hand.

»Zieh dich erst mal um, geh in die Küche, ich mach das hier schon«, sagte er großartig.

Herr Lehmann war nicht ganz so überzeugt davon, aber im Grunde konnte es ihm egal sein. Es war ja Erwins Laden. In der Küche lag neben dem großen Eimer für das Altglas ein Zwanzigmarkschein. Das war Erwins allgemein bekannte und immer wieder belachte Methode, die Ehrlichkeit seiner Mitarbeiter zu erproben. Herr Lehmann steckte den Schein ein und zog sich das nasse T-Shirt aus. Das neue, von Erwin gestiftete, trug die Aufschrift: »VfB Stuttgart: Deutscher Meister 1983/84«. Erwin kann einen immer wieder überraschen, dachte Herr Lehmann.

Als er hinter den Tresen zurückkehrte, goß Erwin sich gerade wieder einen ein, während auf der anderen Seite große Not herrschte. »Steht dir super«, rief er und hielt einen Daumen hoch, eine Geste, die Herrn Lehmann peinlich war.

»Hör mal, Erwin«, sagte er, »kann es sein, daß die zwanzig Mark, die ich gerade in der Küche gefunden habe, mir gehören? Mir ist so, als hätte ich da letztens zwanzig Mark verloren.«

»Zwanzig Mark?« fragte Erwin scheinheilig und holte sein Portemonnaie raus. Er kramte darin herum und sagte: »Warte mal, nein, die hab ich da vorhin wahrscheinlich liegenlassen. Sind nicht mehr da.«

»Neben dem Eimer?«

»Ja, nee, die müssen runtergefallen sein.«

»Was hast du denn mit einem Zwanzigmarkschein in der Küche gemacht, Erwin? Gekokst?«

»Nix da, du Vogel. Das ist mein Geld, ehrlich.«

»Meinst du wirklich, Erwin? Am Ende gehören die Sylvio und Stefan. Die haben doch vorhin hier gearbeitet.«

»Nein, nein«, Erwin wurde jetzt richtig aufgeregt, »da bin ich ganz sicher, die gehören mir.«

»Vielleicht sollten wir die solange hier deponieren, bis ich die beiden gefragt habe.«

»Ich kümmere mich drum«, sagte Erwin und schnappte nach dem Schein, »ich mach das schon.«

Herr Lehmann verlor das Interesse an dieser Blödelei und widmete sich den Gästen. Draußen entlud sich ein heftiges Gewitter mit Blitz und Donner und allem was dazugehört. Die Leute waren ganz aufgekratzt und schauten fasziniert aus den Fenstern, und die Bumm-Bumm-Musik, die Herr Lehmann auf Autoreverse gestellt hatte, hämmerte dazu gleichförmig aus den Boxen. Niemand kam und niemand ging, und das Gefühl, daß man jetzt gar nichts anderes machen konnte, als zu bleiben, wo man ist, und zu saufen, was das Zeug hält, hatte eine enthemmende Wirkung auf alle. Es ist ein bißchen wie hitzefrei, nur umgekehrt, dachte Herr Lehmann, während er in den Keller ging, um mehr Kisten mit Bier nach oben zu bringen.

Als er wieder auftauchte, stand Erwin etwas abseits vom Tresen und betrieb mit ein paar Bekannten Kümmerling-Trinken mit Nummern und ohne Hände, und Herr Lehmann freundete sich mit der Aussicht an, den Rest des Abends alleine zu arbeiten. Draußen regnete es in den folgenden zwei Stunden, als wollte der liebe Gott Kreuzberg für immer reinwaschen, sonst passierte nicht viel, außer daß die Kneipeninsassen, Erwin allen voran, sich zielstrebig betrunken machten. Einmal johlte alles, als eine Kolonne Feuerwehrwagen mit einem Höllenlärm vorbeiraste, und der Weizenbiertrinker, der immer am Tresen saß und wahrscheinlich Volker hieß, versuchte, Herrn Lehmann in ein Gespräch über den Regen zu verwickeln. »Wenn er Blasen schlägt, so in den Pfützen Blasen schlägt«, sagte er, »dann hört's bald auf mit dem Regen, dann hört's bald auf.«

Herr Lehmann ging darauf nicht ein, er nickte nur und schenkte ihm ein Kristallweizen ohne Zitrone für diesen schönen Gedanken. Ansonsten schaute er, wenn es die Arbeit erlaubte, ein bißchen hinaus in den Regen. Es sah so aus, als ob der Sommer vorbei war. Ihm sollte es recht sein. Er mochte den Sommer zwar gerne, es war die schönste Jahreszeit in Berlin und er hatte nie verstanden, warum die Leute ausgerechnet im Sommer in den Urlaub fuhren, aber andererseits hatte der Sommer auch immer so etwas Forderndes, im Sommer wurde Herr Lehmann immer von dem Gefühl bedrängt, er müßte aus dem schönen Wetter etwas machen, etwas mit Freunden unternehmen oder so, Grillen, Ausflüge machen, an Badeseen fahren … – alles Aktivitäten, auf die Herr Lehmann keinen großen Wert legte, die auch bei seinen Freunden nicht in hohem Kurs standen, deren theoretische Möglichkeit ihm aber das Gefühl gab, etwas zu verpassen, die Zeit des schönen Wetters nicht richtig auszunutzen, geradezu zu verplempern. Den Rest des Jahres war es einfacher. Wenn draußen alles naß und grau war, oder besser noch kalt und schmutzigweiß, dann konnte er ohne Problem den Tag mit einem Buch im Bett vertrödeln und darauf warten, daß es wieder dunkel und Zeit zum Arbeiten wurde. Eigentlich ist es Unsinn, so zu denken, dachte er jetzt, während er in den Regen hinaussah. Es ist derselbe Quatsch wie mit dem Lebensinhalt, dachte Herr Lehmann, man denkt, man müßte etwas aus dem Sommer machen, dann hat man schon verloren, man sollte sich einfach nur an ihm erfreuen und kein schlechtes Gewissen dabei bekommen, dachte er. Na ja, jetzt ist es erst einmal vorbei, dachte er etwas traurig, während draußen an der Haltestelle ein schwankender, hellscheinender Doppeldeckerbus einfuhr. Es stieg nur eine Person aus, aber Herr Lehmann erkannte sie gleich an ihrer Statur und ihrem Gang. Sie hatte keine Regenkleidung an, sondern nur Jeans und ein T-Shirt, und sie stellte sich erst einmal in der Bushaltestelle unter.

Er ging an die offene Kneipentür und rief: »Katrin!« Sie reagierte nicht, obwohl er übertrieben winkte. Vielleicht war sie es doch nicht. »Hallo! Hallo!« rief Herr Lehmann noch einmal so laut er konnte.

Dann kam sie angelaufen. Sie war es wirklich. Sie stellte sich zu ihm in den Eingang der Kneipe.

»Scheiße«, sagte sie, »jetzt hab ich nasse Füße.«

»Willst du was trinken? Ich arbeite hier«, sagte Herr Lehmann. »Ich muß auch wieder rein«, fügte er hinzu, denn so nah bei ihr zu stehen, daß er ihre nassen Haare riechen konnte, machte ihn nervös.

»Ich wollte eigentlich nach Hause«, sagte sie. »Außerdem habe ich nasse Haare. Und nasse Füße.«

»Ja«, sagte Herr Lehmann. »Dagegen sollte man etwas tun. Unbedingt.«

Sie lächelte und berührte kurz seinen Arm. »Du bist ein komischer Kauz«, sagte sie rätselhaft. »Und hier arbeitest du?« Sie standen immer noch im Eingang, und während sie das sagte, schaute sie in das Einfall hinein.

»Ja, das ist das Einfall.«

»Das wußte ich nicht. Bin ich schon oft dran vorbeigekommen, ich wohne hier um die Ecke. Steht gar nicht dran.«

»Ach so«, sagte Herr Lehmann, der das noch gar nicht bemerkt hatte, obwohl er seit Jahren hier arbeitete. »Das sollte man Erwin mal sagen.«

»Ja«, sagte sie zögernd, »ich glaube, ich geh dann erst mal nach Hause. Ich wohne hier nämlich um die Ecke«, wiederholte sie.

»Ah ja, ach so«, sagte Herr Lehmann.

»Ich zieh mich lieber erst mal um.«

»Ja, genau«, sagte Herr Lehmann.

»Vielleicht komm ich dann noch mal rein. Wie spät ist es denn jetzt überhaupt?«

»Weiß nicht«, sagte Herr Lehmann, »elf, halb zwölf, keine Ahnung.«

»So spät schon?«

»Ja, ja, sicher«, sagte Herr Lehmann. »Wir haben aber mindestens bis zwei offen, meistens bis drei oder vier.«

»Ja, aber das wird dann, also das wäre mir dann auch zu spät.«

»Ja klar, logisch«, sagte Herr Lehmann. Sie standen immer noch im Eingang, manchmal drängelte sich jemand zwischen ihnen durch, und sie versuchten dabei, den Blickkontakt nicht abreißen zu lassen. »Aber es ist ja erst elf, halb zwölf …«

»Ja, ich muß mich erst mal umziehen. Außerdem habe ich nasse Haare.«

»Also«, nahm Herr Lehmann all seinen Mut zusammen, während sie sein T-Shirt betrachtete, »also ich fände das nett, wenn du noch mal vorbeikommst.«

»Echt?« fragte sie kokett und lächelte ihn an.

»Ja klar«, sagte Herr Lehmann, »dann geb ich dir einen aus. Das T-Shirt ist nicht von mir«, stellte er klar, weil sie immer noch draufguckte, »das hab ich von Erwin bekommen. Bin vorhin auch naß geworden.«

»Ja, das kam plötzlich«, sagte sie, und Herr Lehmann hoffte, daß sie deshalb so sinnlos daherredete, weil sie sich nicht trennen mochte, »ich hab gerade eine Freundin besucht, in Charlottenburg.«

»Charlottenburg, das ist weit«, sagte Herr Lehmann.

»Ja, das war jetzt ganz schön weit.«

»Also«, sagte Herr Lehmann, »hier können wir nicht bleiben. Ich muß auch mal wieder ein bißchen arbeiten, glaube ich.«

»Ach, da ist ja Erwin«, sagte sie und winkte Erwin zu, der jetzt hinter dem Tresen stand und sich daran festhielt. Erwin glotzte zu ihnen beiden herüber und reagierte nicht.

»Was ist denn mit dem los?« fragte sie.

»Das ist eine lange Geschichte«, sagte Herr Lehmann. »Komm doch noch mit rein.«

»Nein, ich geh jetzt«, sagte sie, »vielleicht bis später.«

»Ja«, sagte Herr Lehmann, »vielleicht bis später.« Und dann war sie weg. Herr Lehmann ging wieder hinein.

In der nächsten Stunde passierte nichts Besonderes. Der Regen hörte irgendwann auf und die Kneipe leerte sich rapide. Erwin ging mal kurz hoch, sich frischmachen, wie er sagte, und danach war er wieder in Form. Er versuchte, Herrn Lehmann zum Schnapstrinken zu überreden, aber Herr Lehmann blieb eisern beim Tee, oder Schwarztee, wie Erwin immer sagte, eine schwäbische Angewohnheit von ihm, die Herrn Lehmann rasend machte. Die letzte Nacht war ihm eine Warnung gewesen, das Schnapstrinken war nicht gut für ihn. Er war sich schon gar nicht mehr sicher, ob der Hund wirklich existierte, aber wenn, dann war er noch irgendwo da draußen. Oder im Tierheim. Auf jeden Fall war es immer besser, nüchtern zu bleiben. Als es etwa ein Uhr war, gab er die Hoffnung auf, daß sie noch käme, und gönnte sich ein Bier. Es war ziemlich leer geworden, und bald würde wohl Feierabend sein.

Dann war plötzlich Alarm. Es lief immer noch die Bumm-

Bumm-Musik, oder Acid House, wie Erwin es genannt hatte, und leiser war sie nicht geworden, darum kriegte Herr Lehmann hinter dem Tresen erst etwas davon mit, als die Sache schon ziemlich eskaliert war. Es war Erwin, der sich mit einem Gast stritt, der ganz hinten in der Ecke stand. Herr Lehmann ging vorsichtshalber hin, denn bei Erwin wußte man nie. Er war klein und nicht gerade stark, aber wenn er betrunken war, konnte er neuerdings eine Menge Scheiß bauen.

»Mach den Joint aus, Kerl, oder raus hier.«

»Was denn, das ist eine ganz normale Zigarette.«

»Willst du mich verarschen, du Vogel? Keine Tüten hier drin. Mit dem Ding mußt du rausgehen.«

»Alter, ich hab hier ein Bier von euch gekauft, und ich laß mich doch von dir nicht rausschmeißen.«

»Meinst du, ich will, daß die mir den Laden dichtmachen, oder was?«

Das war lächerlich, aber offensichtlich unterhaltsam. Die letzten fünf, sechs Gäste schauten begeistert zu, wie die beiden Blödmänner sich beharkten. Herr Lehmann beschloß zu vermitteln.

»Hör mal, Erwin, laß ihn doch eben austrinken und dann geht er.«

»Was willst *du* denn, du Penner?« sagte der Fremde. »Ihr seid mir ja zwei ganz gefährliche Wichser!«

Herr Lehmann hatte kein gutes Gefühl bei dem Kerl. Eigentlich kamen nur friedliche Leute ins Einfall, aber ab und zu gab es solche wie den hier. Herr Lehmann hatte ihn noch nie zuvor gesehen, aber er spürte, daß er ein Schizo war. Er war nicht besonders groß und nicht besonders schwer, aber er war irgendwie aufgeladen, was ihn unberechenbar machte, ein Schizo eben. Und keiner von der harmlosen Sorte. Was ihn besonders beunruhigte, war, daß der Typ die ganze Zeit sinnlos aber rasend schnell mit dem Fuß wippte. Er war aggressiv, er wollte Ärger, und ein Stoffel wie Erwin kam ihm gerade recht. Herr Lehmann haßte diese Scheiße.

»Laß gut sein, Erwin«, versuchte er zu seinem Chef durchzudringen. »Das bringt doch jetzt nichts. Ist doch sowieso bald Feierabend.«

»Das ist mein Laden hier, und ich will, daß das Kasperle sich verpißt!«

»Vielleicht solltest du lieber gehen«, sagte Herr Lehmann zu dem Kiffer. »Du hörst ja, was er sagt.«

»Ich laß mich doch von dem Zwerg nicht anpissen«, preßte der Typ hervor. Herr Lehmann machte sich große Sorgen. Der Mann stand unter Strom.

Erwin war da unbekümmerter. Er faßte den anderen am Kragen und versuchte, ihn zum Ausgang zu zerren. »Du gehst jetzt raus«, konnte er noch sagen, dann war es schon passiert. Der Kiffer schlug ihn voll ins Gesicht. Erwin taumelte zurück und hielt sich die Nase. Herr Lehmann, dem das Herz schon länger bis zum Halse klopfte, der also mittlerweile nicht weniger unter Spannung stand als der Schizo, mußte etwas tun, und zwar schnell. Er griff zu, erwischte den anderen am Ohr, hielt es fest und drehte daran so weit es ging. Der andere schrie auf und beugte sich vor, aber Herr Lehmann ließ nicht locker, bis der Mann auf den Knien war. Dann ging er mit ihm zum Ausgang. Das ging nicht sehr schnell, weil der schreiende Mann in der Hocke gehen mußte. Herr Lehmann dachte währenddessen wütend darüber nach, wie er aus diesem Mist heil wieder herauskommen konnte.

Denn draußen fing das Problem ja erst an. Herr Lehmann blieb auf halbem Wege zwischen Eingang und Bushaltestelle mit ihm stehen, drehte noch fester am Ohr und beugte sich dann zu ihm hinunter.

»Hör zu«, keuchte er, »hör jetzt mal gut zu.«

Der Mann wimmerte.

»Hör mir zu«, schrie Herr Lehmann, »hörst du mir zu?«

»Jaja! Laß mich los, du Arschloch.«

»Jetzt paß mal auf«, sagte Herr Lehmann. »Wir können hier noch lange so stehen. Ich kann dir auch das Ohr abreißen. Oder du gibst mir dein Wort, daß du dich sofort verpißt, wenn ich dich loslasse.«

Das ist lächerlich, von einem Schizo zu verlangen, daß er sein Wort gibt, sich zu verpissen, dachte Herr Lehmann, na großartig. Aber was sollte er sonst machen? Wenn ich ein Rausschmeißer wäre, dachte Herr Lehmann, dann würde ich ihn jetzt zusammenschlagen oder zusammentreten oder so, aber ich bin ja kein Rausschmeißer, dachte er, ich kann so was nicht.

»Jaja«, rief der Schizo.

»Paß auf«, versuchte Herr Lehmann seinen Worten Gewicht zu verleihen, »wenn ich dich gleich loslasse, und du machst überhaupt nur noch eine Bewegung außer weglaufen, dann hau ich dich so zu Klump, dann hau ich dir so was auf die Fresse, daß …« – er dachte fieberhaft darüber nach, wie er diesen Satz überzeugend zu Ende bringen konnte – »…dann mach ich dich so alle«, ging er inhaltlich ein Stück zurück, »dann hau ich dir so eine rein, daß, daß …« – ich lese die falschen Bücher, dachte Herr Lehmann, ich bin nicht vorbereitet – »… daß du nicht mehr weißt, wo oben und unten ist.« Na ja, dachte er, wenn das mal wirkt. »Hast du das kapiert, du Arschloch?«

»Jaja! Laß los, bitte.«

Und Herr Lehmann ließ los. Wider besseres Wissen, aber irgendwann mußte er es ja mal tun. Der andere sprang auf und ging gleich auf Herrn Lehmann los. Herr Lehmann stieß ihn weg.

»Ich hau dir den Kopf ab, du Wichser.«

»Verpiß dich. Hau ab, Mann, hau endlich ab.«

Der andere ging wieder auf ihn los. Mein Gott, muß das blöd aussehen, dachte Herr Lehmann noch, da hatte er auch schon einen Schlag ins Gesicht bekommen, und plötzlich lag er auf dem Rücken in einer großen Pfütze, und der andere war auf ihm drauf und haute auf ihn ein. Herr Lehmann, dem das nicht sehr weh tat, wehrte sich, so gut er es in dieser Lage vermochte. Vor allem versuchte er, wieder ein Ohr zu fassen zu bekommen, etwas Besseres fiel ihm auf die Schnelle nicht ein. Dazu kam es aber nicht mehr. Plötzlich war die Sache vorbei. Irgend etwas hob seinen Gegner von ihm herunter. Er kam mit dem Oberkörper hoch und sah seinen besten Freund Karl, groß und massig, wie er seinen Ex-Gegner mit der einen Hand hielt und ihm mit der anderen Hand mächtige Ohrfeigen verpaßte.

»Nie, nie, nie wieder willst du das tun«, sagte er, und zu jedem Wort bekam der andere eine gewischt. Dann schleuderte Karl den Mann gegen die Bushaltestelle, ging hinterher und trat ihn in den Hintern, daß er aufs Gesicht fiel. »Du hast Herrn Lehmann geschlagen«, rief er, »das gibt die Höchststrafe. Zweimal Höchststrafe«, ergänzte er, hob ihn wieder hoch und warf ihn noch einmal gegen die Bushaltestelle. Herr Lehmann, dem das alles viel zu schnell und auch etwas zu weit ging, wollte einschreiten und seinen Freund stoppen, aber er fühlte sich nicht so gut und blieb erst einmal sitzen. »Du entschuldigst dich jetzt.« Sein bester Freund Karl schleifte den Schizo hinter sich her zu Herrn Lehmann. »Sag Entschuldigung!« Herr Lehmann rappelte sich auf. Seine Kleidung war naß von der Pfütze, in der er gelegen hatte, und das T-Shirt war zerrissen. »Hörst du schlecht?« Karl schüttelte den Mann wie eine nasse Jacke und gab ihm eine Kopfnuß. »Schon gut«, sagte Herr Lehmann, »der soll bloß abhauen, der Arsch.« – »Jetzt paß mal auf, du kleiner Scheißer«, sagte Karl zu dem anderen und hielt dabei dessen Gesicht ganz nah vor sein eigenes. »Du kannst froh sein, daß ich dazwischengegangen bin. Wenn Herr Lehmann erst mal Ernst gemacht hätte, dann wärst du jetzt nur noch Knochenmehl. Und jetzt hau ab, du Arschmade.« Er schubste ihn von sich. Der Mann stolperte ein paar Schritte von ihnen weg und drehte sich dann noch einmal um. Er stieß einen Finger in ihre Richtung und sagte mit überschnappender Stimme: »Ich kriege euch noch.« Dann lief er weg.

»Mein Gott«, sagte Karl, »was für Filme hat der denn gesehen? Wie sieht's denn aus bei dir?« Er drehte Herrn Lehmann ins Licht der nahen Laterne und klopfte ihn ein bißchen ab. »Habt ihr jetzt die etwas andere Kundschaft im Einfall, oder was?«

»Ach Scheiße«, sagte Herr Lehmann, »laß gut sein. Hör auf, an mir rumzufummeln.«

»Einer muß es doch tun«, sagte sein bester Freund Karl und zupfte ihm ein nasses Blatt aus dem Haar. »Laß uns reingehen, das bringt doch nichts, hier draußen rumzudödeln.«

Sie gingen in die Kneipe. Erwin stand hinter dem Tresen, hatte den Kopf im Nacken und hielt sich Eis auf die Nasenwurzel. Die Gäste waren alle verschwunden, bis auf den Weizenbiertrinker am Tresen, der wahrscheinlich Volker hieß und gleichmütig in sein Glas starrte.

»Hier ist ja ganz schön tote Hose«, sagte Karl, ging hinter den Tresen und nahm sich ein Bier. »Willst du auch eins, Frank?«

»Ja.«

»Was war hier überhaupt los?«

»Ach Scheiße«, sagte Herr Lehmann niedergeschlagen, »irgend so ein Schizo. Das ist nicht mein Tag, ich sag's dir.«

»Du mußt aus den Klamotten raus«, sagte sein bester Freund Karl. »Das sieht hier eh nach Feierabend aus. Du solltest schnell nach Hause gehen, sonst holst du dir noch den guten alten Tod. Mensch Erwin, sag doch auch mal was.«

»Ich kann jetzt nicht«, näselte Erwin. »War meine Schuld. Dieses verdammte Schwein.«

»Laß mal anschauen«, sagte Karl und nahm Erwins Hand von seinem Gesicht. »Nicht so schlimm. Aber Herr Lehmann hier, der hat sich für dich im Dreck gewälzt und gegen das Böse gekämpft. Mit den Fäusten und dergleichen Kram, Erwin. Der hat eigentlich einen Spezialbrandy von dir verdient.«

»Ich will nicht nach Hause«, sagte Herr Lehmann, dem der Gedanke, jetzt alleine nach Hause ins Bett zu gehen und einzuschlafen, unmöglich erschien. »Was machst du überhaupt hier?« fragte er seinen besten Freund Karl. »Mußt du eigentlich nie schlafen?«

»Irgendwo da draußen ist immer ein Job für Super-Karl. Außerdem gibt es was zu feiern, deshalb kam ich euch aufsuchen, ihr Spaßvögel. Aber ihr seid ja wohl schon mittendrin in der Party. Erwin, hast du nicht wenigstens mal ein neues T-Shirt für Herrn Lehmann?«

»Das ist schon von mir.«

»Würde ich nicht stolz drauf sein wollen«, sagte sein bester Freund Karl. »Wir wollten doch eh noch was besprechen, Erwin, laß uns mal hochgehen. Paß auf, Frank: Ich geh mal eben mit Erwin nach oben und komm dann gleich mit einem neuen T-Shirt runter. Du machst solange hier den Laden fertig, und wenn ich wieder da bin, gehen wir nach nebenan ins Abfall und trinken noch einen auf den Schreck. Und feiern müssen wir auch noch, okay?«

Herrn Lehmann war alles recht. Er wollte bloß noch nicht nach Hause.

»Fang ruhig schon mal an«, sagte sein bester Freund Karl, »ich bin gleich wieder da. Und schließ die Tür ab.«

Herr Lehmann schloß die Tür von innen ab, sammelte alle Flaschen und Gläser von den Tischen, spülte sie ab und stellte die Stühle hoch. Dann begann er, den Tresen sauberzumachen. Der Weizenbiertrinker, der wahrscheinlich Volker hieß, schaute ihm dabei zu.

»Das war gut mit dem Ohr«, sagte er plötzlich.

»Na ja«, sagte Herr Lehmann, einerseits geschmeichelt, andererseits peinlich berührt.

»Aber hast du's gesehen?« fragte der andere.

»Was?«

»Das mit dem Regen.«

»Was?«

»Wie der Blasen geschlagen hat. Und dann: Zack! Vorbei!«

Herr Lehmann wußte nicht wieso, aber er mußte lachen. Er konnte gar nicht mehr aufhören, er lachte und lachte, bis es weh tat. Der Mann, der wahrscheinlich Volker hieß, lachte irgendwann mit und wurde dabei genauso hysterisch wie Herr Lehmann. Irgendwann ebbte das Lachen etwas ab, und Herr Lehmann wischte sich die Tränen aus den Augen. »Ja«, sagte er, »und dann: Zack! Vorbei!« Und lachte wieder los. »Wie heißt du eigentlich?« stieß er zwischen zwei Anfällen hervor.

»Rainer«, sagte der Weizenbiertrinker und lachte weiter mit.

7. SPÄTER IMBISS

Als sie ins Abfall kamen, gab es ein großes Hallo. Jürgen und Marko, für die der Abend gerade erst anfing, lauschten hingerissen Karls ausschweifenden Erzählungen von Herrn Lehmanns heldenhafter Verteidigung seines Arbeitgebers, wobei er Erwin, der auf den ganzen Schreck einigermaßen nüchtern geworden war und zu aller Erstaunen eine Runde ausgab, dazu überreden konnte, an ihm selbst zu demonstrieren, wie Herr Lehmann mit dem Ohr seines Gegners verfahren war. Beeindruckt sahen Jürgen und Marko zu, wie Erwin einen um Gnade winselnden Karl im Entengang am Tresen vorbeiführte.

»Das ist groß, Herr Lehmann, ganz groß.«

»Das muß ich mir merken. Wir sollten es als Kreuzberger Schraube patentieren lassen.«

Herrn Lehmann war nicht wohl dabei. Zum einen war es nur seinem besten Freund Karl zu danken, daß er einigermaßen unbeschadet aus der Sache herausgekommen war, und zum anderen haßte er es, sich zu prügeln, er schaute auch nicht gerne anderen dabei zu, es sah häßlich aus, es war peinlich, und vor allem gab es dabei nichts zu gewinnen. Daß man ihn dazu gezwungen hatte, denn so sah er die Sache, warf einen dunklen Schatten auf seine Existenz. So einen üblen Mist wie diesen kannte er bisher nur aus den Erzählungen anderer, die in härteren Kneipen als dem Einfall arbeiteten. Im Einfall waren die Schizos immer einfach zu vertreiben gewesen, sie kamen meist nur tagsüber, vor allem gegen Ende des Winters, wenn sowieso alle auf der Wiener Straße mit den Nerven am Ende waren. Daß es dabei körperlich wurde, kam nur selten vor, und wenn, dann war es nicht schlimm, man schubste sie hinaus und das war's dann. Aber so, wenn sie jetzt schon anfingen, sich zu prügeln … Vielleicht hatte Katrin, die schöne Köchin, am Ende doch recht gehabt, vielleicht war es doch nicht das Wahre, für immer hinter einem Kneipentresen zu stehen. Das würde dann aber bedeuten, daß er sein Leben ändern mußte. Und das wollte er nicht, ihm gefiel sein Leben, er stand gerne hinter dem Tresen, es gab nichts, was er lieber tat. Er versuchte sich kurz einmal vorzustellen, wie es wäre, wieder in seinem gelernten Beruf zu arbeiten, als Speditionskaufmann. Das war so absurd, daß er lachen mußte.

»Schau an, er lacht wieder«, sagte sein bester Freund Karl zu Erwin und klopfte Herrn Lehmann auf die Schulter. Sie saßen mittlerweile zu dritt an einem Tisch ganz hinten im Dunkeln. »Herr Lehmann ist der rustikalste Mensch auf der ganzen Welt. Egal, was los ist, gib ihm ein Bier, und er ist wieder obenauf.«

»Oben auf, unten auf«, sagte Erwin launig, »ist doch egal. Ich hol ihm noch ein Bier.«

»Nichts da!« rief Karl bedeutend und stand auf. Er schwankte leicht, hielt sich aber noch ganz gut für einen, der seit 36 Stunden nicht geschlafen hatte. »Ich bin dran. Es gibt was zu feiern.«

Er ging zum Tresen. Erwin schob sein Gesicht an Herrn Lehmanns Ohr. Zwar lief im Abfall nicht die Bumm-Bumm-Musik, die Erwin Acid House nannte, sondern irgendein Rockmusikkram, aber auch der war laut.

»Wer ist eigentlich dieser Kerl mit dem Weizenbier?« schrie Erwin. »Schau nicht hin, der am Tresen, der seit ein paar Wochen bei uns rumhängt.«

»Heißt Rainer«, sagte Herr Lehmann.

»Woher weißt du das?«

»Hat er mir vorhin gesagt. Und hör auf, mir ins Ohr zu schreien, das nervt.«

»Der Typ ist komisch.«

»Klar ist der komisch, die Welt ist voll von komischen Leuten.« Gerade kam sein bester Freund Karl mit Bier, Brandy und einer Tüte Kartoffelchips wieder. »Karl«, fragte Herr Lehmann, »weißt du noch ...«

»Hier«, unterbrach ihn sein bester Freund Karl und ließ die Kartoffelchips auf den Tisch fallen. »Schön aufessen. Denkt an die Elektrolyte. Der Elektrolytmangel ist der größte Feind des Trinkers. Von der Dehydrierung einmal abgesehen.« Er nahm einen großen Schluck Bier. »Morgen früh werdet ihr mir dankbar sein.«

»Karl«, nahm Herr Lehmann seine Frage wieder auf, »weißt du noch, der Typ, der damals jeden Abend im Treibsand saß und Weizenbier trank, eins nach dem anderen, wie hieß der noch mal?«

»Du meinst Schneider-Jürgen. Was soll mit dem sein?«

»Schneider-Jürgen«, gab Herr Lehmann an Erwin weiter. »Der war auch so einer. Was ist aus dem eigentlich geworden?« wandte er sich an Karl.

»Ist gestorben«, sagte Erwin, ohne den Blick von dem Mann am Tresen zu nehmen.

»Wieso das denn?«

»Weiß auch nichts Genaues«, fügte Erwin hinzu. »Ist ja auch egal. Jedenfalls stimmt mit dem was nicht.«

»Wie jetzt«, rief Karl von der anderen Seite, »was ist mit Schneider-Jürgen? Was stimmt mit dem nicht?«

»Der ist tot«, sagte Herr Lehmann.

»Ihr müßt Kartoffelchips essen«, rief Karl, der schon nicht mehr zuhörte, und steckte sich eine Faustvoll davon in den Mund.

»Was soll denn mit dem schon sein«, sagte Herr Lehmann zu Erwin. »Da ist doch nichts Ungewöhnliches dran, wenn einer rumsitzt und säuft. Davon lebst du schließlich.«

»Mit dem stimmt was nicht«, sagte Erwin. »Auf den müssen wir aufpassen.«

»Erwin«, sagte Herr Lehmann, »wenn du wirklich so eine gute Menschenkenntnis hast, warum hast du dann vorhin eins auf die Omme gekriegt?«

»Das ist ein Zivilbulle, ich schwör's dir. Der checkt uns den Laden aus.«

»Sag mal, Frank«, sagte jetzt sein bester Freund Karl, »läuft da eigentlich schon was mit dir und dieser Katrin?«

»Wieso das denn jetzt?« rief Herr Lehmann etwas zu empört und damit, wie er selber fand, irgendwie verdächtig. Er spürte, wie er rot wurde. »*Du* bist doch heute mit ihr ins Prinzenbad gegangen, oder etwa nicht«, fügte er hinzu, was, wie er sogleich dachte, alles nur noch schlimmer machte. Vor lauter Ärger begann er, Kartoffelchips zu essen.

»Ich erkenne einen komischen Vogel, wenn ich einen sehe«, sagte Erwin. »Bei dem müssen wir aufpassen. Sollte mich nicht wundern, wenn das ein Zivilbulle ist. Der checkt hier die ganzen Läden auf Drogen aus.«

»Herr Lehmann, entspann dich«, sagte sein bester Freund Karl von der anderen Seite fröhlich und klopfte ihm auf die Schulter. »Ist doch nichts Schlimmes dabei. Aber, du und im Prinzenbad …« Er machte eine Handbewegung, als würde er eine Glühbirne einschrauben, »… sehr verdächtig, Herr Lehmann.«

»Ganz klar«, meldete sich Erwin von der anderen Seite. »Da stimmt was nicht. Der ist nicht so wie Schneider-Jürgen.«

»Er lebt ja auch noch«, sagte Herr Lehmann gallig.

»Sehr verdächtig. Gerade du und schwimmen, das glaubt dir doch kein Schwein, daß du freiwillig schwimmen gehst.«

»Das meine ich nicht«, sagte Erwin. »Mit so was macht man keine Scherze.«

»Man kennt doch deine Meinung zum Sport. Die ist ja stadtbekannt«, sagte Karl.

»Wieso stadtbekannt? Was ist denn daran stadtbekannt?«

»Das ist kein Typ wie Schneider-Jürgen, das ist überhaupt nicht vergleichbar. Bei Schneider-Jürgen wäre nie einer auf die Idee gekommen, daß der ein Zivilbulle ist.«

»Erwin!« sagte Herr Lehmann entschieden. »Erwin, du bist der einzige, der auf die Idee gekommen ist, daß das ein Zivilbulle ist. Diese ganze Drogenscheiße ist doch Blödelei. Keine Sau auf dieser Welt interessiert sich dafür, wenn einer bei dir im Laden kifft.«

»Hast du eine Ahnung …«

»Mit stadtbekannt meine ich: In der ganzen Stadt bekannt.« Karl klopfte Herrn Lehmann auf die Schulter.

»Und selbst wenn, selbst wenn sie dir das Einfall dichtmachen würden«, wandte sich Herr Lehmann unterdessen an Erwin, »du hast doch acht oder zehn Kneipen oder so, dann ist halt das Einfall mal eine Weile dicht, du bist doch sowieso stinkreich, was interessiert dich denn so eine Kleinscheiße.«

»Daß einer wie du schwimmen geht, Mannomann, wie lange kennen wir uns jetzt, Herr Lehmann?«

»Hast du eine Ahnung, du Vogel«, rief Erwin. »Du hast ja keine Ahnung. Das ist doch alles nichts wert. Wenn die nicht laufen, dann ist das alles nichts wert.«

»Das sind jetzt auch schon bald sechs, sieben Jahre, nein, mehr, acht, neun Jahre müssen das jetzt sein. Wann bist du hergekommen? 1980?«

»Und wenn sie dir einmal die Konzession entziehen, dann aber für alles, Kerl. Das Geld steckt in den Kneipen, das habe ich überhaupt nicht. Das steckt alles da drin.«

»Neun Jahre. Ich kenne dich, Alter. Wenn du schwimmen gehst, dann kann das doch nur wegen der Frau sein, das ist ja auch nichts Schlimmes. Die ist doch genau dein Typ. Obwohl, was ist überhaupt dein Typ? Ich kenn dich jetzt schon neun Jahre, und ich habe nicht die geringste Ahnung, was dein Typ ist. Außer, daß die immer etwas voller um die Hüften sind.«

»Wenn die nicht laufen, wenn die zu sind, dann kann man die nicht mal mehr verkaufen. Dafür bezahlt mir doch keiner mehr was, wenn die erst mal zu sind. Ich hab's überhaupt satt«, modulierte Erwin ins Weinerliche, »ich hätte nicht übel Lust, alles hinzuschmeißen.«

»Die steht auf dich, ehrlich. Da solltet ihr nicht lange fackeln. Die steht auf dich. Wollte alles mögliche über dich wissen. Was du sonst so machst und so. Das hat schon genervt, wie die mich ausgefragt hat.«

»Und was hast du erzählt?«

»Nur Gutes.« Sein bester Freund Karl nahm die Finger zum Abzählen. »Daß du ein ganz gebildeter Typ bist, auch kulturell und so, Kino, Museum, die ganze Palette, da steht die drauf, bin ich sicher, und daß du was Richtiges gelernt hast, daß du zu Großem berufen bist …«

»Ach, hör doch auf.«

»Nix«, schrie Erwin. »Das ist mein Ernst. Dann verkauf ich den ganzen Scheiß. Was hab ich denn davon? Nix!«

»Was hat er denn«, wollte Karl wissen.

»Er will alles verkaufen«, sagte Herr Lehmann.

»Wer«, fragte Jürgen, der sich in diesem Moment dazusetzte.

»Erwin, sagt Herr Lehmann«, sagte Karl.

»Echt?« sagte Jürgen zu Erwin. »Also, das Einfall würde ich nehmen.«

»Das kann ich mir vorstellen, du Vogel«, grinste Erwin bitter. »Da würd ich den Laden lieber abbrennen, als daß du den kriegst, du Saukerl.«

»Oho«, lachte Jürgen und schüttelte beide Hände, als hätte er sich verbrüht. »Harte Worte, Erwin, harte Worte. Was läuft denn sonst so?« fragte er in die Runde.

»Erwin meint, der Typ da am Tresen wäre ein Zivilbulle«, sagte Herr Lehmann boshaft. »Erwin meint, die spionieren seine Läden aus und wollen Drogenrazzien machen und so.«

»Der da? Der sitzt doch immer nur rum und trinkt Kristallweizen«, sagte Karl. »In der Markthalle ist der auch manchmal.«

»Genau, das meine ich ja!« rief Erwin.

»Also ich weiß nicht«, sagte Jürgen und drehte sich nach dem Mann um. »Bei uns ist der auch oft. Erinnert mich irgendwie an Schneider-Jürgen. Außer, daß er Kristall trinkt statt Hefe. Wo ist der eigentlich abgeblieben?«

»Wer?« fragte Karl.

»Schneider-Jürgen.«

»Der ist tot«, sagte Erwin.

»Echt? Wieso das denn?«

»Keine Ahnung.«

»Hm … – also – Zivilbulle … Dann muß der aber ein fettes Spesenkonto haben. Und der will nie eine Quittung.«

»Dürfen die überhaupt im Dienst saufen?« fragte Karl.

»Als Zivilbulle? Klar.«

»Komischer Typ. Verstehe ich nicht. Wieso wird so einer Zivilbulle?«

»Also Moment mal«, warf Herr Lehmann ein, »woher wollt ihr denn jetzt alle wissen, daß das ein Zivilbulle ist?«

»Ich weiß nicht«, sagte Karl, »irgendwie ist das ein komischer Typ. Kristallweizen ohne Zitrone trinkt der immer.«

»Aber wegen Drogen …«, sagte Jürgen zweifelnd.

»Die haben schon zwei Läden in Schöneberg zugemacht.

Da geht irgendwas ab«, raunte Erwin in eine Musikpause hinein.

»Ich dachte, nur das Loch«, widersprach Herr Lehmann.

»Wie, nur das Loch?«

»Erwin, vor ein paar Stunden hast du noch gesagt, die hätten das Loch zugemacht. Jetzt sind es schon zwei Läden, die in Schöneberg zugemacht wurden.«

»Ist doch egal. Guck da nicht so rüber, Herr Lehmann.«

»Erwin, die Kombination aus Duzen und Herr Lehmann sagen in ein und demselben Satz ist wirklich das Übelste, was es gibt.«

»Achtung«, rief sein bester Freund Karl, »er guckt jetzt in unsere Richtung.« Er wandte sich ab und nahm einen tiefen Schluck. Sehr unauffällig, dachte Herr Lehmann.

»Der kann uns doch gar nicht mehr sehen. Der ist doch total besoffen«, sagte Herr Lehmann und hatte irgendwie Mitleid mit dem Kerl, weil er immer so alleine herumtrank und sich dann auch noch verdächtig machte. »Außerdem sitzen wir hier im Dunkeln.«

»Das ist es ja gerade«, orakelte Erwin.

»Versteh ich jetzt nicht«, sagte Herr Lehmann gelangweilt. Er hätte lieber mit seinem besten Freund Karl weiter über die schöne Köchin, und was sie genau gefragt hatte, geredet, aber das war wohl schon wieder abgehakt.

»Wenn er Drogen nehmen würde, dann wäre er nicht so schnell besoffen«, sagte Jürgen und holte neues Bier.

»Das verstehe ich nun überhaupt gar nicht mehr«, sagte Herr Lehmann, der sich noch gut daran erinnern konnte, wie er vor Jahren einmal nach zehn Flaschen Beck's an einem Joint gezogen hatte und welche Schwierigkeiten er danach gehabt hatte, in den Nachtbus einzusteigen.

»Davon mußt du auch nichts verstehen«, sagte sein bester Freund Karl und klopfte ihm auf die Schulter. »Das ist ja das

Schöne an dir, daß du von Drogen überhaupt nichts verstehst, und daß du trotzdem alles verstehst, das ist nämlich die Wahrheit.«

»Vielleicht sollte man mal mit ihm reden«, sagte Erwin nachdenklich. »Unauffällig. Vielleicht kriegt man was raus.«

»Das ist heikel«, sagte Karl.

»Ja, klar«, sagte Erwin.

»Herr Lehmann sollte das machen. Das ist der absolut Unauffälligste«, sagte sein bester Freund Karl. »Jedenfalls bei Männern. Bei den Frauen fällt er dagegen ganz schön auf«, fügte er augenzwinkernd hinzu und haute Herrn Lehmann, dem das mittlerweile gehörig auf den Wecker ging, schon wieder auf die Schulter.

»Aber nicht heute«, sagte Erwin verschwörerisch.

»Doch, doch«, sagte Karl, »gerade heute. Gerade heute fällt Herr Lehmann mal wieder ordentlich auf.«

»Herr Lehmann macht das klar«, sagte Erwin zu Jürgen, der mit dem Bier kam.

»Ihr spinnt wohl.«

»Ich will überhaupt kein Bier«, sagte Erwin. »Ich will einen von eurem Scheißbrandy, aber nicht den Aldikram, den ihr hier immer ausschenkt.«

»Hol ich gleich«, sagte Jürgen. »Erst mal muß Herr Lehmann das klarmachen.«

»Gar nichts mach ich klar. Ihr spinnt wohl.«

»Herr Lehmann ist ein Held«, sagte Jürgen.

»Wir brauchen noch Kartoffelchips. Herr Lehmann hat Hunger. Wegen den Elektrolyten«, sagte sein bester Freund Karl und hob die Flasche. »Auf Herrn Lehmann, den Helden des Tages.«

»Ein einsamer Reiter, ein kühner Streiter, Eldorado«, sagte Jürgen, der sich gerne als Cineast sah.

»Wegen der Elekrolyte«, sagte Erwin.

»Was ist mit den Elektrolyten?«

»Es heißt nicht ›wegen den Elektrolyten‹, es heißt: ›wegen der Elektrolyte‹.«

»Prima, Erwin. Und es heißt: Auf Herrn Lehmann, den Held aller Helden.«

»Auf Herrn Lehmann.«

Sie stießen an. Herr Lehmann protestierte nicht, aber er war skeptisch. Wenn das ein Heldentag war, wie sah dann ein Verlierertag aus?

»Jedenfalls muß man da vorsichtig sein«, sagte Erwin.

»Wobei jetzt?«

»Wenn man den aushorcht. Das ist ein Profi. Den kann man eigentlich überhaupt nicht aushorchen, der stellt sich blöd.«

»Vielleicht *ist* er ja blöd«, schlug Karl vor.

»Wir können ihn ja Kristall-Rainer nennen«, sagte Jürgen, »im Gedenken an Schneider-Jürgen.«

»Was macht der eigentlich?« fragte Karl.

»Der ist tot.«

»Wieso das denn?«

»Keine Ahnung.«

»Vielleicht wegen Aids«, schlug Karl vor.

»Ich glaube nicht, daß der schwul war«, sagte Jürgen, »der war eigentlich überhaupt nichts, glaube ich. Kannst du dir vorstellen, wie Schneider-Jürgen mit irgend jemandem Sex hat?«

»Ich kann mir überhaupt nicht mehr vorstellen, wie irgend jemand mit irgend jemandem Sex hat«, sagte Erwin.

»Da mußt du genau den richtigen Zeitpunkt erwischen«, sagte Jürgen zu Herrn Lehmann.

Herr Lehmann fühlte sich jetzt, an seinem Feierabend, in der geborgenen Atmosphäre des Abfall und nach ein paar Bier, schon wieder besser. Er aß noch ein paar Kartoffelchips und wurde übermütig.

»Also wenn, dann jetzt«, sagte er in die Runde.

»Nein, das ist zu auffällig«, sagte Erwin.

»Worum geht's?« fragte Karl.

»Ich geh da jetzt mal hin«, sagte Herr Lehmann, der den überraschend gewonnenen Schwung ausnutzen wollte. »Ihr seid ja alle paranoid.«

»Also ich finde, du solltest mit ihr ins Kino gehen«, sagte Karl.

»Ins Kino?«

»Natürlich ins Kino. Man geht immer ins Kino, wenn man verliebt ist.«

»Wer hat dir gesagt, daß ich …«

»Kino. Das ist das einzig Wahre. Kino. Kultur, dunkel, alles klar.«

»Was ist mit Kino?« wachte Jürgen auf.

»Ins Kino gehen. Herr Lehmann soll romantischerweise ins Kino gehen.«

»Im Notausgang gibt es die Lubitsch-Retrospektive«, sagte Jürgen. »Ninotschka, Sein oder nicht sein, das waren noch richtige Filme, so Kram.«

»Das kann man jetzt nicht bringen, das ist zu auffällig«, schrie Erwin. Herr Lehmann ignorierte das.

»Ich kenn die doch gar nicht«, wandte er ein. »Ich kann die doch nicht einfach fragen, ob sie ins Kino will.«

»Ich hab's nur gesagt«, wehrte sein bester Freund Karl ab. »Das Glück ist eine warme Pistole.«

»Ich geh da jetzt hin«, bekräftigte Herr Lehmann seine ursprüngliche Absicht.

»Ich kümmere mich drum«, sagte sein bester Freund Karl.

»Sei aber vorsichtig«, schärfte Erwin ihm ein. »Irgendwie unauffällig.«

»Würde ich nicht bringen«, sagte Jürgen.

»Ich mach das klar mit dem Kino«, sagte sein bester Freund Karl.

»Ich hol einfach mal Bier für uns alle«, strickte Herr Lehmann bereits an seiner Agentenlegende und stand auf. Er ging langsam und unauffällig zum Tresen hinüber und hatte schon jetzt das Gefühl, daß alle ihn anstarrten, wobei er sich unangenehm bewußt wurde, wie eng das neue T-Shirt von Erwin saß. Dann setzte er sich auf den Barhocker neben Kristall-Rainer, der eigentlich Kristall-aber-ohne-Zitrone-Rainer hätte heißen müssen, wie er etwas albern dachte, und richtete das Wort an Marko: »Ich brauch noch einmal drei Bier, einen Schnaps für Erwin und Kartoffelchips.«

Marko sagte irgend etwas über Erwin und seine Vorlieben, aber Herr Lehmann achtete nicht darauf. Er versuchte, mit Kristall-Rainer Blickkontakt aufzunehmen, aber Kristall-Rainer schaute versonnen auf die Flaschen hinter der Theke.

»Wieso hört der Regen auf, wenn es Blasen schlägt«, versuchte Herr Lehmann das Gespräch zu beginnen. Kristall-Rainer reagierte nicht. Herr Lehmann zog ihn vorsichtig am Ärmel. »Sag doch mal, ehrlich jetzt, wieso hört der Regen auf, wenn es Blasen schlägt?«

Kristall-Rainer schaute ihn an. Marko stellte derweil die Getränke auf den Tresen. »Geht auf Erwin«, sagte Herr Lehmann ohne hinzuschauen. Marko sagte irgend etwas über Erwin und seinen Deckel, aber Herr Lehmann kümmerte sich nicht darum. Er schaute Kristall-Rainer in die Augen und war sich nicht sicher, ob der ihn überhaupt wahrnahm. »Scheint ja echt was dran zu sein.«

Kristall-Rainer grinste, es war etwas Maskenhaftes daran, so als ob er lange überlegt hatte, bevor er sich ausgerechnet für ein Grinsen entschied. »Hat meine Oma immer gesagt.«

»Ja, die Omas«, sagte Herr Lehmann, »die haben immer so Sachen drauf.«

»Wenn's Blasen schlägt, dann hört's bald auf, hat sie immer

gesagt.« Kristall-Rainer lachte trocken. »Ist doch logisch warum«, fügte er hinzu.

»Warum denn?«

»Kannst du dir das nicht denken?« fragte Kristall-Rainer.

»Nein«, sagte Herr Lehmann und fand die Frage angesichts von Kristall-Rainers Zustand etwas frech. Erwin hat recht, dachte er, nicht wegen der Zivilbullengeschichte, aber man sollte ihn nicht unterschätzen.

»Wenn es lange regnet, dann bilden sich Pfützen«, sagte Kristall-Rainer, und Herr Lehmann fiel auf, daß er nie lallte, obwohl er immer Unmengen von Weizenbier intus haben mußte, und er erwischte sich selbst bei dem völlig abseitigen Gedanken, daß es vielleicht bloß die Zitrone war, die einen zum Lallen brachte. Das, dachte Herr Lehmann, ist der dümmste Gedanke, den ich in den letzten zehn Jahren gehabt habe. Vielleicht aber, blieb er gedanklich auf der schattigen Seite, schüttet er das Weizen immer heimlich weg. Ich darf nicht wie Erwin denken, rief er sich selbst zur Ordnung, sonst bringt das hier nichts.

»Es kann nicht Blasen schlagen, bevor nicht Pfützen da sind«, fuhr Kristall-Rainer fort. »Das ist doch logisch. Und wenn es so lange geregnet hat …« – er legte eine Kunstpause ein und nahm einen Schluck von seinem Weizenbier, wobei er sich etwas besabberte – »… daß es Pfützen gibt, dann hört es eben bald auf.«

»Ah ja«, sagte Herr Lehmann. Er hatte etwas Ausgefalleneres erwartet. »Es kann aber nur Blasen schlagen«, wandte er ein, »wenn richtig dicke Tropfen fallen. Ich meine, wenn es nur nieselt, dann können da Pfützen sein, wie sie wollen, aber es schlägt trotzdem keine Blasen. Vielleicht liegt es daran. Vielleicht ist eine bestimmte Tropfendicke oder -schwere dafür verantwortlich, daß es Blasen schlägt und gleichzeitig wettermäßig ein Indiz dafür, daß es bald aufhört.«

»Keine Ahnung«, sagte Kristall-Rainer.

Herr Lehmann war enttäuscht. Kristall-Rainer bringt nicht die theoretische Leistung, dachte er, erst wird er frech, und dann macht er schlapp. Schließlich hat er mit diesem Blasenscheiß angefangen, dachte Herr Lehmann, da kann er doch jetzt nicht einfach aufgeben.

»Was bist du eigentlich von Beruf?« wechselte er das Thema.

»Wieso?«

»Du bist nicht bei der Polizei, oder?«

Kristall-Rainer war nicht überrascht, er schaute bloß an Herrn Lehmann vorbei ins Dunkel der Kneipe.

»Nein«, sagte er nach einer ganzen Weile.

»Was machst du denn so?«

»Informatiker.« Kristall-Rainer betonte jede Silbe, als er das sagte, so als müsse er sich erst erinnern.

Das, entschied Herr Lehmann sofort, ist wahr. So etwas, dachte er, denkt man sich nicht aus, wenn man etwas zu verbergen hat. Er konnte sich nichts Langweiligeres, Abseitigeres, Öderes, Unglamouröseres vorstellen, als Informatiker zu sein.

»Ich heiße übrigens Frank«, sagte er und hob eine der Bierflaschen, die vor ihm auf dem Tresen standen.

»Rainer«, sagte Kristall-Rainer und lächelte dabei so herzlich und erfreut, daß Herr Lehmann sich ganz schäbig vorkam. Sie stießen an. Rainer hatte kaum noch was in seinem Glas. Gut, daß jetzt keine Zitrone drinliegt, dann schmeckt der letzte Schluck so sauer und man hat Obst im Mund, dachte Herr Lehmann. »Willst du noch eins?« fragte er.

»Sag ich nicht nein«, sagte Rainer.

»Noch ein Kristall«, sagte Herr Lehmann zu Marko. »Ohne Zitrone.«

»Genau«, sagte Rainer.

»Geht auch auf Erwin«, sagte Herr Lehmann zu Marko. Und zu Kristall-Rainer: »Ich muß dann mal wieder ...« Er deutete unbestimmt auf die Getränke und die Tüte Kartoffelchips. »Da zu den Jungs rüber und so.«

»Klar«, sagte Kristall-Rainer.

»Die warten schon.«

»Schon klar.«

»Ich geh dann mal.«

»Alles klar.«

»Wie war's?« fragte Erwin, als Herr Lehmann wieder an den Tisch kam. »Worüber habt ihr geredet?«

»So Kram«, sagte Herr Lehmann und machte die Kartoffelchips auf.

»Auf Herrn Lehmann«, rief Jürgen und hob die Flasche.

»Auf Herrn Lehmann«, riefen alle und stießen an.

»Was denn nun?« fragte Jürgen. »Ihr habt euch ja ewig unterhalten.«

»Ich wollte ja eigentlich noch sagen, warum es was zu feiern gibt«, sagte Karl.

»Was hat er denn gesagt«, fragte Erwin.

»Ich hab 'ne Ausstellung, in Charlottenburg.«

»Was soll er schon sagen«, sagte Herr Lehmann und lehnte sich mit einer Handvoll Kartoffelchips zurück.

»In der Knesebeckstraße. Galerie.«

»Echt?« sagte Herr Lehmann, ehrlich beeindruckt.

»Dann müssen wir ja da alle hin«, sagte Jürgen. »Nach Charlottenburg, ach du Scheiße ...«

»Ja, was denn nun?« ließ Erwin nicht locker.

»So Kram halt, wegen Regen und so.«

»Wegen Regen?«

»Erwin«, sagte Herr Lehmann grausam, »das ist ein ganz komischer Typ.«

»Sag ich doch.«

»Ganz komischer Typ.«

»Ja und, nun sag schon ...«

»Kann man nicht so sagen«, sagte Herr Lehmann. »Ganz komischer Typ.«

»Find ich auch«, sagte Jürgen. »Der ist irgendwie nicht astrein.«

»Ist das ein Bulle, mal ehrlich?« fragte Erwin.

»Klar«, sagte Herr Lehmann, »wenn das kein Bulle ist, dann heiße ich, ach was weiß ich«, sagte er, »wahrscheinlich Frank.«

»Hab ich's doch gewußt«, sagte Erwin triumphierend, »hab ich's doch gewußt!«

»In der Knesebeckstraße, ihr Arschlöcher, in der Knesebeckstraße. Im November. Bald könnt ihr alle Sie zu mir sagen.«

»Auf Herrn Lehmann«, rief Jürgen.

»Auf Herrn Lehmann«, riefen alle und stießen an, daß es krachte.

8. STAR WARS

Als Herr Lehmann aufwachte, knatterte Luke Skywalker gerade über den Todesstern hinweg, um letztendlich, soweit konnte Herr Lehmann sich noch erinnern, und es ärgerte ihn, daß er sich daran erinnern konnte, zwei Torpedos in der Todesstern-Schwachstelle, irgendeinem Schacht, der zum Generator führte oder so, zu versenken. Da fliegt er hin, dachte Herr Lehmann. Als er eingeschlafen war, hatten die Imperiumstruppen gerade mal Prinzessin Leias Raumschiff geentert, seitdem hatte sich einiges getan. Er schaute zur Seite, wo Katrin und Karl saßen, und beobachtete Katrin, die gebannt auf die Leinwand starrte und dabei salzige Popcorn aß, und er liebte sie in diesem Moment so sehr, daß es ihn ganz und gar ratlos machte. Er rutschte in dem durchgesessenen Kinosessel herum, um seine steifen Glieder zu entspannen, und fragte sich, wie lange er sie wohl noch so anschauen konnte, ohne daß sie etwas merkte. Und wie lange das hier noch so weitergehen sollte, fragte er sich auch, das wird dauern, dachte er, denn dies war die lange Star-Wars-Filmnacht im Minoa-Kino, es wurden alle drei Star-Wars-Filme hintereinander gezeigt, es war der Kern des romantischen Abends, den sein bester Freund Karl organisiert hatte, und wenn er sich richtig erinnerte, und es ärgerte ihn, daß er sich richtig erinnerte, handelte es sich beim Kampf um den Todesstern erst um das Finale des ersten Films.

Ich hätte mich nicht darauf einlassen sollen, dachte Herr

Lehmann, in solchen Dingen darf man Karl keine freie Hand geben. Und das hatte er getan, zermürbt durch vier lange Wochen, in denen er vergeblich gehofft hatte, Katrin, der schönen Köchin aus der Markthallenkneipe, irgendwie näher zu kommen. Er hatte kaum etwas unversucht gelassen, er wußte jetzt viel mehr über sie, zum Beispiel, daß sie 27 Jahre alt war, daß sie nach Berlin gekommen war, um Industriedesign an der HdK zu studieren, und daß sie hoffte, im nächsten Jahr ihre Bewerbungsmappe so weit hinzukriegen, daß es mit der Aufnahme klappte. Er kannte ihre Lebensgeschichte und die ihrer Eltern, er wußte viel mehr über Achim als je zuvor, sie hatten miteinander geredet und gelacht, vor allem aber auf jene wunderbare Weise miteinander gestritten, wie nur sie beide es konnten, aber es war nichts passiert, was die Sache wirklich vorangebracht hätte. Keine zufälligen Berührungen, die mehr als nur zufällig oder freundschaftlich waren, kein Kuß zum Abschied, der sich etwas länger hätte hinziehen und zu etwas Größerem hätte entwickeln können, keine vertraulichen Worte, keine kleinen Geheimnisse und vor allem keine Verabredungen zu zweit. Es war endgültig Herbst geworden, und ein unverfänglicher, unter dem Vorwand der Entspannung, Abwechslung und Stadterkundung unternommener Ausflug an den Wannsee oder den Tegeler See oder zu einer Bootsfahrt auf dem Landwehrkanal kam nicht mehr in Frage, und sie ins Kino einzuladen, hatte Herr Lehmann einfach nicht geschafft. »Eine Kino-Einladung«, hatte er seinem besten Freund Karl erklären müssen, »ist harter Stoff, dafür ist es noch zu früh.« Karl hatte ihm immer wieder angeboten, sich immer wieder aufgedrängt, die Sache in die Hand zu nehmen und einen romantischen Abend zu organisieren, zu dritt, damit es nicht so auffiel. »Ich mach das für dich«, hatte Karl gesagt, »du bist blockiert, wir brauchen alle mal Hilfe, man kann nicht immer alles alleine stemmen. Und diese Frau schon gar nicht«, hatte er schulterklopfend hinzugefügt. »Kultur«, hatte Karl gesagt, »Kultur und Romantik, das ist das einzige, was im Herbst funktioniert«, und in seiner Not hatte Herr Lehmann schließlich zugestimmt. »Ich organisier das für dich«, hatte Karl versprochen, und organisiert hatte er, das mußte man zugeben.

Zuerst waren sie auf einem reichlich früh angesetzten Konzert von Markos und Klaus' neuer Band gewesen, denn »Musik«, hatte sein bester Freund Karl gesagt, »öffnet die Herzen. So einen Freitagabend, den muß man ausnutzen«, hatte er gesagt, »erst Musik, dann Kino, so soll es sein«. Die Sache mit der langen Star-Wars-Filmnacht war dann wohl Katrins Idee gewesen, die Star-Wars-Filme wollte sie immer schon mal alle an einem Stück sehen, hatte sie Karl gesagt, und daß sie Science-Fiction-Fan der ersten Stunde sei, was Herrn Lehmann um so mehr faszinierte, als es das letzte war, womit er bei ihr gerechnet hatte. Und da waren sie nun, und Luke Skywalker bekam gerade vom eigentlich toten und dennoch nicht aus der Handlung verschwindenwollenden Obi Wan eingeflüstert, daß es an der Zeit war, der Macht zu vertrauen. Luke Skywalker schob daraufhin das Zielgerät weg und machte es auf die altmodische Art, und Herr Lehmann wußte, und er haßte sich dafür, daß er das wußte, daß das die Art war, die zum Erfolg führen würde. Hauptsache Kultur, hatte Karl gesagt, der Rest geht von alleine. Auch Karl, dachte Herr Lehmann, vertraut der Macht. Katrin, die schöne Köchin, aß derweil Popcorn, als ob es nie wieder etwas zu essen geben würde, und immerhin war er im Laufe des Abends schon einmal kurz mit ihr ins Gespräch gekommen, wenn auch nur über die Frage, warum zum Teufel es überhaupt salzige Popcorn gab, ein Umstand, der Herrn Lehmann ein ewiges Rätsel bleiben würde, was er ihr auch gesagt hatte, aber sie war anderer Meinung gewesen, und da waren sie nun.

»Ich hol mal Bier«, rief sein bester Freund Karl herüber, »wollt ihr auch noch?«

»Klar«, rief Herr Lehmann.

»Könnt ihr mal ruhig sein«, kam es von hinten. Das war Quatsch, denn überall im Kino wurde getuschelt, gejohlt und geraschelt, außerdem stank es nach Hasch und es wurde viel und an den falschen Stellen gelacht. Sogar Hunde waren im Saal. Jetzt gerade sah Herr Lehmann einen, der ihn an den erinnerte, den er vor einigen Wochen auf dem Lausitzer Platz getroffen hatte. Genaueres konnte Herr Lehmann nicht erkennen, es war zu dunkel, und der Hund lief nur kurz einmal von links nach rechts an der Leinwand vorbei, aber er hatte die gleiche Figur wie der Hund vom Lausitzer Platz, einen wurstförmigen Körper mit dünnen Beinen dran, und er bewegte sich auf eine Herrn Lehmann irgendwie vertraute Art. Herr Lehmann wußte nicht, was er davon halten sollte, und blickte wieder Katrin an, die sich gerade eine Zigarette anzündete, obwohl sie den Mund noch voller Popcorn hatte. Scheiß auf den Hund, dachte er, und konzentrierte sich wieder darauf, sie anzusehen, bis er so verliebt war, daß es ihm zu viel wurde.

»Ich komm mit, ich muß sowieso aufs Klo«, sagte er. Aber Karl war schon weg.

»Ist ja mächtig interessant«, kam es wieder von hinten. Es war eine Frauenstimme. Wahrscheinlich eine Star-Wars-Cineastin, dachte Herr Lehmann verbittert, eine von denen, die auf keinen Fall die Dialoge verpassen wollen. »Halt die Klappe, ich will den Film sehen«, sagte er scharf, stand auf und fand dank der reichlichen Explosionen, die dem Todesstern in diesem Moment den Rest gaben, seinen Weg nach draußen.

Da wartete schon Karl am Verkaufstresen neben der Kasse. »Beck's oder Schultheiß?« fragte er und lachte sich schief über diesen guten Witz. Er war in Hochform, er sprühte geradezu vor Energie und wiegte seinen schweren Oberkörper gutgelaunt hin und her, während er mit kleinen Münzen bezahlte. Vor ihm standen drei Tüten Kartoffelchips und drei Flaschen Bier.

»Was willst du mit den Chips?« fragte Herr Lehmann säuerlich. »Sie hat doch schon Popcorn.«

»Salzige Popcorn«, sagte sein bester Freund Karl mit erhobenem Zeigefinger. »Kluge Frau hast du dir da ausgesucht, mein Lieber. Die denkt an die Elektrolyte!«

»Ich hab sie mir nicht ausgesucht. So kann man das nicht sagen.«

»Ja, das ist wahr, man kann sie sich nicht aussuchen. Sie kommen über einen, die Liebe ist eine Himmelsmacht und so«, sagte Karl und reichte ihm ein Bier.

»Ich will da nicht wieder rein. Das bringt doch nichts. Warum sind wir nicht in Rumble Fish gegangen, der läuft doch gleich nebenan.«

»Ach Frank«, sagte Karl, »Rumble Fish, das ist doch Käse.«

»Das ist ein Superfilm«, verteidigte sich Herr Lehmann, »ein absoluter Spitzenfilm ist das.«

»Den hast du schon tausendmal gesehen, Alter. Würde mich wundern, wenn du in den letzten zehn Jahren überhaupt irgendeinen anderen Film als den gesehen hättest. ›Du bist ein Spitzenlover, Rusty James‹«, zitierte sein bester Freund Karl, »auf so was stehst du natürlich, du bist ja auch der Rusty James der Eisenbahnstraße. Aber die Frauen sind nicht so, glaub mir das, die finden das nicht so toll.«

»Darum geht's doch gar nicht. Und was sollte der Scheiß mit der Band von Marko und Klaus. Das war das Grottigste, was ich je gesehen habe.«

»Die waren doch immer schon grottig«, sagte Karl. »Die alte Band von denen war doch auch Kacke. Und die davor auch.«

»Das ist kein Grund. Das ist doch ein Scheißabend ist das.«

»Ja, manchmal muß man durch die Hölle gehen. Aber das verstehst du nicht. Du hast es bei den Frauen immer viel zu leicht gehabt.«

»Das ist doch Teenagerscheiße, außerdem ist das irgendwie peinlich, wenn du als Kuppelmutter auftrittst.«

»Also, vor mir braucht dir gar nichts peinlich zu sein. Aber okay, okay«, sagte Karl und hob beide Hände, »ich bin schuld. War eine Scheißidee. Hier, nimm erst mal das Bier. Ist halt blöd, die Alte.«

»Wieso das denn jetzt?«

»Na ja, Star-Wars-Filmnacht, das war doch ihre Idee. Auf so was kommen doch nur echt Bekloppte. Vor allem, wenn Rumble Fish nebenan läuft. Du bist halt ein echter Cineast. Irgendwo läuft sicher auch noch Johnny Guitar, wenn Frauen hassen.«

»Dagegen ist an sich nichts zu sagen. Ich meine Star Wars an sich. Das ist halt Geschmacksache. Irgendwie hat das ja auch was ...« Herr Lehmann geriet bei der Suche nach guten Argumenten etwas ins Trudeln, »also irgendwie hat das was.«

»Aha«, rief sein bester Freund Karl.

Herr Lehmann fühlte sich ertappt. »Und Scheiße ist es natürlich auch«, fügte er hinzu.

»Was macht ihr denn hier?« fragte Katrin, die plötzlich neben ihnen stand.

»Haben uns festgequatscht«, sagte Karl. »Ist der erste Film aus?«

»Ja, jetzt kommt gleich der zweite«, sagte sie. »Den finde ich aber irgendwie nicht so gut.«

»Wieso?« sagte Herr Lehmann widerborstig. »Der zweite Teil ist doch eigentlich der beste. Wenn man nur mal überlegt ...« Weiter kam er nicht, denn Karl trat ihn gegen das Schienbein und fiel ihm ins Wort.

»Was Herr Lehmann sagen will«, sagte sein bester Freund Karl, »ist dies: Daß nämlich der zweite Teil auf jeden Fall die beste Gelegenheit bietet, mal um die Ecke zu gehen.«

»Wieso nennst du ihn eigentlich immer Herr Lehmann?« fragte Katrin und schaute Herrn Lehmann zweifelnd dabei an. »Das wollte ich immer schon mal fragen.«

»Weil er so etwas …«, sein bester Freund Karl tat, als ringe er um die richtige Formulierung, »… so etwas Herrschaftliches hat. Er ist nicht so wie die anderen. Ihn umgibt ein Geheimnis.«

»Welches Geheimnis?«

»Tja!« Sein bester Freund Karl hob die Arme zum Himmel. »Wenn man das wüßte. Laßt uns in die Blase gehen.«

»Wieso denn in die Blase? Warum denn jetzt auch noch in eine Schwulenkneipe?« regte sich Herr Lehmann auf.

»Hast du was gegen so Leute?« fragte Katrin mißtrauisch.

Herr Lehmann verdrehte innerlich die Augen. So Leute. Sie sagte »so Leute«, wenn sie von Schwulen sprach. »Wieso soll ich was gegen Schwule haben? Ich hab bloß gesagt, daß das eine Schwulenkneipe ist. Und sind wir schwul? Bist du etwa schwul?« richtete er, etwas zu aggressiv, wie er selbst fand, aber er konnte jetzt nicht anders, er mußte sich abreagieren, die Frage an seinen besten Freund Karl und tippte ihm dazu mit dem Zeigefinger auf die Brust. »Bist du schwul? Nein. Bin ich schwul? Nein. Bist du schwul?« wandte er sich an Katrin. »Bist du schwul?«

»Also hör mal …«

»Warum sollen wir in Herrgottsnamen in eine Schwulenkneipe gehen, wenn wir nicht schwul sind? Warum läßt man den Schwulen nicht ihre Kneipen und geht schön in eine Heterokneipe, ich meine, warum soll man mit einer Frau in eine Schwulenkneipe gehen?«

»Also hör mal!«

»Jetzt reg dich ab, Frank, reg dich einfach mal ab. In der Blase ist das okay. Außerdem arbeitet Sylvio da gerade.«

»Na ja«, sagte Herr Lehmann. Er hatte kein gutes Gefühl bei der Sache, aber gegen dieses Argument kam er nicht an.

Als sie die Blase betraten, war nicht viel los. Die Schwulen, dachte Herr Lehmann, sind auch nicht mehr das, was sie mal waren. Karl steuerte gleich auf einen zentralen Tisch zu und ließ Herrn Lehmann und Katrin sich dort niedersetzen. Dann ging er mit drei Tüten Kartoffelchips unter dem Arm zu Sylvio, der sich hinter dem Tresen mit einem Lederschwulen unterhielt, und redete mit ihm. Herr Lehmann hatte kein gutes Gefühl bei der Sache.

»Und die sind alle schwul hier?« fragte Katrin.

»Ja.«

»Die sehen doch ganz nett aus.«

Herr Lehmann, den das an eine Unterhaltung mit seiner Mutter erinnerte, versuchte, das Gespräch in andere Bahnen zu lenken.

»Wo hast du eigentlich in Bremen gewohnt?« fragte er.

»Oh«, sagte sie und zündete sich eine Zigarette an. »In Hastedt.«

»Wo denn da?«

»Herzberger Straße. Mit einer Freundin zusammen.«

»Ah ja«, sagte Herr Lehmann. »Und wie ist das da so?«

»Wie soll das schon sein«, sagte sie lustlos und dann kam Karl auch schon zurück und stellte drei Flaschen Bier auf den Tisch.

»Sylvio ist nicht glücklich, uns zu sehen«, sagte er zufrieden und nahm eine von Katrins Zigaretten. »Und sein Chef schon gar nicht. Und sie wollen nicht, daß wir unsere Kartoffelchips essen.«

»Wer ist sein Chef?«

»Die Leder-Uschi, mit der er da rumsteht«, sagte Karl.

»Sie meinen, ob wir nicht eben ein Bier trinken und dann mit der Frau woanders hingehen können. Das Bier haben sie sogar ausgegeben. Dafür habe ich ihnen die Kartoffelchips geschenkt.«

»Na ja«, sagte Herr Lehmann, »wenn Sylvio das schon sagt, dann sollte man das vielleicht ernst nehmen.«

»Nix«, sagte Karl, »der meint das nicht so. Das ist nur wegen seinem blöden Lederboß da. Er ist neu hier, und er braucht das Geld.«

»Weil ich 'ne Frau bin, oder was?« sagte Katrin entrüstet. »Das ist ja wohl das Allerletzte.«

»Ja sicher«, sagte Herr Lehmann, »aber andererseits ist das auch eine Schwulenbar, oder? Ich meine, das ist doch die Idee einer Schwulenbar, daß die Schwulen unter sich sind, würde ich mal sagen.«

»Aber die können uns doch nicht rausschmeißen, weil ich eine Frau bin.«

»Sachte«, sagte Karl und leerte sein Bier. »Niemand schmeißt hier irgend jemanden raus. Schaut mal, wer da kommt!«

Herr Lehmann drehte sich zum Eingang um und sah Kristall-Rainer, der durch die Tür schritt, ihn erkannte und erfreut die Hand hob.

»Ist der jetzt auch noch schwul?« sagte Herr Lehmann verwundert.

»Den kenn ich«, sagte Katrin, »den habe ich schon mal gesehen.«

»Ja, das ist ein schwuler Zivilpolizist«, sagte Karl und lachte.

Kristall-Rainer ging zum Tresen und ließ sich ein Weizenbier einschenken. Dann trat das ein, was Herr Lehmann befürchtet hatte. Er kam zu ihnen herüber.

»Hallo!« sagte er zu Herrn Lehmann, und es klang so unsicher, daß Herr Lehmann gleich wieder etwas Mitleid mit ihm hatte.

»Hallo«, gab er zurück und setzte dann widerstrebend hinzu: »Setz dich doch.«

»Oh, das ist nett. Ich bin übrigens Rainer«, sagte er in die Runde.

»Schon klar«, sagte Karl. »Bist du öfter hier?«

»Nein, wieso?«

»Nur so«, sagte Karl und lächelte unergründlich. »Wir brauchen jemanden, der zum Tresen geht und uns neues Bier holt. Ich gebe das Geld, aber jetzt muß mal ein anderer gehen.«

»Ich mach das«, sagte Rainer. »Kein Problem.« Er stand auf und ging zum Tresen. Sein Weizenbier nahm er mit.

»Woher kenne ich den bloß?« sagte Katrin, als er außer Hörweite war.

»Der tourt durch alle Kneipen«, sagte Karl. »Trinkt überall Weizenbier. Kristall.«

»Ohne Zitrone«, fügte Herr Lehmann mißmutig hinzu. Der ganze Abend war eine einzige Scheiße.

»Schau dir den Herrn Lehmann an«, sagte sein bester Freund Karl zu Katrin. »Der muß mal dringend aufgemuntert werden.«

»Was ist denn los?« fragte sie besorgt.

»Keine Ahnung. Was ist los, Herr Lehmann? Wo drückt der Schuh?«

Herr Lehmann nannte das nächstbeste Problem, das ihm gerade in den Sinn kam. »Meine Eltern kommen demnächst nach Berlin«, sagte er. »Mit dem Bus. Pauschal. Mit Kudamm-Hotel. Bleiben übers Wochenende.«

»Das ist hart«, sagte Karl. »Seit wann weißt du das denn?«

»Was weiß ich, seit Wochen schon.«

»Und dann frißt du das die ganze Zeit in dich hinein?«

»Wieso, das kann doch ganz nett sein«, sagte Katrin.

»Ich muß dann zum Kudamm und sie abholen, und dann wollen sie Berlin sehen«, sagte Herr Lehmann.

»Ach du Elend«, sagte Karl. »Und wann ist das?«

»Und dann wollen sie mal das Restaurant kennenlernen, wo ich arbeite.«

»Restaurant?« fragte Karl und lachte.

»Ich habe ihnen irgendwann mal gesagt, daß ich Geschäftsführer in einem Restaurant bin.«

»Aber das ist doch gelogen«, sagte Katrin, »oder nicht?«

»Das kommt darauf an, wie man die Sache auffaßt«, sagte sein bester Freund Karl und lachte. »Immerhin gibt es im Einfall die Super-Sandwiches von Verena, da steht Herr Lehmann drauf.«

»Sehr witzig.«

»Also ich weiß nicht, einfach so seine Eltern anlügen ...« Katrin schüttelte mißbilligend den Kopf.

»Es macht sie glücklicher«, sagte Herr Lehmann. »Wenn ich ihnen sage, daß ich in einer Kneipe arbeite, sind sie unglücklich, wenn ich ihnen sage, daß ich in einem Restaurant arbeite, und zwar als Geschäftsführer, dann sind sie glücklich. Damit können sie was anfangen. Und Geschäftsführer, das klingt gut, das macht sich auch besser, wenn mal die Nachbarn fragen.«

»Geschäftsführer ist schon besser«, sagte Katrin.

»Ich«, sagte Karl, »bin Geschäftsführer.« Er lachte so sehr, daß er sich verschluckte.

»Geschäftsführer ist überhaupt nicht besser«, sagte Herr Lehmann und klopfte ihm auf den Rücken. »Geschäftsführer ist ein Scheiß.«

»Na, na«, sagte Karl amüsiert, »du hast ja recht, aber mußt du das so sagen? Du solltest nicht die Hand beißen, die dich rettet.«

»Das ist ein schiefes Bild«, sagte Herr Lehmann, aber dann fiel ihm ein, daß der Hund damals auf dem Lausitzer Platz genau das getan hatte, als er die Polizisten biß. Aber er hatte Karl nie etwas davon erzählt. Er hatte aus irgendeinem Grunde, den er selbst nicht kannte, niemandem davon erzählt, nicht einmal Karl. »Und wieso überhaupt?«

»Jetzt stell dich nicht doof. Ich weiß doch, warum du uns das erzählst. Du willst doch bloß, daß ich an dem Tag in der Markthalle arbeite, dann kommst du mit deinen Eltern dahin, ihr eßt irgendwas Leckeres und ich sage ihnen, was für ein prima Chef du bist. Ist doch logisch. Wann ist das überhaupt?«

»Ende Oktober.«

»Ende Oktober! Du bist wirklich ein sehr gründlicher Trauerbauer, Herr Lehmann. Das ist noch einen ganzen Monat hin. Du warst doch mal so ein Carpe-Diem-Typ, was ist denn mit dir los? Und wo bleibt eigentlich Kristall-Rainer mit dem Bier? Was quatscht der da mit Sylvio und der Ledertunte? Machen die 'nen Dreier klar oder was?«

Sie blickten zum Tresen. Kristall-Rainer war in eine Diskussion mit Sylvio und seinem Chef vertieft, während Sylvio ihm ein Kristallweizen eingoß. Die drei richtigen Biere standen schon auf dem Tresen.

»Sylvio baut auch ab, wie lange braucht der denn für ein blödes Kristallweizen«, sagte Karl. »Und wieso will Kristall-Rainer schon wieder eins, der hat doch vorhin erst eins bekommen.«

Jetzt kam Kristall-Rainer zurück, aber mit Sylvio im Schlepptau. Herr Lehmann hatte kein gutes Gefühl dabei. Kristall-Rainer setzte sich hin, verteilte das Bier und tauchte ein bißchen ab.

»Hört mal, Leute«, sagte Sylvio und machte eine verlegene Pause. Alle starrten ihn an. »Also, ich will ja nichts sagen«, fuhr er schließlich fort, »aber Detlev, mein Chef …«

»Der heißt Detlev?« fiel Karl ihm dröhnend ins Wort. »Die Uschi heißt wirklich Detlev? Das ist ja phantastisch!«

»Hör mal auf«, bat Sylvio verlegen, »halt mal eben die Klappe, Karl. Also das ist so: Er meint, nach diesem Bier solltet ihr jetzt aber wirklich gehen. Ihr könnt es auch mitnehmen, wenn ihr früher gehen wollt. Eigentlich solltet ihr das sogar tun. Er meint, das ist eine Schwulenbar, da braucht er keinen Hetero-Stammtisch.«

»Tut mir leid, Sylvio«, sagte Herr Lehmann, »wir sind gleich weg.«

»Wir sind weg, wenn wir das wollen«, sagte Karl. »Ich meine, wir sind doch nicht irgendwelche Amateure. Ich kenn das Restaurant- und Gaststättengesetz. Da sind keine schwulen Sonderrechte vorgesehen. Ich schmeiß deinen Detlev ja auch nicht aus der Markthalle.«

»Wir gehen gleich«, sagte Herr Lehmann.

»Wir gehen, wenn wir wollen.«

»Also, daß das so ein Problem ist«, sagte Katrin, »das hätte ich nicht gedacht.«

»Mit Denken hat das auch nichts zu tun«, rief Karl in die Kneipe hinein. »Die Ledermausi da hat doch schon seit Jahren nicht mehr irgendwas gedacht, außer an den nächsten Schokostich.«

»Karl«, sagte Sylvio verzweifelt, »hör auf mit dem Scheiß«, aber es war zu spät.

Der Lederschwule am Tresen stand auf und kam zu ihnen herüber. Er war mindestens so groß wie Karl und noch ein ganzes Stück schwerer. Sein Bauch hing als mächtiger Ballon über seiner engen schwarzen Lederhose.

»Alles klar Leute, das war's dann«, sagte er. »Flasche in die Hand und alle Mann raus. Das Weizenglas bleibt hier. Und nehmt eure fette Schnappe mit.«

Herr Lehmann wurde jetzt sauer. Richtig sauer. Sauer auf

die ganze Welt, auf die Stolperfallen, die überall lauerten, auf den ganzen Scheiß, der immer zu bedenken und zu beachten war, auf seine eigenen Vorahnungen, seine eigene Rücksichtnahme, sauer auf Luke Skywalker, sauer auf Kristall-Rainer, sauer auf Karl, der die ganze Scheiße angezettelt hatte, vor allem aber sauer auf Detlev, der Katrin, die Frau, die er liebte, beleidigt hatte. Er spürte eine kalte Wut wie einen Brechreiz in sich aufsteigen, er wußte, daß es nicht gut war, wenn er jetzt etwas sagte, daß es mehr Probleme schaffen als lösen würde, aber er mußte jetzt etwas tun, die Sache mußte raus, er mußte jetzt Detlev in seine Schranken weisen.

»Verpiß dich, du Arschloch, oder ich scheiß dich bei der Gewerbeaufsicht an«, stieß er hervor, während sein Atem sich beschleunigte und sein Puls raste. Das ist Blödsinn, dachte er, aber was soll's.

Detlev lachte und sah auf ihn hinunter wie auf etwas, das der Hund vor die Tür gelegt hatte. »Wen haben wir denn da? Den Obergewerbeaufseher oder was? Und von welchem Gewerbe? Vom Schleimvotzenleckergewerbe, oder was?«

Das geht nicht gut, das geht nicht gut, dachte Herr Lehmann. Er stand auf und haute Detlev mit aller Kraft auf die Nase. Detlev zuckte nicht zurück, er steckte den Schlag weg wie nichts und dann streckte er in aller Seelenruhe eine große Pranke nach Herrn Lehmanns Gesicht aus. Das geht nicht gut, dachte Herr Lehmann, das geht nicht gut. Er packte Detlevs Hand, fand einen Finger und biß hinein. Und während er biß, fand er Gefallen daran, er spürte seine Kiefermuskeln arbeiten, und er biß weiter und weiter, und es war ihm, während diese große fleischige Hand vor seinem Gesicht zappelte und sich hin und her drehte und er durch die überlegene Kraft des Mannes, den sie Detlev nannten, hin- und hergeschleudert wurde, als ob es knirschte zwischen seinen Zähnen. Ich bin schon auf dem Knochen, dachte er tranig und nahm gar nicht wahr, welch hektische Aktivitäten sich um ihn herum entfalteten. Leute sprangen auf, Stühle fielen um, Detlev schrie wie am Spieß, Karl, Katrin, Sylvio und andere warfen sich dazwischen und versuchten, sie zu trennen, das ganze war ein hin- und herwogendes Riesengewühl mit Herrn Lehmann und Detlev in der Mitte, aber ihm, dem beißenden Herrn Lehmann, war alles egal, er war alleine mit seinen Zähnen und seinen Kiefermuskeln und mit einem blutigen Geschmack im Mund, den er nie mehr vergessen würde. »Laß los, laß los«, schrie Karl in sein Ohr, »der hat genug, laß los.«

Und dann ließ er los und plötzlich war alles vorbei. Sie waren draußen auf der Straße, Fäuste wurden geschüttelt, und Detlevs Schreien entschwand in der Ferne, während Herr Lehmann und seine Freunde die Oranienstraße in Richtung Adalbertstraße entlanghasteten, er hörte einen Mann etwas rufen und sah, wie Karl jemanden, der ihnen nachlief, in einen Hauseingang schleuderte, und dann waren sie um die Ecke, wo alle verschnauften, während er wieder und wieder ausspuckte, um den metallischen Geschmack von Detlevs Blut loszuwerden.

»Nicht schlecht, nicht schlecht«, hörte er Karl sagen. Er blickte auf und sah sie alle im Lichtschein eines Döner-Imbisses versammelt: Karl, Sylvio, Katrin, die etwas weinte, und Kristall-Rainer, der sie tröstete, was ihm überhaupt nicht gefiel.

»Scheiße, Scheiße, Scheiße«, sagte Sylvio und legte ihm einen Arm um die Schulter. »Du bist in Ordnung«, fügte er seltsamerweise hinzu, und Herr Lehmann war ihm sehr dankbar dafür.

»Schnaps für alle, so geht das nicht weiter«, rief sein bester Freund Karl, den das alles nicht erschüttert hatte. Im Gegenteil, er war gut drauf, er hatte einen Plan. »Sofort. Nicht lange überlegen. Ruhe im Schiff. Ich weiß was! Alle mir nach.«

Sie folgten ihm. Die Bewegung tat allen gut. Sie gingen sehr schnell und keuchten dabei, sei es vor Anstrengung, sei es vor Aufregung. Gehen, dachte Herr Lehmann, um sich abzulenken, unterscheidet sich vom Laufen dadurch, daß immer ein Fuß auf der Erde ist, beim Gehen sind nie beide Füße zugleich in der Luft wie beim Laufen, dachte er, das ist der entscheidende Unterschied, das hat nichts mit Geschwindigkeit zu tun, dachte er, während sein bester Freund Karl sie alle mit sich zog. Sie hasteten ihm hinterher, erst die Adalbertstraße hinunter unter dem Neuen Kreuzberger Zentrum hindurch, dann über die Skalitzer Straße und weiter geradeaus die Admiralstraße hinunter, über den nächtlich schwarzglitzernden Landwehrkanal hinweg und die Grimmstraße entlang, wo sie auf Karls Befehl hin links ins Savoy einkehrten, eine nach Herrn Lehmanns Meinung dämliche, ganz und gar absurde und darin typische Kreuzberg-61-Kneipe, in der er seit Jahren nicht mehr gewesen war und die er noch nie gemocht hatte, schon weil sie da einen Billardtisch hatten, was Herr Lehmann nicht leiden konnte, und darüber hinaus auch noch einen Teppichboden, was für Herrn Lehmann der Irrtum aller Irrtümer war. Aber Karl, dachte Herr Lehmann, wird schon wissen, was er tut, Karl hat alles im Griff, dachte er und kam sich vor wie ein Flüchtling, wir haben uns quasi nach 61 geflüchtet, ins Exil und dann noch ins Savoy, dachte er, aber da saß er schon an einem Tisch, und sein bester Freund Karl redete mit einer Frau hinterm Tresen, die er gut zu kennen schien. Alle schnappten nach Luft und schwitzten, und Katrin weinte nicht mehr, und Kristall-Rainer hatte aufgehört, sie zu trösten, oder was er dafür hielt, und das, dachte Herr Lehmann, ist ja auch schon mal was.

»Trinkt das!« sagte Karl und stellte Schnapsgläser auf den Tisch. »Auf ex, alle Mann, jetzt.«

Sie kippten die Schnäpse weg.

»Mein Gott«, sagte Karl, »ich werde langsam zu alt für diese Gruppendynamik.«

»Es tut mir leid«, sagte Herr Lehmann zu Sylvio, »tut mir echt leid, Sylvio. Ich wollte das nicht.«

»Schon okay«, sagte Sylvio, der etwas blaß aussah. »Der Typ hat's verdient. Das ist ein totales Arschloch.«

Herr Lehmann sah Sylvio an, sah, wie mitgenommen er war, und in diesem Moment liebte er ihn sehr. Er hatte nie viel mit ihm zu tun gehabt, manchmal hatten sie zusammen gearbeitet, meistens aber machte Sylvio seine Schichten im Einfall mit Stefan, sonst hatten sie nicht groß etwas miteinander zu tun, aber trotzdem, dachte Herr Lehmann, ist er ein echter Kumpel, er ist loyal, und tapfer ist er auch. »Es tut mir wirklich leid«, wiederholte er, weil er sonst nicht wußte, was er sagen sollte. »Wir hätten einfach woanders hingehen sollen.«

»Alles meine Schuld«, dröhnte Karl dazwischen, »ich bin total scheiße.«

Niemand widersprach. »Okay, okay«, sagte Karl und hob die Hände. »Will mir jemand in den Arsch treten?« Er sprang auf, drehte sich um, bückte sich und hielt seinen mächtigen Hintern in ihre Richtung. »Na los! Jetzt oder nie.«

Alle entspannten sich etwas. Auch Katrin. Herr Lehmann sah sie an, und sie schaute mit einem seltsamen Ausdruck zurück. »Du bist verrückt«, sagte sie leise. Er spürte plötzlich ihre Hand auf seinem Oberschenkel, aber nur ganz kurz.

»Um Herrn Lehmanns Zukunft muß man sich keine Sorgen machen«, sagte Karl. Dann rief er zum Tresen: »Flasche Sekt! Jetzt!«

Die Frau, die dort arbeitete, ließ den Korken knallen und kam mit einem vorbereiteten Tablett mit fünf Gläsern an ihren Tisch. »Ich mache das schon«, sagte Karl zu ihr. Sie stellte das Tablett auf den Tisch und strich Karl liebevoll über den Kopf, bevor sie wieder ging.

»Eins ist jedenfalls klar«, wiederholte er, während er den Sekt eingoß, »um Herrn Lehmann muß man sich keine Sorgen machen.«

»Wieso?« fragte Kristall-Rainer, der hier gar nichts zu fragen hatte, wie Herr Lehmann fand.

Auch Karl war leicht irritiert. Er schaute Kristall-Rainer an wie eine kaltgewordene Currywurst, während er ihm antwortete. »Herr Lehmann hat das Patent auf eine neue Kampfsportart, du Dödel. Erst erfindet er die Kreuzberger Schraube und dann auch noch das Gegenmittel dazu. Phantastisch.« Er teilte die Gläser aus. »Wollen nur hoffen, daß der Arsch kein Aids hatte oder so was.«

Alle schienen zu erstarren. Auch Herr Lehmann bekam einen Schreck.

»Hat er nicht«, sagte Sylvio. »Hat sich gerade wieder testen lassen.«

»Wieso nicht?« fragte Karl, was Herr Lehmann irgendwie heftig fand.

Sylvio schien das nichts auszumachen. »Er hat damals Hepatitis B gehabt. Ich meine, als man noch nicht so genau wußte und so, er meint, deshalb hätte er damals aufgepaßt. Hätte ihm das Leben gerettet, hat er gesagt.«

Karl hob sein Glas. »Na dann«, sagte er, »auf Hepatitis B. Ist also auch sie für etwas gut!«

Darauf konnten sie sich alle einigen. Herr Lehmann fühlte sich dennoch niedergeschlagen. Was immer ein romantischer Abend war, er sollte nach Herrn Lehmanns Meinung nicht damit enden, daß er sich im Finger eines schwulen Kneipiers verbiß. Schlimmer kann man es nicht anfangen, dachte er und schaute zu Katrin herüber, die seinen Blick aufnahm und ihn anlächelte. Er spürte wieder ihre Hand auf seinem Oberschenkel. Sie ist seltsam, dachte er. Sehr seltsam.

»Jetzt sei mal wieder ein bißchen lustig, Frank«, dröhnte es von Karl herüber. »Der Abend hat doch gerade erst angefangen. Wir sollten nachher alle noch ins Orbit gehen, jetzt ist es noch zu früh. Da gibt's dann noch ordentlich Bumm-Bumm-Musik, wie Herr Lehmann immer sagt, und Mineralwasser für fünf Mark.« Er lachte. »Kultur, da geht nichts drüber.« Und zu Sylvio sagte er: »Ich werde mal mit Erwin reden, der gibt dir ein paar Schichten mehr, dann hat sich das. Dem laufen doch sowieso dauernd die Leute weg.« Er tätschelte Sylvio den Kopf. Er hatte alles im Griff.

»Also ich habe Hunger«, sagte Katrin und sah Herrn Lehmann dabei an. »Aber so richtig Hunger. Komisch, um diese Zeit …«

»Ich auch«, sagte Herr Lehmann schnell. »Ich weiß einen Laden, wo man jetzt noch was kriegt, am Kanal.«

»So ist es richtig«, ließ sich Karl wieder vernehmen. »Geht ihr beide mal was essen. Der Rainer hier …«, jetzt haute er Rainer auf den Rücken, »und Sylvio bleiben hier, wir gehen nachher noch schön ins Orbit, da nehmen wir vorher doch gleich noch eine Flasche Sekt und ein Kristallweizen, was Rainer?« Er haute Kristall-Rainer noch einmal so hart, daß er nach vorne kippte.

»Hunger hab ich eigentlich auch«, sagte Kristall-Rainer.

»Nix«, rief Karl. »Bleib du mal schön hier. Hier gibt's lecker Croques und so Scheiß.« Er verdrehte die Augen. »Bleib du mal schön hier. Wenn's ganz schlimm kommt, dann nimmst du einfach mal ein Hefeweizen. Das ist so gut wie ein halbes Brot.«

»Genau«, sagte Sylvio.

Sie tranken noch eine Weile mit den anderen, und Katrin ließ derweil wie zufällig, und ohne sie zu bewegen, ihre Hand auf Herrn Lehmanns Bein. Dann waren sie endlich draußen, und sie hakte sich bei ihm unter, als sie den Kanal entlanggingen. Als sie das tat, blickte sie ihn an, und er blickte zurück, und sie lächelte, und er lächelte zurück, und alles war gut. Wir gehen nicht im Gleichschritt, sondern genau umgekehrt, dachte Herr Lehmann, wenn sie das rechte Bein vorsetzt, dann setze ich mein linkes Bein vor, auf diese Weise schwankt es nicht, dachte er, im Gleichschritt würde es schwanken, wenn sie aber das linke Bein vorsetzt, während ich das rechte Bein vorsetze und umgekehrt, dann ist die Sache stabil, dachte er. Entweder ist Karl ein Genie, dachte Herr Lehmann, oder ein Idiot mit gutem Instinkt. Aber wahrscheinlich, dachte er dankbar, kommt es auf dasselbe raus.

9. ZIGARETTE

Herr Lehmann lag neben ihr und rauchte eine Zigarette. Eigentlich mochte er keine Zigaretten, ihm wurde davon immer schwindelig, aber das war jetzt egal, schwindelig war ihm sowieso schon, und sie rauchte auch eine Zigarette, und wenn er auch eine rauchte, dann hatten wenigstens seine Hände was zu tun und fummelten nicht unaufhörlich an ihrem nackten Körper herum, denn genau das hätten sie sonst getan in diesem Moment, und sei es nur deshalb, weil er es so unglaublich fand, jetzt nackt neben ihr zu liegen, daß er sich dessen eigentlich permanent vergewissern mußte. Da kam ihm eine Zigarette gerade recht, und er wurde noch schwindeliger, als er ohnehin schon war, es war eine angenehme Art von Schwindel, die ihn davon ablenkte, wie glücklich und zugleich ängstlich er jetzt war.

Er beugte sich über sie und klopfte die Asche seiner Zigarette in dem Aschenbecher ab, der zwischen ihren Brüsten stand. Sie kniff die Augen zusammen, blies ihm Rauch ins Gesicht und lächelte. »Kriegst du eigentlich immer, was du willst?«

»Nein, wieso?«

»Ich weiß nicht, du kommst mir vor wie einer, der immer kriegt, was er will.«

»Na ja, ich will ja nicht viel.«

»Nicht viel?« Sie stellte den Aschenbecher neben sich auf den Fußboden und drehte sich zu ihm herum. »Nicht viel? Ist

Sie verschwand in der Küche. Herr Lehmann setzte sich auf und sah sich um. Der Fernseher, den sie gleich angemacht hatte, als sie hereingekommen waren, lief immer noch. Irgendwann hatten sie wenigstens noch Zeit gefunden, den Ton abzustellen, und das war gut so, denn Herr Lehmann fand es schwer, sich auf Sex zu konzentrieren, wenn er dabei die Dialoge aus einer Arztserie hörte.

Ihr Zimmer faszinierte ihn. Es war ähnlich geschnitten wie das größere von seinen eineinhalb Zimmern, die ganze Wohnung war, soweit er es hatte sehen können, fast baugleich, aber ansonsten war es ein Unterschied wie Tag und Nacht. Bei ihr war alles perfekt. Die Einrichtung war liebevoll zusammengesucht, es hingen sogar Lampen von der Decke, es gab Vasen mit Blumen darin, sie hatte ein richtiges Bett, und alles war sauber und ordentlich, die wenigen, aber gepflegten Möbel paßten zueinander, und die Bücher standen ordentlich in einem Regal, das den Namen verdiente. Sie hat ihr Leben im Griff, dachte Herr Lehmann, und das faszinierte ihn, wenngleich es ihn auch etwas mutlos machte. Immer, wenn er sich ein gemeinsames Leben mit ihr vorzustellen versuchte, sah er bei ihr ein Leben, das einen Sinn und ein Ziel hatte oder wenigstens haben wollte, ein geordnetes Leben mit vielen wichtigen Dingen darin, aber bei sich selbst sah er ein Leben, in dem nichts von diesen Dingen eine Rolle spielte, und wo da Sinn und Ziel lagen, hätte er schon gar nicht sagen können. Und, was die Sache noch schwieriger machte: Es interessierte ihn auch überhaupt nicht.

Er zog sich etwas über und ging an das Bücherregal, um ihren Lesestoff zu überprüfen. Da war genau das, was da sein mußte: Bücher über Design und Designer, Kunstbücher, Ausstellungskataloge, einige Romane und Geschichtensammlungen jener deutschen und amerikanischen Autoren, die alle lasen, wenn sie irgend etwas lasen, und das alles paßte irgendwie zu gut zusammen, das beunruhigte Herrn Lehmann. Von der Küche drang der Geruch gebratener Kartoffeln zu ihm herüber. Wahrscheinlich hebt sie übriggebliebene gekochte Kartoffeln immer auf, um später Bratkartoffeln daraus zu machen, dachte Herr Lehmann, und das gefiel ihm, weil er das auch immer machte, wenn er einmal kochte und dabei Kartoffeln im Spiel waren, nur daß das fast nie der Fall war, weder kochte er oft, noch waren dabei Kartoffeln im Spiel, und wenn, dann verschimmelten die aufgehobenen Kartoffeln in den folgenden Tagen im Kühlschrank, und er warf sie irgendwann weg und nahm sich vor, sie in Zukunft nicht mehr aufzuheben. Als er einige der großen Kunstbücher aus dem Regal nahm, stieß er dahinter auf ein paar zerlesene, bunte Taschenbücher mit goldgeprägter Schrift. Es waren Liebesromane. »Bruce Atkinson ist ein erfolgreicher Mann, groß, gutgebaut und in seinen besten Jahren«, las Herr Lehmann auf der Rückseite von einem davon. »Er hat alles, was ein Mann sich erträumt: einen Traumjob, eine prächtige Villa in Santa Monica und eine Segelyacht am Strand von Palm Beach. Niemand ahnt, daß er seit dem Tod seiner Frau vor zwei Jahren von düsteren Selbstmordgedanken heimgesucht wird. Da tritt Sandra in sein Leben, eine junge, lebenslustige Frau, die selber ein dunkles Geheimnis hat ...« Herr Lehmann hörte sie kommen und tat die Bücher schnell wieder zurück. Er war sehr erleichtert.

»Willst du im Bett oder in der Küche essen?« fragte sie. Sie hielt in jeder Hand einen Teller.

»Im Bett«, sagte Herr Lehmann. »Um diese Zeit würde ich sagen: im Bett.«

Sie lachte. »Ja, es ist spät. Wann mußt du eigentlich raus?«

»Eigentlich gar nicht«, sagte Herr Lehmann. »Ich arbeite ja immer erst abends.«

»Ich muß morgen wieder in die Markthalle. Kannst aber trotzdem hierbleiben.«

»Ja«, sagte Herr Lehmann etwas verwundert. Sie gab ihm seinen Teller und sie aßen im Bett. Es war eine Art Bauernfrühstück, und es war sehr gut. Als er nach Ketchup fragte, war sie nicht beleidigt, sondern schickte ihn in die Küche. »Bring das türkische«, sagte sie, »das ist das beste, das ist ordentlich scharf.«

Nachdem sie gegessen hatten, stellte Katrin ihren Wecker, und dann lag sie noch eine Weile in seinem Arm und hatte ein Bein über seinen Körper gelegt. Das Zimmer wurde nur noch vom flackernden Schein des Fernsehers erhellt. Herr Lehmann war schon am Wegdösen, als er plötzlich merkte, daß sie weinte.

»He, was ist denn los?« fragte er zärtlich.

»Du bist ein toller Kerl, Frank«, stieß sie zwischen zwei Schluchzern hervor. »Wirklich. Vor allem auch ein Spitzenlover, wirklich. Aber …« Sie zog die Nase hoch und setzte sich auf.

»Aber was?«

»Irgendwie … Ich weiß nicht, das kann doch nicht gutgehen. Ich glaube, du erwartest ein bißchen zu viel, vielleicht.«

»Ich habe noch nicht einmal erwartet, was zu essen zu kriegen. So gesehen …«

»Vielleicht sollten wir es miteinander versuchen«, sagte sie. »Aber ob das gutgeht?«

»Wird schon«, sagte Herr Lehmann. »Warum soll es nicht gutgehen?«

»Weil du so anders bist. Und weil du die Kartoffeln nicht aufsammelst.«

»Du meinst: aufhebst.«

»Nein, aufsammelst. Außerdem wird alles immer wärmer und das Kind paßt in der Schule nicht auf.«

»Das macht doch nichts«, sagte Herr Lehmann. »Dann kriegt es Nachsitzen. Kriegen doch alle.«

»Du nicht«, schrie sie und haute auf ihn ein. »Du nicht. Und ich auch nicht.«

»Ach du Scheiße«, sagte Herr Lehmann und wachte auf. Im Fernseher lief eine Nachrichtensendung mit irgendwelchen Demonstrationen, und neben ihm lag Katrin auf dem Rücken und schnarchte leise.

Dann ist ja gut, dachte Herr Lehmann und schlief wieder ein.

10. KUDAMM

Als Herr Lehmann einige Wochen später den Wittenbergplatz, an dem in seinen Augen der Kudamm begann, obwohl
er dort noch Tauentzienstraße hieß, erreichte, war er nicht gut
drauf. Er war auf dem Weg zu seinen Eltern, die in ihrem Kudamm-Hotel auf ihn warteten. Daß er etwas verkatert war
und wenig geschlafen hatte, war an sich nicht so schlimm, das
war ein normales Problem, aber schlimm war, daß er Katrin
hatte schlafend zurücklassen müssen, das traf ihn sehr, denn er
sah sie nicht so oft, wie er es sich gewünscht hätte, und noch
seltener durfte er bei ihr übernachten, da hätte er gerne noch
den Morgen mit ihr verbracht. »Schade«, hatte sie gesagt, als
er ihr erzählt hatte, daß er früh rausmußte, um seine Eltern
am Kudamm aufzusuchen, »sonst hätten wir vielleicht vor-
mittags noch ein bißchen was machen können«, aber sie hatte das ohne richtiges Bedauern gesagt, was Herrn Lehmann,
der das hingegen sehr bedauerte, wieder einmal stutzig gemacht hatte, und auf der Fahrt zwischen dem U-Bahnhof
Görlitzer Bahnhof und dem U-Bahnhof Wittenbergplatz hätte er gerne in Ruhe darüber nachgedacht, was um Himmels
willen er bloß tun konnte, damit Katrin und er ein richtiges
Liebespaar wurden und nicht bloß eine Gelegenheitsbezie-
hung, was sie im Grunde genommen seit einigen Wochen waren, und was Herr Lehmann fast noch schlimmer fand, als
wenn gar nichts zwischen ihnen gelaufen wäre, denn wer, hatte Herr Lehmann kurz auf der Fahrt zwischen dem U-Bahn-

hof Görlitzer Bahnhof und dem U-Bahnhof Wittenbergplatz gedacht, verhungert schon gern bei vollem Kühlschrank? Aber dann hatte er dieses Bild gleich wieder verworfen, das ist unromantisch, hatte er gedacht, so darf man das nicht sehen, und dann hatte er sich wieder auf andere Dinge konzentrieren müssen.

Denn auch sonst war alles seinen schlechten Gang gegangen. Er hatte zum Beispiel keine Zeit mehr gefunden, einen Fahrschein für die U-Bahn zu ziehen, weil die U-Bahn gerade in dem Moment gekommen war, als er den Görlitzer Bahnhof erreicht hatte, wodurch Herr Lehmann zum Schwarzfahren gezwungen war, was ihm überhaupt nicht gefiel, denn er hatte mit solchen Dingen kein Glück und schon eine kleine Vorstrafe wegen Beförderungserschleichung. Trotzdem hatte er die U-Bahn sofort nehmen müssen, denn es war wichtig, daß er nicht zu spät kam, nicht, weil das seinen Eltern etwas ausgemacht hätte, und natürlich hätte es ihnen etwas ausgemacht, sondern weil er nie zu spät kam. Er haßte es zu spät zu kommen, er haßte es mehr als schwarzfahren, und er haßte es auch mehr, als wenn andere Leute zu spät kamen, was ihm eigentlich überhaupt nichts ausmachte, Hauptsache er selbst war pünktlich, und das war er immer. So hatte er also die U-Bahn sofort nehmen müssen, obwohl er eigentlich früh dran gewesen war, genaugenommen sogar zu früh, denn er hatte den Görlitzer Bahnhof um kurz vor zehn erreicht, und mit seinen Eltern war er um elf Uhr verabredet, das war jede Menge Zeit, um an den Kudamm zu kommen, selbst mit der Linie 1, die seiner Meinung nach eine erbärmliche Bimmelbahn war, unerträglich langsam und vollgestopft mit Psychopathen und Schizos, die ihm, gerade heute, ausgerechnet auf dem Weg an den Kudamm und ausgerechnet, wenn er einen Kater hatte, unangenehm auf die Pelle krochen. Die Schwarzfahrerei machte ihn dabei sehr nervös, er hatte sich geschworen, sich nie, nie wieder von der BVG demütigen zu lassen, jenen Männern mit den schlechtsitzenden Uniformen und dem Hang zu unerträglichem Geschwätz, die immer wieder mal alle Bahnhofsausgänge blockierten oder sich durch vollgestopfte, schneckenhaft dahinschleichende U-Bahnen drängelten, um die Fahrscheine zu kontrollieren, und wenn er nicht die ebenso geschwätzigen, BZ-lesenden und unerträglich verpeilt fahrenden Taxifahrer noch mehr verabscheut hätte, dann hätte es ihm nichts ausgemacht, sich von dem ganzen BVG-Elend mit einer Taxifahrt freizukaufen.

Als er endlich den Wittenbergplatz und damit, wie er fand, den Kudamm erreicht hatte, stieg er aus und sah zu, daß er so schnell wie möglich aus dem unterirdischen Gedränge heraus ans Licht kam, auch wenn es nur das des Wittenbergplatzes war, wo mit dem KaDeWe und allem anderen das ganze Elend schon begann, wo in der Ferne bereits das sinnlose Europa-Center und die noch schlimmere Gedächtniskirche und die Schuhgeschäfte, die Leiser und Stiller und so hießen, dräuten, wo die Kudamm-Katastrophe ihren Anfang nahm und wo bereits der Kudamm-Bus-Fahrschein für eine Mark zu haben war, den er sich kaufen wollte, um den Rest des Weges legal zurückzulegen. Er überquerte die Straße und stellte sich an die Bushaltestelle, wo ein ziemlicher Auflauf war, es war wie immer alles verstopft mit jenen Menschen, die es immer und gerade an Samstagen in großen Massen an den Kudamm zog und die dafür Herrn Lehmanns vollstes Unverständnis hatten.

Es kam auch gleich ein Bus, der war ziemlich voll, und Herrn Lehmann graute schon vor der Fahrt in so einem vollen Bus, aber dazu kam es gar nicht, denn gerade, als er zusteigen wollte, winkte der Fahrer mit einer müden Herrenmenschengeste ab und schloß die Tür. Herr Lehmann schaute auf die nächstliegende öffentliche Uhr und sah, daß es zwanzig nach zehn war. Das geht ja noch, dachte er und wartete auf den nächsten Bus. Er mußte zum Kudamm Ecke Schlüterstraße, das ist nicht so weit, dachte er, das kann man zur Not auch noch zu Fuß laufen, und dieser Gedanke beruhigte ihn sehr. Glücklicherweise wußte er genau, wohin er mußte, er hatte sich mit Hilfe der gelben Seiten und eines Stadtplans über die Lage des Hotels seiner Eltern informiert, außerdem hatte er zur Sicherheit noch einmal im Hotel angerufen, denn man weiß ja nie, hatte er sich gedacht, der Kudamm ist so lang, wie er dumm ist. Dann kam der nächste Bus, und er kam auch hinein, aber der Fahrer weigerte sich, ihm für einen 20-Mark-Schein einen Kudamm-Fahrschein zu geben.

»Dafür kriegen Sie bei mir nichts«, sagte der Fahrer. »Auf 20 Mark muß ich nicht herausgeben.«

»Das ist gutes Geld«, sagte Herr Lehmann. »Das sind 20 Mark der Deutschen Bundesbank.«

»Ich muß Ihnen darauf nicht herausgeben.«

»Wer sagt das?«

»Das sagen die Beförderungsbedingungen. Also Kleingeld oder raus.«

»Die Beförderungsbedingungen der BVG sagen aber auch, daß Sie mir, wenn Sie nicht rausgeben können, eine Quittung über den Restbetrag geben müssen, die ich am Kleistpark einlösen kann«, sagte Herr Lehmann, der einmal in einem Anfall akuter Langeweile im U-Bahnhof Möckernbrücke die Beförderungsbedingungen der BVG durchgelesen hatte.

»Dazu habe ich keine Zeit«, sagte der Fahrer. »Kleingeld oder wieder raus.«

»Sie verstoßen gegen Ihre eigenen Beförderungsbedingungen«, sagte Herr Lehmann.

Der Busfahrer stellte den Motor ab und verschränkte die

Arme. »Ich habe Zeit. Wenn Sie nicht gleich weg sind, dann rufe ich die Polizei.«

»Eben haben Sie noch gesagt, Sie hätten keine Zeit. Was denn nun?«

»Raus, oder ich rufe die Polizei.«

Aus dem Bus kamen jetzt die ersten Beschwerden: »Schmeiß doch den Blödmann raus« und »Wir haben nicht den ganzen Tag Zeit.«

Das bringt jetzt nichts, dachte Herr Lehmann. Gegen Dummheit kommt man nicht an. Außerdem fiel ihm gerade rechtzeitig wieder ein, daß er bei der BVG noch immer Hausverbot hatte, da war es nicht ratsam, die Sache, in der er de jure dastand wie eine eins, bis zum Ende durchzufechten.

»Soll ich Ihnen mal sagen, was Sie sind?« rief er, als er draußen stand.

»Nein«, sagte der Fahrer, machte die Bustür zu und fuhr ab.

»Du Riesenarschloch!« schrie Herr Lehmann noch in das Zischen der Bustür hinein, aber das brachte nicht mehr viel.

Er hatte es ja geahnt. Er war noch nicht einmal richtig auf dem Kudamm, gerade mal am Wittenbergplatz, und die Scheiße ging schon los. Er spielte mit dem Gedanken, das Geld irgendwo zu wechseln oder die Linie 3 bis zur Uhlandstraße zu nehmen, aber dann schlug er sich das gleich wieder aus dem Kopf. Bei der BVG war heute, wie er fand, ganz gewaltig der Wurm drin. Es war fünf Minuten vor halb elf. Wenn ich jetzt zügig zu Fuß gehe, dachte er, kann ich immer noch rechtzeitig am Hotel sein. Gut, daß ich so früh dran bin, dachte Herr Lehmann und machte sich auf den Weg. Eigentlich hatte er gehofft, daß wenigstens die Anfahrt zu seinen Eltern einen entspannten Charakter haben würde. In seiner Vorstellung hatte er, sobald er zu früh am Hotel war, irgendwo in der Nähe noch einen Kaffee getrunken und war dann ganz lässig um Punkt elf Uhr in den Frühstücksraum des Hotels hineingeschneit, wo seine Eltern ihn schon sehnsüchtig erwarteten, denn zu früh war er auch nicht gerne, er wußte, wann man das Tempo rausnehmen mußte.

Aber er wußte auch, wann es Zeit war, Gas zu geben, und so hastete er jetzt den Tauentzien hinunter. Das war nicht leicht, es war im Grunde unmöglich, hier schneller voranzukommen als der Rest der Welt, der sich vollzählig, wie es Herrn Lehmann schien, auf dem Tauentzien versammelt hatte, um ihm mit seiner trantütigen Bummelei auf den Wecker zu gehen. Der Schweiß brach ihm aus, und er fluchte leise vor sich hin, als er zwischen seinen Mitmenschen hin- und herhüpfte, schlendernden Touristengruppen auswich, die glotzend und schwatzend und immer mindestens zu siebt nebeneinander die Straße versperrten, Rentnerinnen in Pelzmänteln umkurvte und in riesige, unberechenbare Gruppen Jugendlicher hineinstolperte, die plötzlich stehenblieben oder die Richtung wechselten, wenn er gerade versuchte, sie zu überholen. Solche Jugendliche gab es viele, und Herrn Lehmann fiel trotz aller Eile doch auf, daß die meisten eine Art sportlicher Einheitskleidung trugen, mit der Aufschrift »Deutsches Turnfest 1989 Berlin« auf dem Rücken, ein Umstand, der seine Laune nicht gerade verbesserte. Wenn die so turnen, wie sie zu Fuß gehen, dachte er grimmig, dann gute Nacht, deutsches Turnfest, dann laß dich zuscheißen, deutscher Turnsport, dachte er, die fallen doch alle vom Stufenbarren, die können ja nicht einmal Bockspringen, die sind ja alle auf Pille, die sind ja gedopt, bloß falsch herum, dachte Herr Lehmann. Als er den Breitscheidplatz erreicht hatte, wo sich das ganze »Kudamm-Gesummse aus Touristen und Naziwitwen«, wie Herr Lehmann es in sich hineinmurmelnd nannte, mit den Junkies, die dort gerade Saison hatten, vermischte, war er schon komplett mit den Nerven fertig.

So geht das nicht, dachte Herr Lehmann, das muß aufhören. Ich muß den Bus nehmen, dachte er, da wird man ja sonst zum Massenmörder. Er fand einen Kiosk, kaufte sich Zigaretten und rauchte erst einmal eine. Auf diese Weise hatte er Kleingeld und konnte außerdem, während er rauchte, was ihm schon nicht mehr so schwer von der Hand ging wie vor vier Wochen, als er bei Katrin damit angefangen hatte, in Ruhe an Katrin denken und daran, wie gut es doch trotz allem mit ihr war oder jedenfalls werden konnte oder was auch immer. Er hatte sie beim Weggehen geküßt, und sie hatte im Schlaf ein zufriedenes, grunzendes Geräusch von sich gegeben, als er das tat. Das hatte ihm Mut gemacht. Ein Kaffee wäre jetzt gut, dachte er, sah aber nirgendwo eine realistische Möglichkeit, schnell einen zu bekommen. Es war schon fünf nach halb elf, als er die Zigarette austrat, und er stellte sich am Breitscheidplatz an die Bushaltestelle. Diesmal ging beim Einsteigen alles glatt, und er bekam seinen Kudamm-Fahrschein.

»Der gilt aber nur bis Adenauerplatz«, konnte der Fahrer sich nicht verkneifen ihm hinterherzurufen.

»Ja, ja«, sagte Herr Lehmann grantig und ließ sich nicht provozieren, obwohl er gerne hinzugefügt hätte, daß das ein verdammter Etikettenschwindel war, denn der Kudamm ging nach dem Adenauerplatz natürlich noch weiter, und wieso hieß das Scheißding dann Kudamm-Ticket oder wie auch immer, das hätte er sagen können, aber das war ihm jetzt alles Wurst. Unten war der Bus proppenvoll, also ging Herr Lehmann nach oben, wo er gebückt laufen mußte auf der Suche nach einem freien Platz, den es aber nicht gab, und wo ihm überdies schlecht wurde von dem Geschaukel, denn der Bus war losgefahren. Herr Lehmann wußte, daß das Stehen auf dem Oberdeck nicht erlaubt war, deshalb ging er durch bis zur hinteren Treppe, die nach unten führte, auf der aber auch schon Leute standen. Herr Lehmann mußte oben in gebückter Haltung warten, bis der Bus an der Joachimsthaler Straße hielt und er endlich weiter nach unten gehen konnte, wobei er von den nachdrängelnden Leuten gleich mit nach draußen gespült wurde. Er wartete dort, bis alle ausgestiegen waren und ging dann wieder in den Bus hinein.

»Sie da, vorne wird eingestiegen«, kam eine Stimme aus dem Buslautsprecher. Herr Lehmann konnte es nicht fassen.

»Ich fahr nicht weiter«, tönte es aus dem Lautsprecher, »vorne wird eingestiegen.«

Herr Lehmann, dem jetzt alles egal war, stieg wieder aus, ging nach vorne und stellte sich an. Als er beim Einsteigen dem Fahrer sein Kudamm-Ticket zeigte, schüttelte der den Kopf.

»Der gilt nur einmal«, sagte er.

»Aber ich hab den doch eben bei Ihnen gekauft.«

»Weiß ich nicht.«

»Ich bin doch eben nur kurz ausgestiegen, um Platz zu machen. Ich bin doch hier in dem Bus gewesen, ich meine, ich hab den doch gerade eben bei Ihnen gekauft.«

»Kann ja jeder sagen. Eine Mark.«

Herrn Lehmann reichte es jetzt. Es müssen, dachte er grimmig, andere Saiten aufgezogen werden, jetzt, dachte er, wird klar Schiff gemacht, jetzt rappelt's im Karton, tabula rasa, Schluß mit lustig. Er lächelte den Fahrer an und legte den Fahrschein auf die Kassierfläche.

»Hier, guter Mann«, sagte er.

»Was soll das denn jetzt?«

»Na ja«, sagte Herr Lehmann liebenswürdig. »Ich habe keine Verwendung mehr für Ihren schönen Fahrschein. Wenn Sie den bitte entsorgen könnten. Und das macht dann noch mal eine Mark für einen neuen, nicht wahr?«

»Eine Mark«, nickte der Fahrer.

»Hier sind zwei, guter Mann«, sagte Herr Lehmann und legte ein Zwei-Mark-Stück auf den alten Fahrschein. »Nehmen Sie die und machen Sie sich einen schönen Tag damit. Nein«, wehrte er ab, »Ihre Fahrscheinprodukte will ich nicht mehr, vielen Dank für Ihre Mühe.«

Damit stieg Herr Lehmann aus dem Bus. Er drehte sich noch einmal um und winkte dem Fahrer zu. »Die zwei Mark haben Sie mehr als verdient«, rief er herzlich. »Sie sind wirklich ein ganz großer Stratege. Nun fahren Sie schon, Sie haben doch nicht den ganzen Tag Zeit.«

Der Busfahrer schaute auf das Geld und auf Herrn Lehmann und suchte nach Worten. Das freute Herrn Lehmann. Er machte eine wegschickende Handbewegung. »Husch husch«, rief er und fügte, in Erinnerung an seine Bundeswehrzeit, hinzu: »Schon weg sein! Schon wieder hier sein.« Er ließ den Mann und seinen Bus stehen und ging gutgelaunt zu Fuß weiter.

Die Sache war noch nicht verloren, aber die Zeit wurde knapp. Die Uhr gegenüber zeigte an, daß es jetzt zwanzig vor elf war. Herr Lehmann überquerte die Joachimsthaler Straße, schwer bemüht, sich vom Anblick des Café Kranzler, das in seinen Augen für alles stand, was den Kudamm so unerträglich machte, nicht die gute Laune verderben zu lassen, und schritt flott und immer ganz außen am Bürgersteig, da, wo die Hundescheiße war und die anderen nicht gerne gingen, an Hotels und Autohändlern, Steakhäusern, Naziwitwen-Cafés, Souvenirständen, Ramschbuden und Hütchenspielern vorbei seinem Ziel entgegen. Der Sieg über den Busfahrer hatte ihn euphorisiert, und er war obendrein optimistisch, es trotz alledem auch zu Fuß pünktlich, vielleicht sogar mit ein paar Minuten Vorsprung, bis zum Hotel seiner Eltern zu schaffen. Der Tag, dachte er glücklich, ist eigentlich gar nicht so schlecht, und er nutzte die Zeit, um noch einmal ein bißchen positiver über Katrin nachzudenken und sich in Erinnerung zu rufen, wie sie nackt aussah.

Dann sah er den Hund. Es war zwischen Knesebeck- und Bleibtreustraße, die Tür eines Juweliergeschäftes öffnete sich und der Hund purzelte jaulend auf den Bürgersteig. Wahrscheinlich hatte ihn jemand getreten, Herr Lehmann hatte das nicht genau gesehen, aber das Hinterteil des Tieres schleuderte komisch herum, als es zwischen die Naziwitwen fiel, die sich dort vor dem Schaufenster amüsierten. Kaum hatte der Hund sich berappelt, sah er auch schon Herrn Lehmann in die Augen. Warum ich, dachte Herr Lehmann und blieb stehen, warum ich? Der Hund, der ganz gewiß derselbe war wie der vom Lausitzer Platz, bewegte seinen fetten, wurstförmigen Körper in Herrn Lehmanns Richtung. Herr Lehmann machte sich bereit, um Hilfe zu rufen, vielleicht sind hier irgendwo die Bullen, dachte er, die machen hier doch dauernd die Runde wegen der Hütchenspieler und so, aber dann war der Hund schon bei ihm, setzte sich hin und schaute ihn an.

»Nicht schon wieder«, sagte Herr Lehmann leise, »nicht schon wieder.«

Der Hund knurrte aber nicht. Er schaute Herrn Lehmann nur an, legte den Kopf auf die Seite, was bei jedem anderen Hund einen niedlichen, zutraulichen Eindruck gemacht hätte, und schaute ihn friedlich an.

»Hast kein Glück hier, was?« sagte Herr Lehmann.

Der Hund legte den Kopf zur anderen Seite und machte ein fiependes Geräusch.

»Na ja«, sagte Herr Lehmann, »ich muß dann mal weiter. Hab's eilig.«

Herr Lehmann ging langsam weg, und der Hund tat gar nichts. Nach einigen Metern drehte sich Herr Lehmann noch einmal um. Der Hund saß nur da und schaute ihm hinterher.

»Tut mir leid«, rief Herr Lehmann. »Ich hab's eilig.« Ein Blick auf die nächstgelegene öffentliche Uhr sagte ihm, daß es acht Minuten vor elf war, und er wußte, er konnte es noch schaffen.

11. HOTELFOYER

»Junge, du schwitzt ja. Und das bei dem schlimmen Wetter. Du wirst dich noch erkälten.«

»Ja«, sagte Herr Lehmann und ließ sich in einen Sessel fallen, »ich mußte laufen. Der Bus kam nicht.«

»Und da hast du dich so abgehetzt? Und du riechst auch ein bißchen.«

Seine Eltern waren nicht im Frühstücksraum, was irgendwie auch einen Sinn ergab, denn sie waren ja erst diesen Morgen losgefahren. Statt dessen saßen sie im Mantel, sein Vater sogar mit Hut, im Foyer des Hotels in einer Rattan-Sitzgruppe mit bunten Kissen und wirkten so verloren wie zwei Flüchtlinge, die nicht wissen, ob noch ein Zug nach Westen geht. Herr Lehmann hatte sie schon lange nicht mehr gesehen, er mußte erst nachdenken, wann das war, das letzte Weihnachten hatte er ausgelassen, es war wohl der sechzigste Geburtstag seines Vaters gewesen, das war anderthalb Jahre her.

»Habt ihr eine gute Fahrt gehabt?«

»Na ja«, sagte sein Vater lächelnd. Herrn Lehmann fiel auf, daß er ganz grau geworden war. Aber das stand ihm gut. Außerdem hatte er abgenommen. Aber er sah müde aus. »Wie man's nimmt. Wir sind seit halb vier auf den Beinen.«

»Das hat aber auch gedauert«, sagte seine Mutter. »Bis die alle Leute eingesammelt hatten, erst in der Vahr, und dann durch ganz Bremen sind die gefahren, da mußten wir überall mit hin, dabei ist doch bei uns gleich die Autobahn.«

»Die Autobahn ist überall«, sagte sein Vater, »das ist nun auch egal, ob sie in der Vahr oder in Hemelingen oder in Sebaldsbrück oder meinetwegen in Arsten auf die Autobahn fahren.«

»Sogar in Arsten mußten noch Leute einsteigen«, sagte seine Mutter, »da sind wir sogar noch über die Erdbeerbrücke gefahren. Und dann diese DDR-Polizisten, das ist ja alles total schrecklich, was das gedauert hat. Daß die einen kontrollieren dürfen …«

»Vielleicht sollte ich uns mal einen Kaffee holen«, schlug Herr Lehmann vor. »Wollt ihr Kaffee?« Die beiden nickten.

»Für mich mit Milch«, sagte sein Vater.

Herr Lehmann ging zur Rezeption. Früher, dachte er, hätten sie keinen genommen. Im Leben nicht. Sie werden weich, dachte er und fragte die Frau an der Rezeption: »Kann man hier einen Kaffee bekommen?«

Die Frau verneinte das, meinte aber, sie könnte von nebenan einen kommen lassen. Herr Lehmann, dem die Frau sofort sympathisch war, weil sie mit dieser Antwort und auch sonst irgendwie so gar nicht an den Kudamm paßte, bestellte drei Kaffee und ging wieder zu seinen Eltern.

»Du riechst aber wirklich schlimm«, sagte seine Mutter, als er sich wieder setzte.

»Das tut mir leid«, sagte Herr Lehmann, der heute morgen nicht geduscht hatte und noch die Klamotten vom letzten Abend im Einfall trug, »das muß am Schwitzen liegen. Ich mußte vorher auch noch ein bißchen arbeiten. Und da ging eine Menge schief auf dem Weg. Warum«, wechselte er das Thema, »sitzt ihr eigentlich hier im Foyer, ich meine, so ganz angezogen und so? Warum seid ihr nicht auf dem Zimmer?«

»Das lohnt doch nicht«, sagte sein Vater und machte eine resignierte Handbewegung. »Und so toll ist das auch nicht.«

»Na, na«, sagte seine Mutter, »dafür ist das nicht teuer. Die ganze Sache, hin und zurück mit dem Bus und die Übernachtung, alles für 100 Mark, das ist doch ein Wahnsinn. Und mit Stadtrundfahrt.«

»Die geht um zwölf Uhr los«, ergänzte sein Vater mit einem feinen Lächeln auf den Lippen. »Die müssen wir natürlich unbedingt mitnehmen.«

»Fang nicht schon wieder an«, sagte seine Mutter. »Das ist doch günstig. Wenn wir schon mal hier sind, dann wollen wir ja auch mal was von der Stadt sehen.«

»Stadtrundfahrt?« fragte Herr Lehmann.

»Sag ich doch«, sagte seine Mutter. »Das ist alles mit drin. Die geht drei Stunden.«

»Da seid ihr ja gleich wieder weg«, sagte Herr Lehmann, der nicht genau wußte, ob er erleichtert oder empört sein sollte.

»Ich dachte, du kommst mit«, sagte seine Mutter. »Das wäre doch eine prima Sache.«

»Na ja«, sagte Herr Lehmann, den es bei dem Gedanken schauderte. »Stadtrundfahrt, also wißt ihr, das …«

»Er kennt das doch schon alles«, fiel ihm sein Vater ins Wort. »Er wohnt doch schon so lange hier. Ich würde doch auch keine Stadtrundfahrt in Bremen mitmachen.«

»Wieso nicht, das kann doch interessant sein.«

»Also ich weiß nicht«, sagte Herr Lehmann, der bei dem Gedanken, in einem Doppeldeckerbus durch die Stadt zu schaukeln und den Checkpoint Charlie und dergleichen zu besuchen, die Panik bekam, »das ist doch eher für Touristen und Besucher und so.«

»Nun laß ihn mal«, sagte sein Vater, »das braucht er doch nicht.«

»Aber wir können doch mal was zusammen machen«, sagte Herrn Lehmanns Mutter hartnäckig.

Herr Lehmann sah sie an und wurde, wie auf kurz oder lang

immer, wenn er seine Eltern traf, irgendwie traurig. Sie möchte, daß es wieder wie früher ist, dachte er. »Wir gehen doch heute abend zusammen essen«, sagte er, »ich habe extra einen Tisch für uns reserviert. Dann seht ihr auch gleich mal das Lokal, wo ich arbeite.«

»Heute abend?« sagte seine Mutter irritiert. »Da ist doch die Sache im Varieté.«

»Im Varieté?« Herr Lehmann wurde ganz anders.

»Nun frag doch nicht immer so blöd«, sagte seine Mutter. »Da kannst du aber nicht mitkommen. Das ist nur für Leute vom Bus. Da ist beschränkte Sitzplatzgeschichte und so.«

»Moment mal«, sagte Herr Lehmann, der sich jetzt nicht mehr sicher war, ob er die Gefühlslage seiner Mutter richtig eingeschätzt hatte. »Wir hatten doch noch ein paar Mal telefoniert. Ihr wolltet unbedingt mal sehen, wo ich arbeite. Ihr wolltet da doch mal mit mir zusammen essen. Was ist denn nun los?«

»Er hat recht, Martha«, sagte sein Vater, »ich hab's dir doch gesagt. Wir hatten das so verabredet.«

»Heute abend?«

»Ja klar, morgen abend fahren wir doch schon wieder.«

»Hab ich ganz vergessen.«

»Jetzt hat er den Tisch bestellt, jetzt müssen wir da auch hin«, sagte sein Vater entschieden. »Wie geht's dir denn so, Frank?«

»Ganz gut«, sagte Herr Lehmann.

»Wir können natürlich auch essen gehen, ist auch besser, dann lassen wir das mit dem Varieté eben sein«, sagte seine Mutter.

»Was macht die Firma?«

»Ich meinte doch bloß, wenn das doch da mit drin ist …«

Sein Vater machte wieder dieselbe resignierte Handbewegung, die Herr Lehmann schon zuvor an ihm bemerkt hatte und die neu war. »Da ist jetzt alles anders, das würdest du gar nicht mehr wiedererkennen. Viele sind weg.«

Herr Lehmann, der in derselben Firma, in der sein Vater seit 40 Jahren arbeitete, Speditionskaufmann gelernt hatte, nickte wissend. »Ist jetzt alles ziemlich anders, oder?«

Sein Vater, der als einziger von ihnen auf einem Zweisitzer saß, breitete die Arme über die Rückenlehne aus und nickte ebenfalls. »Mir haben sie gerade angeboten, zwei Jahre früher in Rente zu gehen.«

»Und? Machst du?«

»Nix.« Sein Vater schaute kurz zu seiner Frau hinüber. »Bin doch nicht bescheuert.«

»Dann hab ich ihn ja den ganzen Tag an der Backe«, sagte Herrn Lehmanns Mutter. »Da muß man sich ja auch erst mal dran gewöhnen.«

»Ich mach bald nur noch 25 Stunden. Mal sehen …«

»Na ja«, sagte Herr Lehmann, für den das alles irgendwie Nachrichten von einem anderen Stern waren, »das ist ja schon mal besser als 40 Stunden.«

In diesem Moment kam ein Kellner in voller Montur durch die Tür des Hotels. Er trug ein großes, silbernes Tablett, sah fragend zur Rezeption, wo man mit dem Finger auf Herrn Lehmann wies, und kam dann zu ihnen.

»Dreimal Kaffee«, sagte der Mann und betonte beim Wort Kaffee die letzte Silbe, »das war bei Ihnen?«

»Ja, ja«, sagte Herr Lehmann und freute sich. Das hat Klasse, dachte er und schnappte sich schnell die Rechnung, als der Kellner das Tablett auf den niedrigen Tisch manövrierte. Er wollte nicht, daß seine Mutter sah, was hier für Preise aufgerufen wurden.

»So, so, so«, sagte der Kellner, als er den Kaffee abstellte, drei Kännchen aus massivem Silber, wie Herr Lehmann sogleich bemerkte, und dazu irgendwelche edlen oder edel anmutenden Porzellantassen, außerdem silberne Löffel, eine Zuckerdose mit Zuckerzange und ein Sahnekännchen. Der Kudamm ist vielleicht gar nicht so schlecht, dachte Herr Lehmann, irgendwie haben die was drauf. Jedenfalls, dachte er, bringen sie keine Milchdöschen an den Start, jedenfalls nicht hier, korrigierte er sich gedanklich, denn er hatte den Kudamm auch in dieser Hinsicht schon ganz anders erlebt, immerhin war es am Kudamm gewesen, damals, als er jene cineastisch orientierte Freundin gehabt hatte, wo man ihn allen Ernstes gefragt hatte, ob er den Cappuccino mit Sahne oder mit Milch haben wollte.

»Das ist ja schön«, freute sich seine Mutter.

Der Kellner sah nett aus, sauber und braungebrannt, er lächelte freundlich, und Herr Lehmann gab ihm ordentlich Trinkgeld. Seine Eltern schütteten derweil Sahne in ihren Kaffee und warfen Zuckerwürfel hinein. Herr Lehmann trank seinen Kaffee schwarz.

»Aber Frank«, rief seine Mutter, »seit wann rauchst du denn?«

»Nicht oft«, sagte Herr Lehmann, »nur wenn ich Kaffee trinke.«

»Jedenfalls gehen wir heute abend mit ihm essen. Wär ja wohl noch schöner«, sagte sein Vater. »Diesen Varieté-Quatsch braucht doch kein Mensch.«

»Das ist mit Transvestiten und so«, sagte seine Mutter, »das kriegt man sonst nirgendwo.«

»Wieso Transvestiten?« fragte Herr Lehmann. »Ich dachte, das wäre was mit Harald Juhnke.«

»Harald Juhnke?« Seine Mutter guckte irritiert. »Der hat doch nichts mit Transvestiten zu tun.«

Sein Vater lachte.

»Du hattest mir doch damals am Telefon erzählt, da wäre was mit Harald Juhnke.«

»Ach das, nein, das ist mit Transvestiten«, sagte seine Mutter.

»Ich soll dich übrigens schön grüßen«, sagte sein Vater. »Von Frau Brandt.«

»Wer ist Frau Brandt?«

»Ach so, die hieß früher, also früher hieß die Fräulein Dormann, die kennt dich noch von damals, die ist aus der Buchhaltung.«

»Oh«, sagte Herr Lehmann, der sich vor allem deshalb an Fräulein Dormann erinnerte, weil sie ihn seinerzeit entjungfert hatte. »Gibt's die noch?«

»Ja, ja, die ist jetzt verheiratet. Hat aber keine Kinder.«

Herr Lehmann sah mißtrauisch seinen Vater an. Der hatte wieder dieses feine Lächeln drauf. Er ist rätselhaft, dachte Herr Lehmann, wahrscheinlich unterschätze ich ihn dauernd, und dieser Gedanke hatte etwas Tröstliches.

»Das ist aber ein guter Kaffee«, sagte seine Mutter. »Und der Junge hat ihn bezahlt«, wandte sie sich an ihren Mann. »So weit ist es schon.«

»Vielen Dank, Frank«, sagte sein Vater. »Ist nett von dir.«

»Ja, wirklich«, bekräftigte seine Mutter.

Herrn Lehmann war das unangenehm. Er wollte nicht, daß seine Eltern das Gefühl hatten, sich bei ihm bedanken zu müssen. Das war irgendwie nicht richtig.

»Hast du denn jetzt eine Freundin?«

»Martha, jetzt hör doch mal damit auf«, sagte sein Vater und wandte sich dann an Herrn Lehmann. »Die ganze Zeit liegt sie mir schon damit in den Ohren, von Helmstedt bis hier: Hat der Frank eigentlich eine Freundin? Ob der wohl mal eine Freundin hat, die er uns vorstellt ...«

»Als ob da was Schlimmes dran wäre. Er ist doch nicht vom anderen Ufer oder so.«

»Das hat ja auch keiner behauptet.«

»Na, ich etwa?«

»Hab ich doch gar nicht gesagt. Du hast doch damit angefangen.«

»Ich mein ja bloß, man wird ja mal fragen dürfen.«

»Nein, so was gehört sich nicht.«

»Jetzt streitet euch doch nicht«, sagte Herr Lehmann, dem auffiel, daß sich im Foyer immer mehr Leute ansammelten, die alle etwa im Alter seiner Eltern waren. Daraus folgerte er, daß sie sich langsam auf zwölf Uhr zubewegten und die Stadtrundfahrt bald begann.

»Hört mal«, ergriff er die Initiative, »wie geht das denn jetzt weiter? Ich meine, die Stadtrundfahrt würde ich auslassen, wenn ihr heute abend mit mir essen geht. Es ist immerhin mein Lokal, oder jedenfalls das, wo ich die Geschäfte führe«, mein Gott, dachte er, wie gespreizt das klingt, die müssen mich ja für bescheuert halten, »außerdem hatten wir das ja so besprochen.«

»Das stimmt«, sagte seine Mutter.

Sein Vater nickte. »Vorher würde ich mich gerne noch ein bißchen hinlegen«, sagte er. »Diese Stadtrundfahrt wird mir den Rest geben. Das ist genau das, was ich jetzt brauche, eine schöne Busfahrt.«

»Den Tisch hab ich für acht Uhr reserviert.«

»So spät«, sagte seine Mutter, »und dann noch warm essen!«

»Jetzt hör aber mal auf«, sagte sein Vater, »zu Hause essen wir doch auch nicht früher.«

»Natürlich, wir sind immer zur Tagesschau fertig.«

»Ja, aber da sind wir ja nicht in Berlin.«

»Das stimmt.«

Herr Lehmann seufzte. »Ich schreib euch mal die Adresse auf.« Er ging zur Rezeption und bat um Stift und Zettel. Die Frau dahinter lächelte ihn auf eine Weise an, die ihm durch

Mark und Bein ging. Es ist nicht alles schlecht am Kudamm, dachte er, als er zu seinen Eltern zurückging. Man muß nur von der Straße runter und die Naziwitwen-Cafés vermeiden.

»Das ist die Adresse«, sagte er, als er wieder bei seinen Eltern saß und ihnen den Zettel hinlegte, »das ist in Kreuzberg.«

»Ach Gott«, sagte seine Mutter, »und wenn da jetzt Krawalle sind.«

»Jetzt hör aber auf«, sagte sein Vater, »das ist doch schon Jahre her.«

»So was kann immer mal losgehen«, sagte seine Mutter weise.

»Ja, das stimmt«, sagte Herr Lehmann grausam, »aber sieh es mal so: Kreuzberg ist so groß wie Hemelingen, die Neue Vahr, Sebaldsbrück und Arsten zusammen.«

»Ach so.«

»Jedenfalls müßt ihr das nur dem Taxifahrer sagen, und dann geht das schon«, sagte Herr Lehmann.

Im Foyer wurde es jetzt richtig voll und Herr Lehmann wurde das unangenehme Gefühl nicht los, daß sie von den anderen Busreisenden beobachtet wurden. Sie sind es nicht gewohnt, daß Leute jemanden dort kennen, wo sie mit dem Bus hinfahren, dachte er. Für die sind meine Eltern jetzt Experten. Mit einem mißratenen Sohn. Aber mit Kaffee, dachte er.

»Daß du aber auch so viel rauchst.«

»Nun laß ihn doch rauchen.«

»Ein Taxi kriegt ihr hier überall.«

»Das geht schon«, sagte sein Vater. »Ist ja nicht das erste Mal, daß wir Taxi fahren.«

Sie schwiegen eine Weile. Herr Lehmann merkte, daß seine Eltern unruhig waren. Der Bus ging wohl bald. Sein Vater schaute auf die Uhr.

»Wie spät ist es denn?« fragte Herr Lehmann.

»Zwanzig vor«, sagte sein Vater.

»Tut mir leid, wenn ich nicht mitkomme«, sagte Herr Lehmann, »aber das ist wohl nichts für mich.«

»Nee, laß man«, sagte sein Vater, »würde ich auch nicht machen.«

»Da sieht man mal alles«, sagte seine Mutter hilflos. »Das muß doch auch mal sein.«

»Wir gucken uns das mal alles an«, sagte sein Vater. »Du wirst sehen«, sagte er und klopfte seiner Frau aufs Knie, »hinterher wissen wir mehr über Berlin als Frank und sein Bruder.«

»Wie geht's dem denn so?« fragte Herr Lehmann.

»Ach, der Manfred«, sagte seine Mutter. »Da in New York, ob er da glücklich ist …?«

»Er will Weihnachten vielleicht rüberkommen.«

»Kommst du denn auch mal wieder zu Weihnachten? Wenn doch auch dein Bruder kommt?«

»Sicher«, sagte Herr Lehmann.

»Ich glaub, das geht los«, sagte sein Vater. Die Leute um sie herum hatten aufgehört, auf sie herabzustarren, und drängelten sich am Hotelausgang. Seine Eltern standen auf, Herr Lehmann auch.

»Um acht, ja?« sagte Herr Lehmann. »Ich verlaß mich drauf.«

»Kannst du, kannst du«, sagte sein Vater. Seine Mutter nahm ihn in den Arm. »Ich habe dich ja noch gar nicht richtig begrüßt«, sagte sie und drückte ihn an sich. »Und jetzt gehen wir schon wieder getrennte Wege.«

»Wir sehen uns ja heute abend«, sagte Herr Lehmann.

»Alles klar«, sagte sein Vater und klopfte ihm auf die Schulter.

Herr Lehmann ließ seinen Eltern und ihren Touristikgenossen den Vortritt, bevor er, nach einem langen, erwiderten

Blick auf die Frau an der Rezeption, die ihn zum Abschied noch einmal anlächelte, selbst auf die Straße ging. Als er am Bus vorbeikam, klopfte seine Mutter, die auf dem Oberdeck am Fenster saß, noch einmal gegen die Scheibe und winkte.

Herr Lehmann winkte zurück und war plötzlich traurig, daß er nicht mitgekommen war. Nicht, daß ihm am Checkpoint Charlie und am Brandenburger Tor mit Mauer und was da noch geboten wurde, etwas lag. Aber trotzdem. Irgendwie traurig. Ich werde weich, dachte er und zündete sich eine Zigarette an, bevor er die Straße überquerte, um den Bus zu nehmen.

12. GASTMAHL

Als Herr Lehmann um Punkt acht Uhr die Markthallenkneipe betrat, waren seine Eltern schon da. Sie saßen an einem guten Tisch, nicht zu nah an der Küche, nicht zu nah am Klo
und nicht zu nah am Eingang, und sie redeten eifrig mit seinem besten Freund Karl, der sich extra feingemacht zu haben
schien: Er trug einen selbst für ihn noch zu weiten, schwarzen
Anzug aus zweiter oder dritter Hand, den Herr Lehmann
noch nie zuvor gesehen hatte, dazu ein weißes Hemd und eine
Fliege. Er sah grotesk aus, wie ein Monsterpinguin nach dem
Schleuderwaschgang. Herr Lehmann wäre am liebsten gleich
wieder umgekehrt.

»Da ist er ja«, sagte seine Mutter, als er an den Tisch kam.

»Hallo Boß«, sagte sein bester Freund Karl und reichte
ihm die Hand.

»Keine Faxen«, sagte Herr Lehmann säuerlich und setzte
sich.

»Wir haben uns schon gewundert, wo du bleibst«, sagte
seine Mutter.

»Es ist Punkt acht Uhr«, sagte Herr Lehmann. »Ihr wart
zu früh.«

»Das Taxi fuhr so schnell.«

»Wie war die Stadtrundfahrt?«

»Anstrengend«, sagte sein Vater.

»Also, das mit der Mauer ...«, sagte seine Mutter und
schüttelte sorgenvoll den Kopf.

»Hier ist die Karte, Boß«, unterbrach Karl und reichte ihm die Karte. Seine Eltern hatten sie schon. Dann zündete Karl eine Kerze an. Es war die einzige Kerze im ganzen Lokal. Herrn Lehmann fiel auf, daß Karl schmutzige Fingernägel hatte, und er fragte sich, ob ihm das nur jetzt, in seiner Eigenschaft als Pseudo-Geschäftsführer, auffiel, oder ob sein bester Freund etwas abbaute.

»Du brauchst nicht Boß zu sagen«, sagte Herr Lehmann. »Das sind übrigens meine Eltern, und das ist Karl Schmidt.«

»Wissen wir doch alles«, sagte seine Mutter. »Wir haben uns doch schon unterhalten.«

»Das ist schön«, sagte Herr Lehmann und schaute in die Karte. »Was wollt ihr trinken?«

»Haben wir alles schon bestellt«, sagte seine Mutter. »Herr Schmidt hat uns etwas empfohlen.«

Herr Lehmann schaute fragend zu seinem besten Freund Karl hoch, der direkt hinter ihm stand und dessen Körper einen mächtigen Schatten warf. Karl grinste. »Ich habe den guten empfohlen, Boß.«

»Den guten was?« Herr Lehmann wurde langsam ärgerlich. Er hatte nichts gegen ein bißchen Spaß, aber das hier war nicht mehr subtil, das war der Vorschlaghammer.

»Den Roten.« Karl zwinkerte heftig mit dem rechten Auge. »Von dem kaum noch was da ist. Den 85er.«

»Ach den …«, sagte Herr Lehmann. »Dann bring auch noch Mineralwasser für alle. Wißt ihr schon, was ihr essen wollt?« fragte er seine Eltern.

»Nein«, sagte sein Vater irritiert. »Das geht jetzt alles etwas schnell.«

»Ich geh dann mal den Wein dekantieren«, sagte Karl und verschwand.

»Netter junger Mann«, sagte seine Mutter. »Was würdest du uns denn empfehlen?«

»Der Schweinebraten ist gut.«

»Schweinebraten«, sagte seine Mutter. »Den kann ich auch selber kochen. Gibt's denn hier nichts Aufregenderes?«

»Dieses Restaurant ist berühmt für seinen Schweinebraten«, sagte Herr Lehmann streng. »Die Leute kommen aus der ganzen Stadt, um hier den Schweinebraten zu essen. Manche morgens schon. Nirgendwo sonst bekommt man so einen guten Schweinebraten.«

»Na ja, aber Schweinebraten …« Seine Mutter lachte. »Da können sie auch zu mir kommen.«

»Der Schweinebraten hier ist 1a. Sonst nimm doch Fisch«, versuchte Herr Lehmann Land zu gewinnen. »Da!« Er langte über den Tisch und zeigte auf das Fischkapitel in der Speisekarte seiner Mutter. »Forelle, Dorsch, Dorade, das ganze Programm. Oder«, fügte er bösartig hinzu, »nimm doch was Vegetarisches, Mutter.«

»Ich glaube, ich nehme den Schweinebraten«, sagte sein Vater.

»Ich auch«, sagte Herr Lehmann.

»Dann nehme ich den auch«, sagte seine Mutter. »Glaube ich. Also vegetarisch, da weiß ich ja überhaupt nicht …«

»Vielleicht einen Grünkernbratling mit Currysoße«, schlug Herr Lehmann vor.

»Nein, nein, wenn du sagst, daß der Schweinebraten …«

»So«, platzte Karl dazwischen. Er beugte sich von hinten über Herrn Lehmann, bis seine offene Anzugjacke um dessen Gesicht schlabberte, und stellte eine Flasche Rotwein auf den Tisch. »Das ist ein ganz, ganz feines Stöffchen.«

»Gläser, Wasser«, sagte Herr Lehmann.

»Alles klar, Boß«, sagte sein bester Freund Karl und verschwand wieder.

»Also dekantieren geht anders«, warf sein Vater ein und studierte die Flasche. »Und von 85 ist der auch nicht.«

Herr Lehmann hätte seinen Vater gern gefragt, seit wann er etwas von Wein verstand, aber er konnte sich zurückhalten. Karl kam mit Gläsern und Wasser zurück.

»Ist der Schweinebraten gut?« fragte ihn Herrn Lehmanns Mutter.

»Gut ist gar kein Ausdruck«, sagte Karl. »Ein Gedicht ist das, sagen alle.«

»Ist der mit Kruste?«

»Moment«, sagte Karl und verschwand wieder. Herr Lehmann sah ihn in der Küche verschwinden, und ihm schwante Böses. Und tatsächlich kam er mit Katrin wieder heraus.

»Wieso weiß der nicht, ob der mit Kruste ist«, quengelte seine Mutter. »So was weiß man doch.«

Katrin kam an ihren Tisch. »Kann ich helfen?« fragte sie in die Runde.

»Ist der Schweinebraten mit Kruste?« fragte Herrn Lehmanns Mutter.

»Natürlich ist der mit Kruste.«

»Wieso natürlich? Also, ich mach den nie mit Kruste. Das ist mir viel zuviel Arbeit.«

»Die Kruste«, sagte Katrin lächelnd, »wird allgemein überschätzt.«

»Das ist übrigens Katrin Warmers«, sagte Herr Lehmann, »die Köchin hier, und das sind meine Eltern.«

»Ihr Sohn ist ein ganz großer Schweinebratenfachmann«, sagte Katrin mit todernster Miene.

»Setzen Sie sich doch«, sagte seine Mutter und zog einen Stuhl vom Nachbartisch heran. Meine Eltern, dachte Herr Lehmann, würden prima Kreuzberger abgeben. So hatte er das noch nie gesehen.

»Ich habe aber nicht viel Zeit.« Katrin setzte sich neben Herrn Lehmanns Mutter und strich sich eine Haarsträhne aus dem Gesicht.

»Also ich mach den nie mit Kruste«, nahm seine Mutter den Faden wieder auf.

»Würde ich auch nicht machen«, sagte Katrin. Herr Lehmann, der sich nicht sicher war, wie sehr und in welche Richtung ihm das alles jetzt peinlich sein sollte, beschloß sich zu entspannen und goß den Rotwein in die Gläser.

»Ich nehm auch ein bißchen«, sagte Katrin.

Karl, der sich in der Nähe herumdrückte und lauschte, sprang mit einem vierten Weinglas herbei.

»Können Sie denn so lange aus der Küche fernbleiben?« fragte seine Mutter.

»Wenn doch der Boß im Spiel ist«, mischte Karl sich ein.

Herr Lehmann trank hastig sein Glas aus und schenkte sich gleich was nach. Ohne Alkohol ging hier gar nichts mehr.

»Na dann.«

»Wenn ich den nicht mit Kruste mache, dann meckert die Hälfte der Leute herum, daß sie den mit Kruste haben wollen«, sagte Katrin und schaute dabei Herrn Lehmann an. »Man kann sich gar nicht vorstellen, was die Leute hier manchmal für Ärger machen.«

»Ach Sie Ärmste«, sagte Herrn Lehmanns Mutter und tätschelte ihren Arm, »das kann ich mir gut vorstellen. Das ist sicher nicht leicht, für Leute zu kochen, die man gar nicht kennt.«

»Die Schweinebratenleute sind die Schlimmsten«, sagte Katrin.

»Oh, da hätte ich mal lieber nicht gefragt.«

»Nein, nein, bei Ihnen ist das in Ordnung.«

»Kann ich jetzt die Essensbestellung aufnehmen?« Karl war immer noch da.

»Wieso willst du jetzt die Bestellung aufnehmen«, fragte Herr Lehmann aggressiv. »Was willst du denn damit machen? In die Küche bringen? Ist da jetzt jemand?«

»Das muß alles seine Ordnung haben. Das ist doch dein oberster Grundsatz, Boß.«

»Das schärft er uns immer wieder ein«, bestätigte Katrin.

»Also ich nehm den Schweinebraten«, sagte seine Mutter.

»Ich auch«, sagte Herrn Lehmanns Vater.

»Dreimal Schweinebraten«, sagte Herr Lehmann. »Mit überschätzter Kruste.«

»Ich mach auch immer ein bißchen Knoblauch dran«, sagte seine Mutter.

»Das mache ich auch. Das ist viel wichtiger«, sagte Katrin.

Herr Lehmann hob sein Glas und prostete seinem Vater zu. Sie stießen an. Währenddessen vertieften sich die Frau, die er liebte, und die Frau, die seine Mutter war, in ein ausführliches Gespräch über Knoblauch und woran er überall gehörte.

»Ist hier immer so wenig los?« erkundigte sich sein Vater.

»Nein, das richtige Geschäft ist später«, sagte Herr Lehmann. »Um neun ist das hier brechend voll.«

»Aber dann essen die nicht alle«, sagte sein Vater.

»Nein«, gab Herr Lehmann zu, der in diesem Moment sah, daß sich Kristall-Rainer am Tresen breitgemacht hatte. »Und selbst wenn sie essen, das Geld macht man immer mit dem Suff.«

»Würde ich auch mal denken«, sagte sein Vater. »Na ja«, fügte er hinzu, »gesoffen wird immer. So gesehen hast du es ganz gut erwischt hier.«

»So, dann werde ich mal wieder in die Küche gehen«, sagte Katrin und stand auf.

»Das war aber nett, sich mit Ihnen zu unterhalten«, sagte Herrn Lehmanns Mutter.

»Ihr Sohn«, sagte Katrin noch einmal, »ist auf jeden Fall ein ganz großer Fachmann. Für alles.« Und dann ging sie.

»Was meint sie damit?« fragte seine Mutter Herrn Lehmann.

»Ich habe keine Ahnung«, sagte Herr Lehmann. »Manchmal denke ich, ich sollte sie alle entlassen.«

»Aber Restaurant …«, sagte seine Mutter und beugte sich vor, um besser den Raum überblicken zu können. »Das sieht doch mehr wie eine Kneipe aus. Die essen ja gar nicht alle.«

»Man kann sie nicht zwingen zu essen«, sagte Herr Lehmann, den das schnelle Trinken und der Wein überhaupt etwas albern machten. »Und Alkohol hat einen hohen Brennwert.«

»So ihr Lieben.« Sein bester Freund Karl war schon wieder da und stellte ein Körbchen mit Brot und ein Schmalztöpfchen auf den Tisch. »Hier schon mal was zum Knabbern. Und schön Salz draufmachen. Denkt an die Elektrolyte.«

»Das ist wirklich ein netter junger Mann«, sagte Herrn Lehmanns Mutter und blickte ihm hinterher. »Aber auch ein bißchen seltsam. Hat der irgendwas?«

»Schwer zu sagen. Wie war denn die Stadtrundfahrt?«

»Schrecklich ist das.« Seine Mutter machte sich über das Brot her. »Wie kannst du hier bloß leben, mit dieser furchtbaren Mauer drumrum, das ist ja ganz schrecklich. Also ich könnte das nicht.«

»Für uns ist das nicht so schlimm. Wir können ja trotzdem raus.«

»Da fühlt man sich doch total eingesperrt. Die ist ja überall, einmal drumrum.«

»Quatsch.« Herr Lehmann hatte auf diesen Scheiß keine Lust. Es war immer dasselbe, wenn die Leute Berlin besuchten. »Wenn in Bremen irgendwo eine Straße zu Ende ist, und da ist eine Mauer, dann fühlst du dich doch auch nicht gleich eingesperrt.«

»Das ist doch ganz was anderes.«

»Ja. Aber das Problem haben die anderen Leute, die im

Osten. Die Idee von dem Ding ist ja nicht, daß wir nicht rauskönnen, sondern daß die nicht reinkönnen. Wobei es für die natürlich in dem Sinne dann ein Rauskönnen wäre.«

»Ja«, sagte seine Mutter. »Die wollen ja nun auch alle raus, das sieht man jetzt ja.«

»Das ist schon hart, was da jetzt los ist«, sagte sein Vater. »Da geht ja alles den Bach runter.«

»Sicher«, sagte Herr Lehmann. »Aber das hat doch mit dem Leben in Westberlin nichts zu tun. Wir kriegen hier doch gar nichts davon mit.«

»Also ich könnte das nicht. Da würde ich mich total eingesperrt fühlen.«

Und so ging das immer weiter, bis der Schweinebraten kam, den Karl erstaunlich zivil und ohne Faxen auf den Tisch brachte, was wahrscheinlich damit zu tun hatte, daß Erwin gekommen war, der mit ihm ein paar Worte gewechselt und sich dann am Tresen niedergelassen hatte, so weit von Kristall-Rainer entfernt, wie es nur irgend möglich war.

»Der ist aber gut, der Schweinebraten«, sagte seine Mutter.

»Ja, der ist sehr gut. Es gibt ja auch kaum noch Restaurants, die guten Schweinebraten machen«, sagte sein Vater.

»Sag ich doch«, sagte Herr Lehmann.

»Wird man hier gut bezahlt?« fragte sein Vater. »So als Geschäftsführer …« fügte er fein lächelnd hinzu.

Herr Lehmann betrachtete seinen Vater kurz, bevor er antwortete. Irgendwas war anders mit ihm. Er hatte etwas Müdes an sich, wirkte aber auch wissender. Vielleicht habe ich ihn tatsächlich immer unterschätzt, dachte Herr Lehmann.

»Geschäftsführer hat nicht viel zu bedeuten«, sagte er. Zugleich war Karl wieder aufgetaucht und stellte eine neue Flasche Rotwein auf den Tisch.

»Na, na«, sagte er und verschwand wieder.

»Hat nicht viel zu bedeuten«, wiederholte Herr Lehmann. »Man kümmert sich um die Bestellungen, um die Abrechnungen und so ... Ist mehr ein Zubrot.«

»Was meinst du damit«, horchte seine Mutter auf.

»Damit meine ich«, sagte Herr Lehmann, der nun ärgerlich wurde, vor allem auf sich selbst, weil er den Geschäftsführerquatsch damals angefangen hatte, »daß ich im Grunde auch nur einer bin, der hinter dem Tresen steht und den Leuten was zu trinken gibt, was immer noch besser ist, als an den Tischen herumzukellnern oder so.«

»Aber Frank, deswegen mußt du dich doch nicht gleich so aufregen«, sagte seine Mutter. »Was kann ich denn dafür?«

»Das habe ich doch gar nicht gesagt.«

»Hauptsache, du kommst über die Runden«, sagte seine Mutter. »Also ich finde das ganz prima hier. Das ist doch viel angenehmer als sonst in Restaurants, da ist immer alles so steif und man fühlt sich überhaupt nicht wohl. Und die Leute hier, die sind doch alle sehr nett.«

»Ja, sicher.«

»Finde ich auch«, sagte sein Vater. »Wenn's einem Spaß macht ...« Er legte die Gabel weg und goß allen noch Wein ein. »Der Wein ist gut. Aber von 85 ist der nicht.«

»Warum sollte er auch von 85 sein«, sagte Herr Lehmann, der plötzlich gute Laune hatte. Es ist ihnen scheißegal, dachte er, es interessiert sie einen Scheiß, was ich mache. »Ich habe das mit dem Geschäftsführer eigentlich auch immer nur deshalb so hervorgehoben, damit du Frau Dunekamp irgendwas sagen kannst«, sagte er zu seiner Mutter. »Weil du mir damals gesagt hast, Frau Dunekamp hätte dich gefragt, was ich machen würde, und du hättest nicht gewußt, was du sagen solltest.«

»Wußte ich auch nicht«, sagte seine Mutter.

»Schmeckt's?« fragte Erwin, der plötzlich bei ihnen stand.

»Das ist Erwin Kächele«, sagte Herr Lehmann, »und das sind meine Eltern.«

»Ja, schön, guten Tag«, sagte Erwin.

»Erwin gehört der Laden hier«, sagte Herr Lehmann.

»Ganz prima Schweinebraten«, sagte seine Mutter. »Auch die Kruste.«

»Ich will auch nicht stören«, sagte Erwin, »aber kann ich dich gleich mal kurz sprechen, Herr Lehmann, ich meine, wenn du aufgegessen hast?«

»Ja klar«, sagte Herr Lehmann, den das etwas wunderte, »bin gleich da.«

»Wieso nennt der dich Herr Lehmann und duzt dich dann?« wollte seine Mutter wissen, nachdem Erwin gegangen war. »Das ergibt doch keinen Sinn.«

»Ich weiß, Mutter, ich weiß.«

Sie aßen einige Zeit schweigend vor sich hin. »Es ist gut, dich mal wieder zu sehen«, sagte sein Vater unvermittelt. »Ich weiß auch nicht, was hier so läuft, aber dir scheint's doch ganz gut zu gehen.«

»Find ich auch«, sagte seine Mutter. »Das sind nette Leute.«

»Auf jeden Fall«, sagte sein Vater.

»Nur das mit der Mauer. Ach so«, rief seine Mutter unvermittelt, »wir wollten da sowieso noch was mit dir besprechen.«

»Wartet mal eben«, entschuldigte sich Herr Lehmann. Die Sache mit Erwin, der ihn sprechen wollte, beunruhigte ihn irgendwie, und er wollte das hinter sich bringen. Er stand auf, nahm sein Weinglas mit und ging zu seinem Chef hinüber, der jetzt wieder am Tresen saß, einen Pfefferminztee mit Milch trank und Kristall-Rainer nicht aus den Augen ließ. Als Herr Lehmann am letzteren vorbeikam, wurde er freundlich gegrüßt, und es blieb ihm nichts anderes übrig, als freundlich zurückzugrüßen. Wie ist, dachte er, der eigentlich so plötzlich in mein Leben gekommen?

»Dieser Kristall-Rainer geht mir langsam übel auf die Nerven«, sagte Erwin, als Herr Lehmann bei ihm ankam. »Ja«, sagte Herr Lehmann, »mir auch.«

»Möchte mal wissen, was der will«, sagte Erwin. Herr Lehmann betrachtete Erwin, während Erwin Kristall-Rainer beobachtete. Erwin sah irgendwie alt aus. Und schlechtgelaunt. Aber das tat er immer, wenn er nüchtern war.

»Hier Erwin«, sagte Heidi, die plötzlich bei ihnen auftauchte, »hab ich beim Mülleimer gefunden. Gehört der dir?« Sie wedelte mit einem 50-Mark-Schein. Erwin hat die Preise erhöht, dachte Herr Lehmann.

»O ja«, sagte Erwin und steckte ihn schnell ein.

»Wie läuft's denn so als Geschäftsführer?« fragte Heidi Herrn Lehmann. »Nette Eltern aber.«

»Geschäftsführer?« fragte Erwin verwirrt.

»Ich habe nichts gesagt«, sagte Heidi und ging wieder weg.

»Du wolltest mich doch nicht wegen Kristall-Rainer sprechen«, lenkte Herr Lehmann ab.

»Seit wann rauchst du denn?«

Herr Lehmann betrachtete die Zigarette, die er sich angezündet hatte. »Nur so«, sagte er. »Jetzt komm schon zum Punkt, Erwin.«

»Es ist wegen Karl. Ich mache mir da Sorgen«, sagte Erwin und rieb sich die Augen. »Weißt du vielleicht, was mit ihm los ist?«

»Was soll schon mit ihm los sein? Mit Karl ist alles in Ordnung.«

»Ich weiß nicht, irgendwie baut der ab. Das geht so nicht mehr.«

»Was geht nicht mehr?«

»Ach Scheiße«, sagte Erwin, »Karl ist von allen Leuten, die

noch bei mir arbeiten, derjenige, der am längsten dabei ist. Karl und du«, fügte er hinzu.

Herrn Lehmann war diese Wendung unangenehm. Er mochte es nicht, wenn Erwin vertraulich wurde.

»Wie lange arbeiten wir jetzt schon zusammen?« fragte Erwin.

»Weiß nicht, neun Jahre vielleicht«, sagte Herr Lehmann. Zusammenarbeiten ist nicht ganz das richtige Wort, dachte er, aber es war nicht die Zeit für klassenkämpferische Erwägungen. »Sag einfach, was los ist, Erwin, sentimental können wir immer noch werden.«

»Es ist wegen Karl«, sagte Erwin, »irgendwas stimmt mit ihm nicht. Vorgestern hat er die Lieferung vergessen. War einfach nicht da. Die Abrechnungen stimmen neuerdings hinten und vorne nicht.«

»Karl bescheißt dich nicht, Erwin«, sagte Herr Lehmann. »Das kannst du gleich vergessen.«

»Nein, das meine ich auch nicht. Kerle, Kerle, Kerle.« Erwin rieb sich wieder die Augen, als hinge sein Leben davon ab. »Ich mach mir Sorgen um ihn. Und ich kann den hier nicht die Geschäfte führen lassen. Der baut total ab. Der sumpft nur noch rum. Guck dir nur mal an, wie er aussieht.«

»Ach das mit dem Anzug«, wiegelte Herr Lehmann ab, »das hat er nur gemacht, um mich mit meinen Eltern ein bißchen aufzuziehen. Das spielt ja hier nun wirklich keine Rolle. Oder meinst du, das stört irgend jemanden?«

»Der Anzug ist mir scheißegal«, sagte Erwin, »obwohl das wirklich scheiße aussieht. Aber hast du mal seine Fingernägel gesehen? Und die Hälfte der Leute hat nichts zu trinken, weil er alles vergißt und so, meinst du, ich kriege so was nicht mit?«

»Komm schon, Erwin«, sagte Herr Lehmann, dem nichts

Besseres dazu einfiel, »wie lange arbeiten wir schon zusammen?« Jetzt werde ich selber sentimental, dachte er. »Du kennst doch Karl. Der hat halt im Augenblick verdammt viel zu tun, der hat bald die Ausstellung in Charlottenburg, ist doch logisch, daß er ein bißchen durcheinander ist.«

»Ja sicher, habe ich auch schon gedacht. Ist ja auch okay. Aber so geht das nicht. Ich will ihn ja nicht rausschmeißen«, sagte Erwin. »Ich hatte nur überlegt, ob du dich nicht in der nächsten Zeit hier um den Laden kümmern könntest, und Karl arbeitet solange im Einfall.«

»Nee nee«, wehrte Herr Lehmann ab. »Nee, da hab ich keinen Bock drauf. Ich meine, ich find es okay, wenn Karl im Einfall arbeitet, das ist eine gute Sache, aber hier diesen Geschäftsführerquatsch machen, das ist nicht mein Ding. Außerdem gibt's doch genug andere Leute. Was ist mit Heidi?« Herr Lehmann sah zu ihr hin, und sie kam wieder zu ihnen herüber.

»Was gibt's denn?« fragte sie.

»Ich hätte gerne ein großes Bier«, sagte Herr Lehmann und schob ihr sein Weinglas hin. »Vertrage keinen Wein. Knallt zu sehr rein.«

»Vom Faß?«

»Ja, heute schon«, sagte Herr Lehmann. »Aber ein großes dann.«

»Gibt doch nur noch Nullvier«, sagte Heidi und ging wieder.

»Heidi geht nicht«, sagte Erwin, als sie wieder außer Hörweite war, »die packt das nicht.«

»Komm, Erwin«, sagte Herr Lehmann, »wir leben im 20. Jahrhundert.«

»Ich habe sie schon gefragt«, sagte Erwin. »Sie hat da keinen Bock drauf.«

»Dann frag doch Stefan oder Sylvio«, schlug Herr Lehmann vor. »Laß doch einen von denen mit Karl tauschen.

Oder mach es selbst. Dann mach ich mit Karl zusammen die Nachtschichten im Einfall, und alles ist gut.«

»Ich weiß nicht«, sagte Erwin. »Irgendwas stimmt mit ihm nicht. Irgendwie mache ich mir Sorgen um ihn.«

Herr Lehmann schaute Erwin in die Augen und sah dort nichts Falsches. Aber, dachte er, das kann täuschen. Er hatte jedenfalls Erwin nie als jemanden gesehen, der sich ernsthaft um Leute Sorgen machte, die nicht zufällig Erwin Kächele hießen. Aber es schien ihm ernst zu sein.

»Dann ist es um so wichtiger, daß ich mit ihm zusammenarbeite«, sagte er. »Und Stefan, der steht da doch drauf, Geschäftsführer sein und so.«

»Ja, das geht vielleicht. Vielleicht solltest du zu deinen Eltern zurückgehen«, sagte Erwin und wies mit einem Kopfnicken in deren Richtung. Herr Lehmann sah zum Tisch seiner Eltern hinüber und glaubte nicht, was er sah. Nicht nur, daß Katrin wieder mit seiner Mutter zusammensaß und sich blendend zu unterhalten schien, nein, auch Kristall-Rainer hatte sich dort eingefunden, und er saß auf *seinem* Stuhl und unterhielt sich mit *seinem* Vater.

»Ich glaube auch«, sagte er.

»Ich rede mal mit Karl«, sagte Erwin.

»Ja, aber komm ihm nicht blöd«, sagte Herr Lehmann. »Er hat's nicht verdient.«

Er ging zurück zum Tisch seiner Eltern. »Du sitzt auf meinem Platz«, sagte er zu Kristall-Rainer, der ihn unschuldig anschaute.

»Oh, das wollte ich nicht, das tut mir leid«, sagte Kristall-Rainer und stand auf.

Herr Lehmann setzte sich auf seinen Stuhl. Er ist angewärmt, dachte er ärgerlich, mein Stuhl ist angewärmt von Kristall-Rainer. »Vergiß nicht dein Weizen«, sagte er und reichte es ihm hoch. Kristall-Rainer stand unschlüssig neben ihm. »Irgendwie macht es mich nervös, wenn jemand neben mir steht, wenn ich sitze«, setzte Herr Lehmann eins drauf. Kristall-Rainer ging aber nicht. Er nickte, nahm sich einen Stuhl vom Nachbartisch und setzte sich dazu. Er ist zäh, dachte Herr Lehmann.

»Ach Frank, das ist richtig nett hier. Worum ging's denn?« sagte sein Vater.

»Ach, so innerbetrieblicher Kram«, sagte Herr Lehmann.

»Kann ich helfen?« fragte Karl, der plötzlich bei ihnen stand und auf Kristall-Rainer herunterschaute. »Da ist ja kaum noch was drin«, sagte er und nahm ihm das Weizenglas aus der Hand. »Das ist ja ganz schale Plörre. Komm mal mit, am Tresen gibt's neues. Und ich muß dich mal was fragen.«

Kristall-Rainer stand auf und ging mit.

»Wo geht der denn hin?« fragte Katrin von der anderen Seite des Tisches.

»Keine Ahnung«, sagte Herr Lehmann ärgerlich.

»Na ja«, sagte Katrin und stand auf. »Ich muß mal wieder.«

»Der Schweinebraten war ganz wunderbar«, rief seine Mutter ihr hinterher.

Dieser Abend, dachte Herr Lehmann, ist das Seltsamste, was ich in letzter Zeit erlebt habe.

»Das ist ja ein lustiger Abend«, sagte seine Mutter zu ihm. »Du hast es wirklich nett hier mit deinen ganzen Freunden.«

»Ja, ja«, sagte Herr Lehmann.

»Wir müssen aber sowieso noch mit dir reden«, sagte seine Mutter.

»Wie jetzt?«

»Na ja«, sagte sein Vater, »wir hätten da noch eine Bitte an dich. Du mußt wegen Oma noch etwas für uns erledigen.«

»Wegen Oma?«

»Wir schaffen das nicht«, sagte seine Mutter. »Wir müßten das morgen machen, und das wird einfach zuviel, morgen abend fährt ja der Bus schon wieder.«

»Wäre wirklich nett, wenn du das für uns erledigen könntest«, fügte sein Vater hinzu. »Ist keine große Sache.«

»Worum geht's denn?« fragte Herr Lehmann und signalisierte Karl, der an der Kasse herumfummelte, daß er Schnaps für alle wollte.

»Du mußt nach Ostberlin.«

13. KUNST

»Was sollst du?« Karl hatte nicht zugehört. Herr Lehmann stand etwas ratlos in seiner Werkstatt, einer Ladenwohnung in der Cuvrystraße, deren Rolläden immer geschlossen waren, weil Karl lieber bei künstlichem Licht arbeitete und ihn die »Scheißtageszeiten nicht interessieren«, wie er einmal gesagt hatte. Es war heiß hier drin, überall hingen Kabellampen, und der ganze Raum war vollgestellt mit neuen Skulpturen oder Objekten, oder wie immer Karl die Dinger nannte, die er aus diversem Altmetall so zusammenschweißte. Herr Lehmann wußte nicht genau, wo er sich aufhalten sollte, weil Karl fahrig zwischen mehreren Kunstwerken hin- und herschwankte und mit einem entflammten Schneidbrenner an ihnen herumwerkelte, was eine Unterhaltung im Grunde unmöglich machte. Außerdem konnte Herr Lehmann keinen Aschenbecher entdecken, und er war sich nicht sicher, ob es opportun war, auf den Fußboden zu aschen.

»Vielleicht sollte ich ein andermal wiederkommen«, rief Herr Lehmann, obwohl er froh war, seinen besten Freund Karl endlich wiederzusehen. Seit dem Abend mit Herrn Lehmanns Eltern in der Markthalle war Karl nirgendwo mehr aufgetaucht, das war jetzt fünf Tage her, in dieser Zeit hatte er nur noch in seiner Werkstatt gestanden, um das Zeug für die Ausstellung in Charlottenburg endlich fertigzubekommen.

»Ach Scheiße.« Sein bester Freund Karl drehte den Schneidbrenner ab, riß sich die Schweißerbrille vom Kopf und schleuderte sie in die Ecke. »Das bringt doch alles nichts.«

»Hast ja ganz schön was fertiggekriegt«, sagte Herr Lehmann. An und für sich sagten ihm die Sachen, die Karl machte, nichts, und Karl wußte das. Deshalb mußte Herr Lehmann nie sagen, wie er das alles fand, und das war ihm angenehm. Herr Lehmanns Bruder hatte mal ganz ähnliche Sachen gemacht, wenn auch – zumindest damals – mit mehr Erfolg, und schon damit hatte Herr Lehmann nie etwas anfangen können. Kunst ließ ihn überhaupt im großen und ganzen kalt. Aber er hatte Respekt vor den Leuten, die sich ihr widmeten, wie überhaupt vor allen Leuten, die sich in irgend etwas hineinsteigern konnten.

»Ach Scheiße.« Sein bester Freund Karl fuhr sich mit der Hand durch die Haare, und Herrn Lehmann fiel erst jetzt auf, wie sehr er schwitzte, seine Haare waren klatschnaß, und von den Schläfen zogen dicke Tropfen in verschiedenen Bahnen hinunter zum Kinn. »Das ist alles Mist«, sagte er. »Kannst du alles mitnehmen.« Er trat gegen eins seiner Werke, bis es trotz seiner metallenen Schwere gefährlich wackelte.

»Nix«, sagte Herr Lehmann, der diese Anwandlungen schon kannte. »Das ist amtliches Zeug.«

»Amtlich. Genau das. Amtlich!« sagte Karl mit bitterem Unterton. »Du hast es auf den Punkt gebracht.«

»Wann ist denn jetzt eigentlich die Ausstellung?«

»Am elften November, noch acht Tage, acht verschissene Tage. Gestern war eine Frau von der Galerie da, fand alles super. Genau das, was ich mir vorgestellt habe, hat die blöde Tiffe gesagt.«

»Sei doch froh. Wenn schon, denn schon.«

»Davon verstehst du nichts. Was hast du vorhin erzählt? Was sollst du?«

»Ich muß nach Ostberlin.«

»Wieso das denn?«

»Wegen meiner Oma. Die hat plötzlich ihr Herz für unsere Ostverwandtschaft entdeckt.«

»Ihr habt Verwandte im Osten?«

»Hab ich auch nicht gewußt. Irgendeine Kusine meiner Mutter, die wird jetzt 60, und meine Oma will unbedingt, daß sie 500 Mark kriegt.«

»Kann man das nicht mit der Post schicken?«

»Weiß ich nicht. Irgendwie will meine Oma, daß das persönlich übergeben wird. Sie traut den Kommunisten nicht, sagt sie, und da geht jetzt alles drunter und drüber und so. Und meine Eltern hatten keine Lust dazu, als sie jetzt da waren.«

»Hm, in den Osten«, sagte Karl nachdenklich und holte zwei Flaschen Bier aus einem Kasten, der unter seiner Werkbank stand. Er öffnete sie mit einem Schraubenzieher und reichte eine davon Herrn Lehmann. »Hätte ich auch keinen Bock drauf. Wann denn?«

»Sonntag. Übermorgen.«

»Haben sie dir wenigstens die Kohle für den Zwangsumtausch gegeben?«

»Ach was, meine Eltern haben doch überhaupt keine Ahnung von so was.«

»Da geht im Augenblick ganz schön was ab«, sagte Karl. »Und dann muß man vorher zum Halleschen Ufer, in diesen Scheiß da bei der AGB und sich diese Mehrfachberechtigung oder so holen.«

»Hab ich schon, ich muß die nur noch mal anrufen«, sagte Herr Lehmann. »Diese Kusine, meine ich. Die wohnt irgendwo im Osten. Wahrscheinlich ist es am besten, wenn ich mich mit ihr am Alex oder so treffe, dann gebe ich ihr das Geld und fahre wieder zurück.«

»Du mußt vorher noch die Ostmark auf den Kopf hauen, die darf man nicht wieder mit in den Westen nehmen«, sagte

Karl. »Das ist nicht so einfach. Wenn du das versaufen willst, mußt du ganz schön in Form sein. Ich würde ja mitkommen, aber ich muß arbeiten.«

»Katrin will mitkommen. Meint, das wäre interessant. Sie freut sich richtig drauf.« Herr Lehmann hatte die letzte Nacht bei ihr verbracht, und als er ihr von der Ostberlinsache erzählt hatte, war sie ganz begeistert gewesen. Da sieht man endlich mal die andere Hälfte der Stadt, hatte sie gesagt, und Herr Lehmann hatte sich gefreut, daß sie sich freute, und deshalb hatte er es sich verkniffen zu bemerken, daß sie ja noch nicht einmal diese Hälfte der Stadt kannte. Er war froh, ihr etwas bieten zu können, was sie interessierte, aber gleichzeitig drohte die ganze Ostsache durch ihre Begeisterung aus dem Ruder zu laufen. Sie hatte sogar gefragt, ob nicht Herrn Lehmanns Tante, oder was immer die Kusine einer Mutter war, ihnen die Stadt zeigen könnte.

»Ich war ja mal da«, sagte Karl, nahm eine Feile und feilte an einem Stück Metall herum, was ein nervtötendes Geräusch verursachte. »Das ist so spannend wie Spandau am Sonntag.«

»Warst du mal in Spandau?«

»Nein, um Gottes willen! Man weiß ja auch so, wie das da sonntags aussieht. Genau wie im Osten. Da war ich mit deinem Bruder damals, das war kurz bevor du hergekommen bist. Wie geht's dem eigentlich?«

»Weiß nicht. Das letzte, was ich gehört habe, war, daß es nicht mehr so gut läuft mit der Kunst. Er sagt, die Deutschen sind in New York so was von abgemeldet, daß er schon überlegt hat, ob er noch einmal von vorne anfangen sollte, als Holländer.«

»Dabei war er doch dick im Geschäft.«

»Sah so aus. Mit Galerie und allem Drum und Dran.«

»Galerie in New York, das hat ganz schön was zu bedeuten. Muß aber Scheiße sein, wenn's nicht mehr läuft.«

»Wahrscheinlich.«

»Wovon lebt er denn jetzt so?«

»Als Klempner oder Heizungsbauer oder so.«

»Klempner?« Karl sah erschrocken aus. »Klempner? Ich glaub's nicht. Dein Bruder als Klempner?«

»Ich glaube, eher Heizungsbauer«, sagte Herr Lehmann. »Schweißen kann er ja. Die sehen das da nicht so eng.«

»Herr Lehmann!« Karl feuerte mit großer Geste die Feile in die Ecke. »Weißt du eigentlich, was du da redest? Dein Bruder! Klempner! Der war für mich immer der Größte.«

»Ist nicht so schlimm, hat er gesagt«, sagte Herr Lehmann. »Ich glaube, er verdient da sehr gut.«

»Frank!« Karl nahm ihn bei den Schultern und blickte ihm dramatisch in die Augen. Er übertreibt, dachte Herr Lehmann. Sein bester Freund hatte ganz rote Augen. Außerdem roch er streng, als hätte er sich seit Tagen nicht mehr gewaschen. Er arbeitet zu viel, dachte Herr Lehmann. »Frank!« wiederholte Karl. »Dein Bruder ist einer der größten Künstler, die es gibt. Das ist meine ehrliche Meinung. Und wenn einer der größten Künstler, die es gibt, als Heizungsbauer arbeiten muß, um über die Runden zu kommen, dann ist das eine der übelsten Sachen, die ich je gehört habe.«

»Na ja, er macht schon noch was«, versuchte Herr Lehmann zu helfen. »Er muß ja nicht immer arbeiten. Die sehen das da nicht so eng. Aber er malt jetzt viel.«

»Malen? Dein Bruder?«

»Ja, ich glaube schon. In Öl und so. Mehr so zum Spaß, meint er.«

»Malen? Zum Spaß?« Karl schüttelte den Kopf.

»Warum regst du dich denn so auf? Ich meine, du hast demnächst eine Ausstellung in Charlottenburg, da kannst du sogar mal richtig was verdienen, wo ist das Problem?«

»Ich rede über deinen Bruder, Herr Lehmann.«

»Ja«, sagte Herr Lehmann, dem jetzt auffiel, daß ihm sein Bruder fehlte. Es wäre alles besser, wenn er hier wäre, dachte er, ohne zu wissen, warum. »Ich sollte ihn vielleicht mal anrufen. Vielleicht läuft es ja schon wieder besser.«

»Malen! In Öl! Ich glaub, ich spinne.«

»Warum nicht?«

»Dein Bruder ist der größte lebende Objektkünstler. Ohne Scheiß. Weißt du noch, wie ich damals das Ding von ihm runtergehauen habe?«

»Da war ich nicht dabei. Ich bin erst kurz danach nach Berlin gekommen.«

»Ja, stimmt.« Karl holte zwei neue Bier und machte sie auf. »Das war auf dieser Ausstellung in der Admiralstraße, in dieser komischen Galerie. Das Ding stand auf einem Betonblock oder so und war nicht weiter befestigt. Irgendwann waren wir alle besoffen und ich bin dagegen gedengelt. Das sollte fünftausend Kracher kosten, stand direkt dran. Da fing er gerade an, eine große Nummer zu werden. Fünftausend Steine. Und ich hab's runtergeworfen. Ist komplett zu Bruch gegangen. Fünftausend Mark. Ich hab ihn gefragt, ob ich ihm jetzt fünftausend Mark schulde. Und das Ding, das kommt noch dazu, das war wirklich gut gewesen. Wirklich gut. Und er hat bloß gesagt: Scheiß drauf, ich mach was Neues. Das war dein Bruder.«

»Er war schon cool«, gab Herr Lehmann zu.

»Cool ist gar kein Ausdruck. Und so einer schweißt jetzt in New York Heizungen zusammen.«

»Vielleicht macht's ihm ja Spaß«, sagte Herr Lehmann. »Ich meine, wenn er wirklich cool ist, dann regt er sich über so einen Scheiß vielleicht nicht groß auf. Jedenfalls war er nicht schlecht drauf, als er mir das erzählt hat. Er hat noch gemeint, wenn er schon als Holländer geht, dann kann er auch gleich große Schinken malen.« Er lachte. Karl nicht.

»Das ist eine ganz traurige Geschichte, Herr Lehmann.«

»Ich weiß nicht«, sagte Herr Lehmann. »Vielleicht ist es schlimmer für dich als für meinen Bruder.«

»Wie meinst du das?«

»Keine Ahnung, kommt mir nur so vor. Wundert mich, daß du dich so aufregst.«

»Hier, ich zeig dir mal was!« Sein bester Freund Karl ging zur Werkbank, faßte hinter ein großes Schrott-Artefakt, das darauf stand, und warf es auf den Fußboden. Es zerbrach in viele Teile. »Daran habe ich jetzt zwei Tage gearbeitet. Ist aber nichts wert.«

»Warum nicht?«

»Weil es Scheiße ist. Und das da auch.« Sein bester Freund Karl ging zu einem Objekt, das auf dem Boden stand und trat es um. Dann drehte er sich zu Herrn Lehmann um und sah ihn mit einem seltsamen Gesichtsausdruck an, so als würde er gleich in Tränen ausbrechen.

»Schluß, aus, hör auf mit dem Scheiß«, rief Herr Lehmann, der jetzt furchtbar erschrocken war. »Das ist doch Quatsch! Was soll der Scheiß. Das ist einfach nur Quatsch.« Er ging zu Karl und hielt seinen Arm fest.

»Herr Lehmann, ich sag dir mal was. Wenn dein Bruder zwei Heizungsrohre zusammenschweißt, oder was immer er da macht, dann ist das schon mehr wert als der ganze Scheiß hier.«

»Jetzt mach mal halblang.« Herr Lehmann konnte diesen pathetischen Mist nicht ausstehen, und der weinerliche Unterton, den die Stimme seines Freundes hatte, ging ihm auf die Nerven. Das ist nicht der Karl, den ich kenne, dachte er. »Du bist ja bloß mit den Nerven fertig«, sagte er. »Du solltest dich mal richtig ausschlafen oder vernünftig was essen, oder einen wegstecken oder so. Das ist doch Superzeug, was du da machst.«

»Du hast doch überhaupt keine Ahnung davon. Was weißt du denn?«

»Natürlich habe ich keine Ahnung. Du aber auch nicht. Du bist ja wohl der letzte, der seinen eigenen Kram beurteilen kann. Dir fehlt der Abstand. Laß das mal alles so stehen und denk ein paar Tage nicht mehr dran. Außerdem müssen wir gleich los.«

»Wohin?«

»Zur Arbeit, du Dödel. Wir haben gleich eine Schicht im Einfall. Du auch. Das wird dich auf andere Gedanken bringen. Manchmal glaube ich, Erwin hat recht, und man sollte sich Sorgen um dich machen.«

»Hat er das gesagt?«

»Ja.«

»Der soll sich mal lieber Sorgen um seine Leber machen.« Karl wirkte plötzlich wieder entspannt und heiter. »Schicht im Einfall?«

Herr Lehmann seufzte. »Ja. Im Einfall.«

»Hatte ich ganz vergessen.«

»War klar.«

»Eigentlich müßte ich hier weitermachen.«

»Nix! Komm mal lieber mit ins Einfall. Das bläst dir die Scheiße aus dem Kopf, wenn du mal was Vernünftiges machst.«

»Ach Frank«, seufzte sein Freund Karl und legte einen schweren Arm um Herrn Lehmanns Schulter. »Weißt du, was ich an dir so mag?«

»Nein.«

»Daß du mit Kunst und dem ganzen Scheiß nichts zu tun hast. Du bist so … so …« Sein bester Freund Karl wedelte mit der freien Hand in der Luft herum, als wollte er dort das passende Wort erhaschen.

»Langweilig?« schlug Herr Lehmann vor.

»Nein, nicht langweilig. Nur so … so erfrischend simpel.«

»Ja«, sagte Herr Lehmann amüsiert. »Das sagen viele. Und du solltest mal eben noch duschen, Herr Schmidt. Du stinkst.«

»Siehst du, das meine ich.«

»Ich weiß.«

14. WIEDERVEREINIGUNG

Es tat Herrn Lehmann gut, wieder mit seinem besten Freund zu arbeiten. Das hat mir gefehlt, dachte er, als er hinter dem Tresen stand und Karl dabei zusah, wie er, sein dickes Hinterteil in die Höhe streckend, Bierflaschen in die Kühlschublade einräumte. Die Schicht ließ sich normal an, es war nicht viel los, aber immerhin genug, um beiden die Möglichkeit zu geben, sich für den Trubel eines Freitagabends warmzulaufen. Das Angenehmste daran, mit Karl zu arbeiten, war immer ihr wortloses Einverständnis gewesen, was zu tun sei und wer es tun sollte, sie waren wie zwei aufeinander eingestellte Kolben eines Motors, und wenn sie zusammenarbeiteten, lief alles rund. So war es jedenfalls früher gewesen, und so schien es wieder zu sein, dabei war es schon zwei Jahre her, daß sie das letzte Mal gemeinsam hinter dem Tresen gestanden hatten. So sollte es mit Freunden sein, dachte Herr Lehmann, wenn man sie wiedersieht oder wieder mit ihnen arbeitet, nach egal wie langer Zeit, dann sollte es so sein, als sei gar keine Zeit vergangen, dachte er, während sie zusammen Bierflaschen öffneten, Milchkaffee aufschäumten und Schnäpse eingossen.

Nach zehn Uhr füllte sich der Laden, und da es Freitag abend war, mischten sich viele Wochenend- oder Amateurtrinker, wie Karl sie immer nannte, unter die üblichen Verdächtigen, sie waren durch die Aussicht auf das vor ihnen liegende Wochenende gehörig aufgekratzt und hellten die Stimmung mit ihrer fröhlichen Ausgelassenheit ziemlich auf, es mischte sich viel Scherzen und Lachen in die über allem liegende Krachmusik, die Klaus und Marko immer als Avantgarderock bezeichneten. Karl hatte sie eingeworfen, nachdem er die Kassetten mit der »Scheiße von Heiko«, wie er es nannte, in der Küche in einem Kühlschrank versteckt hatte. Herr Lehmann hatte ihn gerade noch daran hindern können, sie in den Abfall zu werfen.

»Das kannst du nicht bringen«, hatte Herr Lehmann gesagt, und er war zum ersten Mal an diesem Abend leicht irritiert gewesen. Es war nicht Karls Art, sich wegen Musik zu ereifern.

»Das ist doch Scheißkram.«

»Wieso, du gehst doch auch dauernd ins Orbit, wo sie den Bummbummscheiß immer spielen. Erwin hat sogar gesagt, da liegt die Zukunft.«

»Erwin hat keine Ahnung. Das ist nicht alles dasselbe, bloß weil es Bummbumm macht. Da gibt es so was und so was.«

»Ja, aber die Tapes hat Heiko aufgenommen, die kannst du doch nicht einfach wegschmeißen.«

»Scheiß auf Heiko. Das ist Rotz.«

»Karl! Hör auf mit dem Scheiß.«

So hatte die Sache damit geendet, daß Karl die Kassetten im Kühlschrank versteckt hatte, was zwar ungewöhnlich kindisch, aber nicht völlig untypisch für ihn war, und Herr Lehmann hatte die Sache schnell wieder vergessen. Aber als es richtig voll wurde, passierten wieder einige Dinge, die Herrn Lehmann stutzig machten. Zum einen trank Karl ungewöhnlich viel Bier, während er arbeitete. Dann ließ er eine Flasche fallen. Dann wurde er wütend, weil sich der Mülleimer nicht richtig öffnete, wenn er auf die Pedale trat, und einmal regte er sich so sehr darüber auf, daß er den Aschenbecher, den er hatte ausleeren wollen, einfach hineinwarf. Dann verschwand er immer mal wieder im Keller, nicht ohne Herrn Lehmann umständlich zu erklären, daß er das tat, um irgend etwas zu holen, was sie angeblich noch brauchten, Weizenbier oder Gläser oder irgend etwas, was aber meistens Unsinn war, zumal Herr Lehmann gar nicht nach einer Begründung gefragt hatte oder jemals gefragt hätte. Nichts von diesen Dingen war wirklich außergewöhnlich, aber alles zusammen machte Herrn Lehmann stutzig. Und irgendwann kam dann auch noch Erwin und wollte mit Karl reden. Sie gingen zusammen nach oben in Erwins Wohnung, während unten vor dem Tresen schon die Heide wackelte, und Herr Lehmann fragte sich langsam, ob nun wirklich alle verrückt geworden waren.

Aber dann kam Katrin und begrüßte ihn mit einem Kuß auf den Mund, und sie umschlang seinen Hals dabei, was sie vor anderen Leuten noch nie gemacht hatte und bisher auch von ihm in der Öffentlichkeit nicht hatte haben wollen, und das machte ihn so glücklich, daß er die nächsten fünf Flaschen Bier wahllos umsonst herausgab. Sie blieb eine Zeitlang am Tresen stehen und sah ihm bei der Arbeit zu, und er versuchte, mit ihr ein Gespräch in Gang zu halten, aber es war einfach zuviel zu tun, und nachdem sie sich anlächelnderweise einige belanglose Worte zugeworfen hatten, sahen sie beide ein, daß es in der jetzigen Situation nichts gab, was unbedingt gesagt werden mußte.

In der Unterhaltung zwischen Erwin und Karl schien es auch um nichts gegangen zu sein, jedenfalls um nichts Böses, denn beide waren sehr gut drauf, als sie wieder herunterkamen. Karl ging gleich wieder an die Arbeit und Herr Lehmann konnte es sich nicht verkneifen, ihn zu fragen, was er und Erwin eigentlich immer zu besprechen hatten.

»Oh …!« sagte Karl grinsend und machte sich schnell ein Bier auf. »Du wirst es nicht glauben, aber Erwin ist unter die Kunstkäufer gegangen. Er will was von mir kaufen, für seinen neuen Laden in Charlottenburg.«

Das, dachte Herr Lehmann, ist komisch formuliert. Früher hätte Karl das anders gesagt, dachte er, früher hätte er gesagt: Der Blödmann will was von mir kaufen. Was, dachte Herr Lehmann, soll das Gerede von ›du wirst es nicht glauben‹ und ›Kunstkäufer‹, warum redet er so komisch, dachte Herr Lehmann, aber er sagte nur: »Sieht so aus, als sei Charlottenburg deine Bestimmung.«

»Sieht so aus, sieht so aus.«

Herr Lehmann hätte gerne mit Katrin über Karl geredet, vielleicht wußte sie irgend etwas, was ihm entgangen war, bei Frauen ist das ja manchmal so, dachte er, aber sie war irgendwo im Gewühl verschwunden. Er sah sie später weiter hinten stehen und sich mit Klaus und Marko unterhalten, und nach der Beharrlichkeit zu schließen, mit der die beiden auf sie einredeten, hatte sie sich mit ihnen auf ein Gespräch über Musik eingelassen. Sie lebt sich schnell ein, dachte er, sie kommt mit allen gut klar, sie ist offener als ich, dachte er, für sie ist das alles neu und aufregend, und natürlich, dachte er, hat sie recht damit. Er erinnerte sich daran, wie es für ihn gewesen war, als er neu nach Berlin gekommen war, das war lange her, damals war er erst 21 gewesen, jetzt wurde er bald dreißig, und er nahm sich vor, selber wieder ein bißchen offener und positiver zu werden. Man vergreist ja sonst, dachte er und gönnte sich ein Bier.

Dann kamen die Polen. Sie waren zu fünft, und alles, was Herr Lehmann zuerst von ihnen sah, war der Hals eines riesigen Kontrabasses, der sich wie von selbst ins Gedränge zu schieben schien. Dann war eine hübsche, blonde Frau bei ihm und fragte mit schwerem Akzent, ob sie ein bißchen Musik spielen dürften. Herrn Lehmann war es recht und er machte die Krachmusik aus, woraufhin das allgemeine Geschrei gleich erheblich abebbte. Dann rückte die Masse an einer Stelle etwas auseinander und die Musiker – es waren vier, ein

Kontrabaß-, ein Akkordeon- und zwei Gitarrenspieler – begannen zu spielen. Es war eine eigenartige Musik, die sie spielten, irgendwie folkloristisch, und Herr Lehmann dachte darüber nach, ob das vielleicht Polkamusik war und ob das Wort Polka was mit Polen zu tun hatte. So oder so waren es sehr ungewohnte Klänge für das Einfall, aber das störte keinen, im Gegenteil, die Leute schienen die Abwechslung zu begrüßen, sie redeten weniger und einige nickten sogar mit dem Kopf im Takt. Das hat was, wenn man einfach so Musik spielen kann, dachte Herr Lehmann, das macht sicher Spaß. Plötzlich war Katrin neben ihm, hakte ihn unter und lächelte ihn an.

»Vielleicht sollten wir tanzen«, sagte sie.

»Nein«, wehrte Herr Lehmann ab, »nein, das geht nicht. Ich hab vom Tanzen überhaupt keine Ahnung.« Der Gedanke, vor all den Leuten zu tanzen, ließ ihn erschaudern.

»Na, komm schon«, sagte sie.

Herr Lehmann kämpfte mit sich einen schweren inneren Kampf. Er wünschte sich schon, jetzt in der Lage zu sein, so einen Quatsch zu bringen, aber er hatte nicht den Hauch einer Ahnung, wie das gehen sollte.

»Ich kann das nicht, wirklich nicht, ich bin der absolute Flop, was Tanzen betrifft«, sagte er und fügte nach einer kurzen Bedenkzeit hinzu: »Tut mir leid. Ich weiß, das ist traurig und enttäuschend und so, ich will ja auch keine Spaßbremse sein, aber es ist nun mal leider so.«

»Na, komm schon«, sagte sie und umfaßte seine Hüfte. »Ist doch ganz einfach, nur so ein bißchen hin und her.«

Herr Lehmann hätte schon gewollt, aber er konnte nicht. Schon allein die Hüften zu schwenken war ihm nicht gegeben, und dazu noch mit den Füßen oder den Beinen oder was auch immer etwas anzustellen, und zwar gleichzeitig und vor allen Leuten, war jenseits alles Denkbaren. Glücklicherweise wedelten einige Leute auf der anderen Seite des Tresens mit Händen und Geldscheinen und taten auch sonst alles mögliche, um seine Aufmerksamkeit zu erregen, so daß er einen guten Grund hatte, sich zu drücken.

»Ich muß arbeiten«, sagte er erleichtert, hob sie kurz hoch, drehte sich einmal mit ihr um seine Achse und stellte sie dann wieder hin. »Das muß reichen«, sagte er, »ich muß wirklich wieder arbeiten.«

»Na gut«, sagte sie lächelnd, »dann eben nicht.« Sie schien es nicht allzu schwer zu nehmen. Das beruhigte Herrn Lehmann, der ordentlich ranklotzen mußte, denn Karl war schon wieder verschwunden.

Die Polen kriegten viel Beifall und spielten noch ein Stück und dann noch eins, und damit begannen sie Herrn Lehmann, der sowieso leicht gereizt war, weil Karl verschwunden blieb, langsam auf die Nerven zu gehen. Vielen Gästen ging es wohl ähnlich, die Sache verlor ein wenig ihren Reiz, die meisten konzentrierten sich wieder auf das Wesentliche und verlangten nach Bier. Als Herr Lehmann Karl endlich entdeckte, tanzte der gerade mit Katrin. Es sah seltsam aus, er hielt sie einfach mit einem Arm fest an sich gedrückt, hob sie ein bißchen an, bis ihre Füße nicht mehr den Boden berührten, ruderte mit dem anderen Arm dazu in der Luft herum und torkelte so mit ihr durch die Leute. Das ist meine Technik, dachte Herr Lehmann ärgerlich, nur etwas verfeinert. Er kann es auch nicht, dachte er, aber er macht es trotzdem, und das beeindruckte ihn, man kann immer noch einiges von ihm lernen, dachte er. Als die Polen zu spielen aufhörten, stellte Karl sie wieder ab, und sie lachten beide und klopften sich auf den Rücken. Herrn Lehmann gefiel das nicht. Aber als sein bester Freund Karl wieder hinter den Tresen kam, ließ er sich nichts anmerken. Karl prostete ihm mit einem neuen Bier zu.

»Ganz schön schwer, deine Kleine«, sagte er augenzwinkernd. »Du mußt stärker sein, als ich immer dachte.«

Herr Lehmann sah ihm prüfend ins Gesicht. So redete er normalerweise nicht. Was sollen diese Schlüpfrigkeiten, dachte er, aber es war nichts Böses oder Hinterhältiges oder überhaupt irgend etwas im Gesicht seines besten Freundes zu entdecken, das einzig Seltsame war, daß er mit dem Grinsen und dem Zwinkern nicht mehr aufhörte. Außerdem schwitzte er wie ein Schwein und atmete schwer.

»Schon klar«, sagte Herr Lehmann. »Aber sag lieber nicht, daß sie meine Kleine ist, jedenfalls nicht, wenn sie das hören kann. Ich glaube, das kann sie nicht so gut ab, und dann fällt das auf mich zurück.«

»Ich schweige wie ein Grab«, sagte sein bester Freund pathetisch und legte zwei Finger an seine Lippen. »Versiegelt.«

Herr Lehmann wußte wirklich nicht, was der Scheiß sollte. »Sag mal, Karl, hast du irgendwie eine Krise oder so? Ich meine, ist irgendwas?«

»Was soll sein?« fragte sein bester Freund noch immer grinsend. »Ist alles bestens.« Und dann lachte er seltsam, irgendwie verklemmt, fand Herr Lehmann, und sein Ärger kehrte sich um in leichte Besorgnis. Er ist übermüdet, dachte er, und körperlich nicht auf dem Damm. Es ist wahrscheinlich nicht sein Tag.

In diesem Moment kam die blonde Frau, die mit einem Hut herumging, zu ihm und fragte nach Geld für die Musik. Herr Lehmann gab ihr zehn Mark aus der Kasse, und sie fragte ihn, ob er nicht auch mal Ferien in Polen machen wollte. Er schüttelte lächelnd den Kopf und sagte ihr, daß er schon seit Jahren keine Ferien mehr gemacht hatte. »Ich bin nicht der Typ für Ferien«, fügte er hinzu.

»Jeder ist Typ für Ferien«, sagte sie und schaute ihm dabei seltsam direkt in die Augen. »Du mußt dich auch mal ausruhen. Siehst müde aus.« Sie lächelte ihn an und holte eine Ringmappe hervor. »Kannst du mieten, sind verschiedene Häuser, ist alles möglich.« Sie schlug die Mappe auf, und Herr Lehmann besah sich einige Fotos von Häusern auf Wiesen und an Waldrändern, die auf Karton geklebt darin abgeheftet waren.

»Schön«, sagte er, weil er nicht wußte, was er sonst sagen sollte. Außerdem hatte er ja beschlossen, ab jetzt den Dingen etwas offener gegenüberzustehen, und er dachte, er könnte jetzt gleich mal damit anfangen. Er bot der Frau eine Zigarette an, aber sie lehnte ab.

»Ich hab selbst, sind besser«, sagte sie und nahm eine von ihren. »Sind schöne Häuser, schöne Landschaft, kannst du mal Ferien machen, mit Freunden, mit deiner Freundin.«

»Na ja«, sagte Herr Lehmann, »jetzt ist Herbst, das ist nicht gerade die Zeit, um Urlaub zu machen. Ich meine, scheiß Wetter und so.«

»Im Winter ist wunderschön«, sagte sie. »Schöner Schnee. Ich gebe dir mal meine Nummer.«

Sie nahm einen Bierdeckel und schrieb eine lange Telefonnummer auf. »Das ist Nummer in Polen«, sagte sie, »da bin ich oft. Mußt du nur anrufen und Elzbietta sagen.«

Herr Lehmann war irgendwie verwundert, daß man einfach so in Polen anrufen konnte. Schließlich lag es hinter dem Eisernen Vorhang und all das, was ihn wieder daran erinnerte, daß er seine Ostverwandtschaft noch anrufen mußte. »Braucht man da kein Visum?« fragte er.

»Visum ist kein Problem«, sagte sie, lächelte und sah ihm wieder direkt in die Augen. Sie stand auch sehr nah an ihm dran, und Herr Lehmann glaubte, ihr Haar riechen zu können. »Ist nicht so schlimm wie DDR.«

»Na dann«, sagte Herr Lehmann, der nicht wußte, worüber er sich sonst noch mit ihr unterhalten könnte. »Mal sehen.«

Sie legte ihm einen Finger auf die Brust. »Solltest du machen. Siehst müde aus. Polen ist nicht weit.«

»Nein«, gab Herr Lehmann zu und wurde sich plötzlich bewußt, noch nie über Polen nachgedacht zu haben, »weit ist das nicht.«

»Mußt auch mal ein bißchen was anderes machen«, sagte sie und sah ihn wieder so seltsam an. Herrn Lehmann wurde ein bißchen flau um den Magen herum.

Plötzlich stand Erwin bei ihnen. »Herr Lehmann, hilf mal dem Karl, der baut da nur Scheiße«, sagte er.

»Wieso?«

»Keine Ahnung, wieso. Kerle, Kerle, ich mach mir langsam echt Sorgen.«

»Du mußt mal Urlaub machen«, sagte die Polin zu ihm. »Siehst müde aus.«

Herr Lehmann ließ die beiden allein und schaute nach Karl. Der putzte seelenruhig die Kaffeemaschine, während hinter seinem Rücken die Meute nach Getränken rief.

»Was ist los mit dir, Karl?« fragte er. »Warum putzt du die Kaffeemaschine. Das kannst du doch später noch machen.«

»Die ist total verspackt«, sagte Karl, ohne auch nur aufzusehen. »Ich mach die mal eben fertig.« Er wienerte an der Maschine herum, als ob gleich die Kaffeemaschinenkontrolle käme. Herr Lehmann hatte keine Lust, mit ihm zu streiten, und kümmerte sich um die Leute. Das ging aber auch nicht, denn es war kein Beck's mehr da.

»Karl, wir brauchen Bier.«

»Ich muß das hier eben fertig machen. Habt ihr die denn die letzten Jahre nie geputzt?«

Herr Lehmann faßte es nicht.

»Bier, Karl, wir brauchen Bier.«

»Ja, ja«, sagte sein bester Freund und putzte immer weiter.

Das ist, dachte Herr Lehmann, während er sich schnell eine

Zigarette anzündete, wie wenn lauter blutende Verletzte herumliegen, aber die Rettungssanitäter waschen lieber ihren Wagen. Das ist, dachte er, während er die Treppe zum Keller hinunterstürmte, wie wenn einer eine Bank überfällt, aber die Polizisten bürsten lieber ihre Uniformen. Das ist, dachte er, während er mit einem Kasten Bier in jeder Hand die Treppe hinaufpolterte, wie wenn ein Schiff sinkt, aber die Mannschaft reinigt gerade das Deck.

Oben angekommen, verkaufte er das Bier direkt aus dem Kasten an die Leute weiter, auch wenn einige Klugscheißer sich natürlich gleich darüber beschwerten, daß es nicht richtig kalt sei. »Bier will nicht kalt sein, Bier will getrunken sein«, hielt er ihnen den alten Ruf aus jenen Tagen entgegen, als er und Karl noch im Schrot und Korn gearbeitet hatten, wo Erwin auf den Luxus von Kühlschränken und dergleichen von vornherein verzichtet hatte. Das heiterte ihn zwar ein wenig auf, aber er war trotzdem sehr beunruhigt. Karl putzte immer noch manisch an der Kaffeemaschine herum und machte mit seinem dicken Hintern die Räume eng. Früher war es immer Karl gewesen, der sich um den Nachschub kümmerte, das hatte ihm immer gelegen, und das Bier hätte schon vor langer Zeit nachgefüllt sein müssen, aber Karl hatte sich wohl den ganzen Abend überhaupt nicht darum gekümmert, obwohl er dauernd in den Keller gelaufen war und Quatsch geholt hatte. Das war wirklich beunruhigend, sehr beunruhigend. Es läuft nicht mehr rund mit uns beiden, dachte Herr Lehmann, und dieser Gedanke machte ihn traurig. Wir waren ein gutes Team, dachte er, aber das war einmal, wir waren mal ein perfektes Team, dachte er, so wie Bonnie und Clyde, wie Dick und Doof, wie Simon und Garfunkel, wie Sacco und Vanzetti oder, dachte er, und mußte sich eingestehen, daß dies der Wahrheit am nächsten kam, wie Bud Spencer und Terence Hill. Es ist Scheiße, 30 Jahre alt zu werden, ging es ihm durch den Kopf, man beginnt, eine Vergangenheit zu haben, eine gute alte Zeit und den ganzen Scheiß.

Er ging gleich wieder in den Keller, um noch mehr Bier zu holen. Als er wieder hochkam, hatte Karl damit begonnen, Gläser zu polieren, immerhin, aber Unsinn war auch das. Herr Lehmann fand genug Zeit, die Flaschen in die Kühlung zu tun, die meisten Leute hatten jetzt ihr Bier, wenn auch warmes, und die Kneipe begann sich auch schon wieder zu leeren, der Zenit war für das Einfall für heute nacht überschritten, die Leute zogen weiter in irgendwelche anderen Kneipen und in Clubs und Discos und was wußte Herr Lehmann was. Übrig blieben die zwanzig oder dreißig Mann, für die es keine anderen Kneipen, Clubs oder Discos gab. Auch die Polen waren noch da, sie saßen an einem Tisch zusammen und entspannten sich, während die blonde Frau damit beschäftigt war, Erwin und Katrin von den Vorzügen eines Urlaubs in ihrer Heimat zu überzeugen. Und jetzt kam auch noch Kristall-Rainer durch die Tür. Herr Lehmann stellte ihm nur eine Flasche und ein Glas hin. Sollte er sich doch selber einschenken. Sich selbst gönnte er noch ein warmes Bier.

»Wie geht's denn so?« fragte Kristall-Rainer und schenkte, das mußte Herr Lehmann ihm lassen, das Weizenbier gekonnt ein.

Herr Lehmann hätte ihn am liebsten gefragt, was ihn das anginge, statt dessen sagte er: »Alles klar« und half seinem besten Freund beim Gläserpolieren, was zwar Schwachsinn war, aber immer noch besser, als von Kristall-Rainer in ein Gespräch verwickelt zu werden.

»Worum geht's da?« wollte Karl wissen und wies mit dem Kopf zur Polin und Katrin und Erwin hinüber, zu denen sich nun auch Kristall-Rainer gesellte, und die sich alle zusammen über die Fotos beugten.

»Die vermietet Häuser, Ferienhäuser«, sagte Herr Lehmann. »In Polen.«

»Polen ist gut«, sagte Karl ernst.

»Wieso ist Polen gut?«

Karl dachte kurz nach und grinste dann. »Keine Ahnung.«

»Wieso sagst du dann, daß Polen gut ist?«

»Was weiß ich. Warum nicht?«

»Wenn man sagt, daß etwas gut ist, dann hat man doch einen Grund dafür.«

»Was ist denn los mit dir, Alter? Seit wann bist du so genau?«

»Ich bin nicht genau«, sagte Herr Lehmann, ohne zu wissen, warum er das Thema nicht fallenließ. »Ich will einfach bloß wissen, warum Polen gut ist. Ich meine, wenn man sagt, daß Polen gut ist, dann muß man doch einen Grund dafür haben.«

»Frank!« Sein bester Freund Karl stellte das Glas ab, das er gerade polierte. »Jetzt mach dich mal locker. Ich hab das nur so gesagt.«

»Ja, aber warum?«

»Frank«, sagte sein bester Freund Karl und schüttelte bedächtig den Kopf. »Manchmal mache ich mir echt Sorgen um dich.«

»Das ist gut«, sagte Herr Lehmann. »Das ist gut. Ich weiß nicht, ob Polen gut ist, aber das ist gut. Du machst dir Sorgen um mich!«

»Einer muß es ja tun«, sagte sein bester Freund Karl und streichelte ihm mit der Hand über den Kopf. »Aber mal davon abgesehen: Es macht Spaß, wieder mit dir zu arbeiten.«

»Ja«, sagte Herr Lehmann. »Spaß macht das.«

15. HAUPTSTADT

Die Tür fiel ins Schloß und Herr Lehmann war allein. Ihm war klar, daß es für ihn in diesem Moment nicht gerade gut aussah, tatsächlich sah es eher schlecht aus. Ich habe, dachte Herr Lehmann, ins Klo gegriffen, mit beiden Armen, dachte er, ganz tief. Er hätte gerne eine geraucht, aber er wußte nicht, ob das erlaubt war, es sah nicht danach aus, es gab zum Beispiel weit und breit, sofern man bei diesem kleinen, kahlen Raum, in dem sich nichts befand als ein Tisch, zwei Stühle und eine Neonröhre, überhaupt von weit und breit reden konnte, keinen Aschenbecher. Und Herr Lehmann ging stark davon aus, daß es besser war, die Leute hier nicht zu reizen. Es gab auch keine Fenster, und die Tür hatte innen keine Klinke.

So ist das also, dachte Herr Lehmann und versuchte sich zu erinnern, wie es so weit hatte kommen können. Erst war ja alles ganz normal gelaufen, sie hatten seinen Berliner Personalausweis akzeptiert, seinen Mehrfachberechtigungsschein für gut befunden, und sie hatten sein Geld getauscht. Katrin war Gott sei dank an einer anderen Stelle durch die Kontrolle gegangen, sie hatte nur einen westdeutschen Reisepaß, was ihr die Sache mit der Mehrfachberechtigung erspart hatte, andererseits aber Visumgebühren nach sich zog oder so, Herr Lehmann war sich da nicht ganz sicher, aber das ist nun auch ziemlich scheißegal, dachte er. Sie stand jetzt wahrscheinlich oben in Ostberlin und wartete auf ihn, während er hier unten in einem fensterlosen Raum im Bahnhof Friedrichstraße saß und der Dinge harrte, die da kommen sollten. Hoffentlich, dachte er, fragt sie nicht oben nach, wo ich bleibe, falls sie überhaupt oben ist und ich unten, vielleicht bin ich auch eher oben und sie unten, dachte er, es kam ihm zwar vor, als säße er in einem Keller, aber eigentlich kann man das nicht wissen, dachte er, denn das viele Auf und Ab im Bahnhof Friedrichstraße hatte seine Orientierung durcheinandergebracht.

Er war also schon fast durch gewesen mit dem ganzen Kram, als plötzlich ein Mann in Uniform auf ihn zugekommen war und ihn gefragt hatte, ob er irgend etwas anzumelden hätte. Herr Lehmann hatte »Nein, nicht daß ich wüßte«, gesagt, und der Uniformierte, ein freundlicher, dicker Mann, hatte »Kommen Sie doch mal mit nach nebenan« gesagt, und dann hatte er Herrn Lehmann die Taschen umdrehen und alles auf den Tisch legen lassen. Die fünfhundert Mark an sich, dachte Herr Lehmann grimmig, wären nicht das Problem gewesen, Geld an sich, dachte er, ist kein Beweis. Bitter war nur, daß diese fünfhundert Mark noch in dem Umschlag gesteckt hatten, den seine Eltern ihm gegeben hatten und auf den seine Oma in ihrer beeindruckenden Sütterlin-Handschrift sowohl den Namen wie auch die Adresse seiner Ostverwandtschaft geschrieben hatte, darunter sogar noch unterstrichen »Ost-Berlin« gesetzt hatte, was in den uniformierten Kreisen, in die Herr Lehmann hier geraten war, sicher ein ganz großer Brüller war.

Für meine Blödheit, dachte Herr Lehmann, sollten sie mich zu zwanzig Jahren Bautzen verknacken, Blödheit, dachte Herr Lehmann, muß bestraft werden, und ich bin blöd, blöd, blöd. Der Uniformierte hatte sich nichts anmerken lassen, hatte nicht etwa schallend gelacht oder so, er hatte nur »Aha, was haben wir denn hier?« gesagt, war verschwunden, war wiedergekommen, hatte Herrn Lehmann in diesen anderen Raum geführt, ihn auf diesen Stuhl gesetzt und die Tür von außen zugemacht. Und da saß er nun. Man sollte, dachte Herr Lehmann in dem Bemühen, eine Strategie zu entwickeln, nicht lange herumdödeln, man sollte gleich die Wahrheit sagen, dachte er, das entwaffnet, jedenfalls ist es das Einfachste, alles andere wäre noch blöder, dachte Herr Lehmann. Er sorgte sich nicht so sehr darum, in Ketten gelegt und nach Sibirien geschickt zu werden, das ist eher unwahrscheinlich, dachte er, aber die ungeheure Peinlichkeit seiner Lage hier unten bedrückte ihn sehr. Ich bin auf ihren guten Willen angewiesen, dachte er, da muß ich mich blödstellen, und das wird nicht einmal gelogen sein, dachte Herr Lehmann.

Die Tür ging wieder auf und ein anderer Uniformierter kam herein. Er trug eine riesige Schreibmaschine, die er auf dem Tisch abstellte. »Sie bleiben da sitzen«, sagte er, ging wieder hinaus und kam dann mit einigen Blatt Papier, dem Umschlag mit dem Geld und Herrn Lehmanns Ausweispapieren zurück, die er fein säuberlich und parallel zueinander auf den Tisch legte, bevor er sich setzte und Herrn Lehmann ansah.

»Dann wollen wir mal«, sagte er.

»Ja.«

»Was hat es mit diesem Geld auf sich?«

»Das hat mir meine Großmutter gegeben. Ich soll es einer Verwandten bringen, die in Ost … äh …« – Herr Lehmann nahm die letzte Ausfahrt zur Entspannungspolitik – »… in der Hauptstadt der DDR wohnt.«

»Das ist dann diese Frau …« – der Beamte tat, als würde er sich jetzt erst damit beschäftigen, »… das kann man ja kaum lesen, wer hat denn das geschrieben?«

»Meine Großmutter.«

»Also Helga Bergner heißt das ja wohl, die ist also Bürgerin der DDR?«

»Ja sicher, ich denke schon.«

»Was soll das heißen, Sie denken schon?«

»Na ja, sie wohnt bei Ihnen in der DDR, da wird sie wohl Bürgerin der DDR sein.«

»Werden Sie nicht pampig. Und wie sind Sie mit der Frau verwandt?«

»Sie ist eine Kusine meiner Mutter, glaube ich.«

»Glauben Sie?«

»Ja.«

»Was soll das heißen, glauben Sie?«

»Ich weiß es eigentlich.«

»Und Ihre Großmutter, wie heißt die?«

»Margarete Bick.«

»Und Sie heißen Lehmann?«

»Ja.«

»Und wie hängt das alles zusammen?«

»Na ja, also meine Mutter ist eine geborene Bick, und meine Großmutter war eine geborene Schmidt, und eine ihrer Schwestern, glaube ich, hat jemanden geheiratet, der dann wohl Bergner hieß, nehme ich an.«

»Nehmen Sie an?«

»Na ja, das wäre die einzige Erklärung. Außer, die Kusine meiner Mutter ist die Tochter von einem der Brüder meiner Großmutter, dann wäre sie eine geborene Schmidt, und dann hat sie wohl jemanden heiraten müssen, um Bergner heißen zu können. Sonst wären wir ja nicht verwandt.«

»Wollen Sie mich verkaspern?«

»Nein, nein, auf keinen Fall.«

»Glauben Sie, daß das hier so eine Art Spaß ist?«

»Nicht doch.«

»Denken Sie, ich mach hier Witze? Denken Sie, hier ist Kaffee- und Kuchenzeit und wir plaudern nur ein bißchen? Denken Sie …«, der Beamte wurde lauter und lief im Gesicht rot an, er ist noch jung, dachte Herr Lehmann, aber er sollte auf seinen Blutdruck achten, »... daß Sie gegen die ZOLL- UND DEVISENVORSCHRIFTEN DER DDR VERSTOSSEN KÖNNEN UND DANN HIER HERUMLABERN KÖNNEN, ODER WAS?«

»Aber Sie hatten doch gefragt«, sagte Herr Lehmann und nahm sich vor, beim Sichblödstellen einen Gang zurückzuschalten. Die haben hier dünne Nerven, dachte er, denen geht das alles ein bißchen an die Nieren, was bei ihnen so läuft.

»Und dann haben Sie diesen Umschlag extra in die Innentasche Ihres Mantels gesteckt, damit wir ihn nicht finden, falls wir Sie durchsuchen?«

»Nix«, wehrte Herr Lehmann entrüstet ab. »Das kann ja nun wirklich nicht sein. Fragen Sie doch Ihren Kollegen. Ich habe gleich alles auf den Tisch gelegt. Ich wußte doch gar nicht, daß das ein Problem sein könnte mit dem Geld.«

»Warum haben Sie das Geld nicht angegeben, als Sie von dem Zollbeamten gefragt wurden, ob Sie etwas anzumelden hätten?«

»Ich wußte ja nicht, daß ich es angeben muß. Was weiß ich denn von den Zollvorschriften hier.«

»Wenn Sie nichts von den Zollvorschriften wissen, warum haben Sie dann versucht, das Geld am Zoll vorbei in die DDR zu schmuggeln.«

»Ich habe ja gar nicht versucht, das Geld am Zoll vorbeizuschmuggeln. Ich habe auf die Frage, ob ich etwas anzugeben hätte, nur gesagt: ›Nicht daß ich wüßte.‹ Das habe ich gesagt. Sonst nichts. Und ich wußte es ja auch nicht. Wie soll ich darauf kommen, daß es da was anzumelden gibt. Ich meine, mal ehrlich ...«, Herr Lehmann beugte sich vor, um eine etwas vertraulichere Atmosphäre zu schaffen, »meinen Sie, wenn ich etwas schmuggeln wollte, was ich gar nicht zu schmuggeln brauche, dann würde ich das in einem Umschlag schmuggeln, auf dem die Empfängerin groß und fett von meiner Oma draufgeschrieben worden ist, mit Adresse und allem Kram?«

»Werden Sie jetzt mal nicht übermütig«, sagte sein Gegenüber streng. »Die Interpretation der Fakten sollten Sie lieber uns überlassen. Sie haben wohl noch nicht ganz begriffen, in was für eine Situation Sie sich gebracht haben?«

»Aber ich habe ja gar nichts getan.«

»Bleiben Sie hier sitzen, ich komme gleich wieder.«

»Kann ich mal eine rauchen?«

»Nein.«

Nach etwa fünf Minuten war der Beamte wieder zurück, und er legte gleich wieder los, so als ob er gar nicht weggewesen wäre.

»Warum haben Sie, als Sie gefragt wurden, ob Sie etwas anzugeben haben, nicht den Beamten nach den Vorschriften gefragt, das heißt, die Frage offengelassen und sich erst einmal erkundigt, bevor Sie sie verneinten?«

»Moment«, sagte Herr Lehmann verwirrt, »könnten Sie das noch einmal fragen?«

»Warum haben Sie, als Sie gefragt wurden, ob Sie etwas anzugeben haben, nicht den Beamten nach den Vorschriften gefragt, das heißt, die Frage offengelassen und sich erst einmal erkundigt, bevor Sie sie verneinten?«

Herr Lehmann begann, den Mann zu mögen. Der hat was, dachte er.

»Ich habe die Frage in diesem Sinne ja gar nicht verneint«, sagte er, »ich habe gesagt: ›Nicht daß ich wüßte.‹ Das könnte man sogar indirekt als Frage verstehen, zumindest aber als Hinweis darauf, daß mir die Vorschriften nicht bekannt gewesen sind, so daß man auf keinen Fall von bösartiger Täuschung oder so was ausgehen kann, ich habe ja gar keinen Hehl daraus gemacht …«

»Nein!« unterbrach ihn der Beamte.

»Wie, nein?«

»»Nein, nicht daß ich wüßte‹, das haben Sie gesagt. Sie haben gesagt: ›Nein, nicht daß ich wüßte.‹ Nicht nur: ›Nicht daß ich wüßte.‹ Sie haben gesagt: ›Nein, nicht daß ich wüßte‹.«

»Ja nun, das sagt man natürlich dann so, ich meine, man beginnt einen Satz mit ›Nein‹, wenn man ›nicht daß ich wüßte‹ sagen will, aber natürlich muß man das nicht als absolute Verneinung oder so interpretieren, das hat dann schon etwas Bösartiges.«

»Was meinen Sie mit bösartig? Wollen Sie den Zollbehörden der Deutschen Demokratischen Republik Bösartigkeit unterstellen?«

»Nicht doch.«

»Was reden Sie dann von Bösartigkeit?«

»Ich meine das Leben im allgemeinen.«

»Herr Lehmann!«

»Ja?«

»Sie faseln.«

»Ja nun, das ist eine ungewöhnliche Situation hier, das hat man nicht alle Tage, da ist man schon mal verwirrt, wer würde da nicht faseln?«

»Niemand, der in Ihrer Lage ist, sollte faseln, das ist nämlich dem Ernst der Sache nicht angemessen.«

»So kann man das natürlich auch sehen.«

»Sind Sie alleine hergekommen?«

»Ja, sicher.«

»Wieso sicher? Keine Freunde oder Freundin, die mitgekommen sind?«

»Nein.«

»Keine Komplizen also?«

»Nun, das ist jetzt nicht ganz korrekt aus dem geschlossen, was Sie gefragt und was ich gesagt habe. Selbst wenn ich mit

Freunden oder mit einer Freundin unterwegs gewesen wäre, das heißt, in die Hauptstadt der DDR und so, dann hieße das ja noch lange nicht, daß es sich dabei um Komplizen handelt. Im Gegenteil, es ist so oder so auszuschließen. Denn ich habe ja nicht wissentlich und absichtlich gegen Ihre Gesetze verstoßen, das möchte ich einmal betonen, das liegt mir gewissermaßen am Herzen, und wenn also schon mal nicht ich als jemand gelten kann, der bewußt gegen Gesetze verstoßen hat, dann kann ich so oder so keine Komplizen haben, das würde ja keinen Sinn ergeben.«

»Also keine Begleiter?«

»Nicht, daß ich wüßte.«

»Fangen Sie schon wieder damit an?«

»Womit?«

Der Beamte seufzte. »Was soll's«, sagte er, »wir machen am besten mal ein Protokoll.« Er zog die Schreibmaschine zu sich her und spannte ein Blatt Papier ein. Dann begann er, ein bißchen zu tippen. Mit zwei Fingern, wie Herr Lehmann bemerkte. Ab und zu verklemmten sich die Typenhebel ineinander, und er mußte sie erst wieder auseinanderfieseln. Das schien ihn nicht weiter zu stören. Der ist das gewohnt, dachte Herr Lehmann, das wird dauern.

»So. Protokoll der Vernehmung des Lehmann, Frank, Bürger der selbständigen politischen Einheit Westberlin«, las der Beamte vor. »Datum?«

»Fünfter elfter«, sagte Herr Lehmann hilfsbereit.

»Stimmt. Name?«

»Das hatten Sie doch schon.«

»Lehmann, Frank«, sagte der Beamte unbeirrt und tippte es auf.

Dann gingen sie an das eigentliche Protokoll. Der Beamte und Herr Lehmann feilschten um jeden Satz. Der am Ende von Herrn Lehmann zu unterzeichnende Schrieb war recht kurz und lief im wesentlichen darauf hinaus, daß Herr Lehmann zugab, gegen die Zollvorschriften und Devisengesetze der Deutschen Demokratischen Republik verstoßen zu haben, er aber Wert auf die Feststellung legte, daß dies nicht wissentlich geschehen war.

»Unwissenheit schützt nicht vor Strafe«, konnte der Beamte sich nicht verkneifen zu bemerken, nachdem Herr Lehmann unterschrieben hatte.

»Schon klar«, sagte Herr Lehmann.

»Sie warten hier«, sagte der Beamte und verschwand.

Nach einer halben Stunde, oder was Herr Lehmann dafür hielt, kam er wieder, aber er war nicht allein. Mit ihm kam ein etwas älterer Uniformierter, dessen Schulterklappen etwas schwerer bepackt waren, und dieser Mann brachte einen kühlen Wind in die Sache.

»Stehen Sie auf«, sagte er.

Herr Lehmann stand auf. Der neue Mann hielt ein Blatt Papier in der Hand, von dem er ablas.

»Gegen Frank Lehmann, Bürger der selbständigen Einheit Westberlin, geboren am 9. November 1959 in Bremen, BRD, ergeht folgender Beschluß: Wegen Verstoßes gegen die Zoll- und Devisengesetze der Deutschen Demokratischen Republik, insonderheit der Paragraphen …«

Er ratterte einige Paragraphen herunter und verlas den Beschluß, dem Herr Lehmann nur mühsam folgen konnte, es war alles etwas eigenartig formuliert.

»Haben Sie verstanden?« fragte der Mann, als er fertig war. Der andere, der Herrn Lehmann vernommen hatte, stand regungslos daneben und schaute an Herrn Lehmann vorbei auf die Wand.

»Ja nun«, sagte Herr Lehmann, »die fünfhundert Mark sind wohl weg.«

»Das Geld, das Sie versucht haben, unangemeldet in die

Hauptstadt der DDR einzuführen, wurde eingezogen«, bestätigte der Mann. »Die Hauptstadt der DDR verzichtet für heute auf Ihren Besuch.«

»In Ordnung.«

»Hier haben Sie eine Durchschrift. Sie können gegen diesen Beschluß beim zuständigen Gericht der DDR Beschwerde einlegen, das steht da alles drauf. Mein Kollege wird Sie zurück zur U-Bahn nach Westberlin bringen. Ihre Mark der DDR werden zurückgetauscht. Die Mehrfachberechtigung wird eingezogen. Die müssen Sie bei Bedarf neu beantragen.«

»Mal sehen«, sagte Herr Lehmann, dessen Bedarf jetzt eher gedeckt war.

»Sie können jetzt gehen.«

»Kommen Sie«, sagte der andere und hielt ihm die Tür auf. Herr Lehmann ging mit ihm den Weg, den er vor Stunden, wie ihm schien, gekommen war, wieder zurück, und es war ein bißchen wie in einem Film, der rückwärts läuft. Er mußte sein Ostgeld in Westgeld zurücktauschen, obwohl ihm das angesichts der fünfhundert Mark, die er gerade verloren hatte, jetzt auch egal war, und dann schleuste der Beamte ihn gegen die vorgeschriebene Richtung durch die Paßkontrollen. Irgendwann blieb er stehen, Herr Lehmann auch.

»Gehen Sie einfach da weiter«, sagte der Beamte und zeigte geradeaus, »die Treppe runter geht's zur U-Bahn nach Westberlin.«

»Ja«, sagte Herr Lehmann. »Tschüß dann.« Er ging weiter, und der Beamte blieb wortlos zurück. Als Herr Lehmann sich noch einmal umdrehte, stand er immer noch da und sah ihm nach. Herr Lehmann hob die Hand zum Gruß, aber der andere reagierte nicht. Er stand einfach nur da und sah ihm hinterher. Armer Willi, dachte Herr Lehmann und ging die Treppen zur U-Bahn hinunter.

16. KLARE WORTE

Herr Lehmann hatte sich für den Abend seines Ost-Ausflugs eine Schicht im Einfall geben lassen, nur für den Fall, daß seine Ostverwandte ihn zum Abendessen einladen wollte, eine Abendschicht war da eine schöne Ausrede. Nun war alles anders gekommen, und es war erst drei Uhr, als er nach Hause kam. Er sah keine bessere Möglichkeit, die gewonnene Zeit zu nutzen, als sich ein bißchen hinzulegen, und er hatte sich schon ausgezogen, als das Telefon klingelte. Er dachte, es wäre Katrin, die den Osten verlassen hatte, um sich nach ihm zu erkundigen, aber dann war es bloß Erwin, der aus dem Einfall anrief, um zu fragen, ob Herr Lehmann auch früher zur Arbeit kommen könnte.

»Ich bin eigentlich noch im Osten«, sagte Herr Lehmann, der keine Lust zum Arbeiten hatte und dem es außerdem wichtig war, für Katrin erreichbar zu sein. Sie macht sich sicher schon Sorgen, dachte er, die kommt jeden Moment aus dem Osten zurück und sucht mich.

»Ich brauche dich dringend«, sagte Erwin, »ich steh schon selber hier. Ich weiß auch nicht, was los ist, Heiko ist krank, nicht mal Rudi kann kommen.«

»Wer ist Rudi?« fragte Herr Lehmann.

»Ist doch egal«, sagte Erwin, »kann ja eh nicht kommen. Die sind alle krank, heute abend kommt wenigstens Verena.«

»Wieso Verena? Ich denke, Karl ist heute abend dabei.«

»Vergiß es«, sagte Erwin. »Der kommt nicht mehr.«

»Wie?«

»Ist eine lange Geschichte.«

»Karl kommt nicht mehr?«

»Kann ich jetzt nicht am Telefon erklären.«

»Dann bleib mal da«, sagte Herr Lehmann, »ich komme eben rüber.«

Er zog sich wieder an, machte für Katrin einen Zettel an die Tür und ging ins Einfall. Dort stand Erwin hinter dem Tresen und schäumte Milchkaffee für ein paar alleinerziehende Mütter auf, die sich nachmittags gerne dort versammelten. Ihre Kinder machten einen Heidenlärm, während die Mütter zur Beruhigung den Milchkaffee mit Schuß nahmen.

»Was ist mit Karl?« fragte Herr Lehmann.

»Gute Frage«, sagte Erwin. »Gute Frage. Er kam heute mittag in die Markthalle. Ich war auch da, zum Essen. Kam gleich zu mir, der Vogel, und fing Streit an. Ich weiß nicht, war der besoffen oder was, Kerle, Kerle!« Er wischte sich imaginären Schweiß von der Stirn. »So hab ich den überhaupt noch nicht erlebt. Meinte irgendwas von ich würde ihm eigentlich Geld schulden und ob ich schon mal ausgerechnet hätte, was er mir eingebracht hat und so Scheiß. Ich hab überhaupt nicht verstanden, was der wollte.«

»Na ja, wenn er besoffen war, das kommt schon mal vor.«

»Was weiß ich, ob der besoffen war. Dann hat er angefangen zu randalieren.«

»Karl?«

»Aber sicher. Fing an, die Leute anzupöbeln.«

»Und dann?«

»Und dann?« Erwin ließ von der Milchaufschäumerei einen Moment ab und blickte Herrn Lehmann in die Augen. In seinem Gesicht stand tiefe Erschöpfung. »Hat der mir eine gescheuert.«

»Nein.«

»Doch! Hier!« Erwin zeigte auf seinen Wangenknochen, aber da war nichts zu sehen.

»Wie jetzt? Da hat er dich hingehauen?«

»Was meinst du denn! Und dann ist er weggelaufen.«

»Glaube ich nicht.«

»Frag doch Heidi, die war dabei, frag doch Heidi, wenn du mir nicht glaubst. Echt mal, Frank«, wenn es ernst wird, nennen sie mich Frank, dachte Herr Lehmann, »ich glaube, der ist langsam ein bißchen plemplem, der dreht ab.«

»Karl doch nicht. Der hat nur eine kleine Krise. Wegen der Ausstellung und so.«

»Frank, der hat mir eine gescheuert! Mir!«

»Ja, Erwin«, sagte Herr Lehmann, »das geht natürlich nicht.«

»Hör auf mich zu verarschen, das ist ernst. Es ist ja nicht wegen mir. Der hat nicht mehr alle Marmeln an der Kiste.«

»Erwin, das ist jetzt wirklich blöd formuliert.«

»Was?«

»Marmeln an der Kiste. Wo soll das denn herkommen?«

Erwin zuckte mit den Schultern. »Na ja, mir ist das egal«, sagte er. »Bei mir arbeitet der jedenfalls nicht mehr. Wenn du sonst keine Probleme hast, als wie jemand was formuliert, bitte, kein Problem, mir ist das egal, ist dein Freund, bei mir arbeitet der jedenfalls nicht mehr.«

»Erwin, jetzt koch das doch nicht so hoch.«

»Nee, nee, ist mir egal. Da bin ich aber nicht der einzige. Kannst ja mal rumfragen, wegen mir die Deppen vom Abfall, das sagen alle. Mit dem stimmt was nicht.«

»Hör mal, Erwin, okay«, sagte Herr Lehmann. »Dann kann ich jetzt aber auf keinen Fall arbeiten, ich muß erst mal nach Karl gucken. Ich bin erst um acht dran. Kannst du das solange noch durchhalten hier mit den gefährlichen Müttern?«

»Ich weiß auch nicht«, sagte Erwin in resigniertem Ton. »Ich habe …« Er hielt inne und begann stumm an den Fingern zu zählen, »acht Kneipen im Augenblick. Drei in Kreuzberg, zwei in Schöneberg, jetzt die in Charlottenburg, das sind sechs, und dann noch, warte mal, vier in Kreuzberg, der Eimer ist ja auch in Kreuzberg, nein fünf, egal, jedenfalls habe ich immer nur hier Ärger. Immer nur hier. Wenn was los ist, immer hier. Einfall und Markthalle. Kann mir das mal jemand erklären?«

»Wahrscheinlich kann sich der Ärger nur da richtig entwickeln, Erwin, wo dein problemlösender Einfluß am stärksten ist.«

»Versteh ich jetzt nicht.«

»Du bist eben mehr hier als anderswo, Erwin. Bei den anderen Kneipen hast du immer noch Partner, die sich um den Scheiß kümmern, nur hier nicht.«

»Na ja«, sagte Erwin, »hier fing eben alles an.«

»Ja«, sagte Herr Lehmann, »hier fing alles an. Und ich muß mich jetzt mal um Karl kümmern, okay?«

»Wolltest du nicht heute in den Osten?«

»Ja, ich bin schon wieder zurück.«

»Wie war's denn so?«

»Geht so.«

»War da wieder Demo und so?«

»Hab keine gesehen.«

»Da geht ganz schön was ab.«

»Ich geh dann mal, Erwin. Um acht bin ich wieder da. Halt durch.«

»Ja, ja«, sagte Erwin. »Kümmer dich mal um den Vogel. Wer bin ich schon. Nimm auf mich keine Rücksicht.«

»Trink erst mal einen Pfefferminztee, Erwin. Mit Milch.«

»Jetzt hau schon ab.«

Herr Lehmann ging hinaus und durch den Görlitzer Park zur Cuvrystraße. Karls Ladenwohnung war abgeschlossen, und die Rolläden waren wie immer heruntergelassen. Es gab keine funktionierende Klingel. Frank wummerte eine Zeitlang mit der Faust gegen die Tür, aber er glaubte sowieso nicht, daß sein bester Freund daheim war. Der ist irgendwo auf der Piste, dachte er. Wenn er so einen Scheiß macht, dann ist er noch unterwegs, dachte er, dann legt man sich nicht einfach aufs Ohr oder feilt an irgendwelchem Schrott. Herr Lehmann versuchte sich zu erinnern, wann jetzt die Ausstellung seines besten Freundes war, am zehnten oder elften oder so, ich hoffe nur, dachte Herr Lehmann, während er zur Schlesischen Straße hinüberging, um dort seinen Kneipencheck zu beginnen, daß er seinen Kram jetzt fertig hat, denn wenn er erst einmal so drauf ist, dachte er, dann kriegt er wahrscheinlich überhaupt nichts mehr hin.

Zuerst überprüfte Herr Lehmann den Goldenen Anker, eine der Prollkneipen, die Karl in extremer Stimmung gerne besuchte, er stellte sich vor dessen großes Fenster und versuchte zu erkennen, wer sich da drinnen alles so tummelte, und ob Karl dabei war. Das war sinnlos, es war nichts zu erkennen, obwohl der Goldene Anker, und das war das einzig Gute, was Herr Lehmann über ihn sagen konnte, keine weißen Gardinen vor den Fenstern hatte, obwohl er das von seinem Charakter her hätte haben müssen, solche Kneipen haben eigentlich immer weiße Gardinen vor den Fenstern, dachte Herr Lehmann jedes Mal, wenn er den Goldenen Anker sah, nur der Goldene Anker nicht. Wahrscheinlich bloß deshalb nicht, weil der Goldene Anker drinnen immer so düster ist, dachte Herr Lehmann jetzt, daß es keine weißen Gardinen braucht, um die Blicke der Welt fernzuhalten. Also mußte er in den Goldenen Anker hinein. Nachdem sich seine Augen an das Dunkel im Inneren gewöhnt hatten, sah er nur ein paar verlorene Gestalten, Rentner und andere Müßiggänger, die über den großen Raum verteilt herumsaßen und in Schultheißflaschen starrten, die hier für nur zwei Mark über den Tresen gingen, eine Form des Dumpings, die nur durch des Goldenen Ankers unendliche Trostlosigkeit akzeptabel war, wie Herr Lehmann fand. Karl war nicht da, und Herr Lehmann war auch nicht in der Stimmung, die dicke Frau hinter dem Tresen nach ihm zu fragen. Das war hier nicht seine Welt, und außerdem hätte er dann pro forma ein Schultheiß trinken müssen, und das, dachte Herr Lehmann, würde zu weit gehen.

Also ging er weiter und arbeitete sich die Schlesische Straße hinunter vor bis zum Schlesischen Tor, überprüfte das griechische Restaurant, in dem Karl manchmal riesige Portionen Gyros in sich hineinschaufelte, den Italiener daneben und eine Autonomen-Kneipe, deren Namen er nicht kannte und auch nicht kennen wollte. Dann ging er am Schlesischen Tor in die Klausur, einen gruftigen Laden mit roten Plüschvorhängen, den er ganz gerne mochte, und sprach dort mit der Nachmittagsbedienung, einem Mädchen namens Sabine, aber die kannte Karl kaum und hatte ihn auch nicht gesehen, und weil das alles ja doch nichts brachte, ging er schließlich ohne weitere Umwege in die Markthalle und sprach dort mit Heidi. Die bestätigte das, was Erwin erzählt hatte.

»Aber was war denn los, was sollte das denn?« fragte Herr Lehmann, nachdem sie ihm einen Kaffee und einen Ouzo gegeben hatte, etwas, was Herr Lehmann sonst nie bestellte, schon weil es Schnaps war, aber dies war ein außergewöhnlicher Tag, und das griechische Restaurant hatte ihn irgendwie an die Möglichkeit erinnert, Ouzo zu trinken. »Wie kam er denn auf so einen Scheiß?«

»Ich weiß es nicht. Der war ganz komisch drauf, das war ganz schrecklich«, sagte sie und setzte sich auf den Hocker, den sie sich immer hinter den Tresen stellte. »Das war, wie wenn man den gar nicht kennt. Wolltest du heute nicht mit Katrin im Osten sein?« wechselte sie plötzlich das Thema.

»Bin schon wieder da«, sagte Herr Lehmann. »Weißt du vielleicht, wo er hingegangen sein könnte?«

»Keine Ahnung. Was läuft eigentlich so mit dir und Katrin?«

Herr Lehmann sah ihr prüfend ins Gesicht. »Wieso?«

»Seid ihr jetzt zusammen?«

»Hast du das Katrin auch schon gefragt?«

»Ach die …« Heidi machte eine wegwerfende Handbewegung. »Die redet doch kaum mit mir. Also ich weiß nicht …«

»Ich auch nicht«, sagte Herr Lehmann. »Ich muß mal eben telefonieren.«

Er ging zum Klo und rief bei Katrin an. Es nahm niemand ab. Er sagte auf ihren Anrufbeantworter, was im Osten passiert war, daß mit ihm alles in Ordnung sei, und daß er hoffe, bei ihr sei das genauso, und dann ging er zurück an den Tresen. Heidi saß versonnen auf ihrem Hocker und starrte durch das gegenüberliegende Fenster in den trüben Tag hinaus.

»Ich fahre diesen Winter weg«, sagte sie an ihm vorbei in den Raum hinein. »Das tu ich mir nicht mehr an. Nach Bali.«

»Allein?«

»Nee, mit zwei anderen Leuten. Ist nicht teuer, wenn man erst mal da ist. Die nehmen mich mit, die haben einen Vertrieb für Bali-Klamotten, die sind da dauernd. Vielleicht kann ich auch für die arbeiten, mal sehen.«

»Das ist sicher eine gute Sache«, sagte Herr Lehmann, »Bali und so.«

»Ja. Ich habe keinen Bock mehr auf den Winter hier, ehrlich. Das schafft mich jedesmal.«

»Ja klar«, sagte Herr Lehmann. »Aber wegen Karl: Hast du irgendeine Ahnung, wo der jetzt sein könnte?«

»Nein. Bei dem blicke ich schon lange nicht mehr durch.«

»Kommt er dir denn schon länger irgendwie komisch vor? Erwin meint, der dreht ab oder so.«

»Ach Erwin. Erwin redet auch viel, wenn der Tag lang ist. Karl ist halt Karl. Aber so wie heute, das war schon komisch. Und wie er dann Erwin eine gelangt hat ...«

»Mit der Faust?«

»Nein, das war so 'ne richtige Ohrfeige, das hat richtig geklatscht.«

»Was hat er denn plötzlich gegen Erwin?«

»Ich habe keine Ahnung, wirklich. Das war ziemlich wirr, was er da so geredet hat. Außerdem war er ja auch so besoffen, und gestunken hat der ...«

»Hm ...«

»Ich glaube aber, Karl hat eine Freundin irgendwo. Ich weiß nicht, wie die heißt, aber die hat eine Kneipe in 61.«

Herr Lehmann erinnerte sich an den Abend, an dem sie alle zusammen ins Savoy gegangen waren, und an die Frau, die Karl über den Kopf gestreichelt hatte. Da hätte ich auch gleich drauf kommen können, dachte er. Er trank den Ouzo und schüttelte sich.

»Seit wann trinkst du denn so was?« fragte Heidi.

»War nur so 'ne Idee gewesen.« Herr Lehmann schüttete den Rest seines Kaffees dem Ouzo hinterher und stand auf.

»Schreibst du das auf?«

»Das geht nicht mehr«, sagte Heidi.

»Wieso geht das nicht mehr?«

»Erwin hat gesagt, auch die Leute, die für ihn arbeiten, sollen ihren Kram jetzt immer gleich bezahlen. Er kann uns nicht immer alle mit durchfüttern, hat er gesagt. Umsonst gibt's nur noch, wenn man arbeitet.«

»Seit wann das denn?«

»Hat er vorhin gemeint. Nachdem Karl weg war. Da hat Erwin erst einmal die Zettel von den Leuten durchgeguckt. Deinen auch.«

»Was soll denn der Scheiß jetzt?«

Heidi zuckte mit den Schultern.

»Ich kann nichts dafür. Mußt du Erwin fragen. Ich weiß aber was!« sagte sie lächelnd.

»Was denn?«

»Ich schreib's einfach nicht auf. So einfach ist das.«

»Du bist in Ordnung, Heidi.«

»Schön, daß du das mal merkst.«

»Habe ich immer gewußt.«

»Um so schöner, daß du's mal sagst.«

»Ich geh jetzt mal Karl suchen, okay?«

»Klar. Was ist eigentlich jetzt mit dir und Katrin?«

»Schwer zu sagen.«

»Ich glaube, die ist nichts für dich.«

»Um so schöner, daß du's mal sagst.«

»Jetzt hau mal ab und such Karl.«

Bis zum Savoy war es ein langer Fußmarsch, aber mit der U-Bahn war es noch blöder und Taxi fuhr Herr Lehmann nicht gern. Außerdem war es nicht unwahrscheinlich, daß Karl irgendwo in den Straßen herumstrolchte und Herr Lehmann ihn irgendwo aufgabelte, wenn er zu Fuß unterwegs war. Er ging über den Lausitzer Platz, den Spreewaldplatz, die Ohlauer Straße und dann hinter dem Kanal schräg rechts durch ein Stückchen Neukölln bis zum Kottbusser Damm, den überquerte er und ging in die Schönleinstraße, wo er, da er schon einmal hier war, noch schnell das Schlawinchen überprüfte, allerdings ohne Erfolg, und das war auch besser so, denn wenn er schon im Schlawinchen ist, dachte Herr Lehmann, dann steht es ganz schlecht um ihn. Danach mußte er nur noch die Dieffenbachstraße ganz runter bis zur Grimmstraße, und dort an der Ecke war das Savoy.

Der lange Spaziergang tat ihm gut, er gab ihm viel Zeit zum Nachdenken, und je mehr er über alles nachdachte, desto weniger gefiel es ihm. Es ist nicht mehr wie früher, dachte er, es ist nicht mehr in Ordnung, es ist in allem der Wurm drin, dachte er, aber er fand es schwer, die Sache auf den Punkt zu bringen. Daß es nicht so wie früher ist, ist kein gutes Argument, hielt er sich selbst vor, so reden Leute, die bald dreißig werden, das ist Quatsch, es kommt nicht darauf an, daß es wie früher ist, dachte er, es kommt darauf an, daß es gut ist. Aber es ist der Wurm drin, dachte er, und das Rätsel um Karl schien ihm symptomatisch für die ganze Sache zu sein, was immer die ganze Sache war. Irgendwas funktioniert nicht mehr, dachte er, wie soll Karl da noch funktionieren, aber dann verwarf er diesen Gedanken gleich wieder als zu billig, so einfach sollte man es sich nicht machen, dachte er. Daraufhin versuchte er, wenigstens die verschiedenen Punkte zusammenzubringen, an denen es überall hakte, um so eine Erklärung für sein allgemein schlechtes Gefühl zu haben. So viele Dinge liefen schief in letzter Zeit, und er war sich nicht sicher, ob die Geschichte mit Katrin, so wie sie sich entwickelte, ein Lichtblick war, der den anderen Kram vergessen machen konnte. Alles ist halb, dachte er, die Prügeleien, Detlev, Luke Skywalker, der Scheiß von Erwin, Kristall-Rainer, die Kunst von Karl, die Ausstellung in Charlottenburg, das geplante Design-Studium von Katrin, die Hauptstadt der DDR, die auf seinen Besuch verzichtete, seine Arbeit im Einfall, das Publikum dort, da ist irgendwie das Feuer raus, dachte er und grübelte den Rest des Weges darüber nach, ob tatsächlich alles anders war oder ob es ihm nur so erschien, weil er selbst sich verändert hatte. Wieso aber, dachte er, sollte ich mich verändert haben, ich wollte mich ja gar nicht verändern, dachte er, und dann war er in Gedanken wieder bei Karl, der sich auf jeden Fall irgendwie verändert hatte, der in letzter Zeit etwas seltsam war und neulich auch so bitter, was gar nicht zu ihm paßte, denn Karl war immer die sichere Bank gewesen, auf die man sich verlassen konnte, wo Karl war, war der Spaß gewesen, und Spaß hatten sie immer gehabt, und solange man den Spaß hat, dachte Herr Lehmann, ist alles gut. Vielleicht ist es umgekehrt, dachte er, vielleicht ist es nicht so, daß Karl nicht mehr funktioniert, weil alles andere nicht mehr funktioniert, sondern daß alles andere nicht mehr funktioniert, weil Karl nicht mehr funktioniert, aber auch diesen Gedanken verwarf er als zu billig, so einfach ist das nicht, dachte er, so läuft das nicht.

Als er im Savoy ankam, war er nicht viel klüger als zuvor, aber wenigstens wußte er jetzt, daß alles nicht stimmte, daß es nicht nur ein bißchen Kleinkram war oder eine Anhäufung unglücklicher Zufälle, die ihn so nervten, und das beruhigte ihn irgendwie. Wenn alles nicht stimmt, dachte er, als er das Savoy betrat, dann hat man mehr Möglichkeiten.

Hinter dem Tresen stand eine Frau, und Herr Lehmann glaubte sich zu erinnern, daß sie es war, die Karl neulich über den Kopf gestreichelt hatte. Jetzt, bei Tageslicht, sah sie älter aus, als Herr Lehmann damals gedacht hatte, er schätzte sie auf 35 oder 40, und er erinnerte sich, daß Karl immer schon eine Schwäche für Frauen gehabt hatte, die älter waren als er selbst. »Nimm nie die jungen Dinger«, hatte er einmal zu Herrn Lehmann gesagt, »mit denen hast du nur Ärger. Die wollen dauernd ihr Leben ändern und dann paßt du da plötzlich nicht mehr rein«, hatte er gesagt. Karl hat seine ganz eigenen Weisheiten, dachte Herr Lehmann. Er setzte sich der Frau gegenüber und bestellte erst einmal ein Bier, das hatte er sich jetzt verdient. Sie hatten nur Bier vom Faß. Na ja, dachte Herr Lehmann, die Zapferei hält sie jedenfalls für einige Zeit hier fest.

»Weißt du, wo Karl ist«, fragte er schließlich, während sie an dem Bier arbeitete. Die Frage kostete ihn einige Überwindung, er sprach nicht gern mit Leuten, die er nicht kannte, auch nicht über Dinge, die sie vielleicht gemeinsam haben könnten.

»O ja«, sagte sie und lächelte bitter, wie Herr Lehmann fand. »Du bist Herr Lehmann?«

»Ja. Woher weißt du das?«

»Ihr wart doch vor ein paar Wochen mal hier. Und er redet in letzter Zeit viel von dir. Sicher mehr als von mir. Ich bin Christine. Hat er dir mal was von mir erzählt?«

»Sicher«, log Herr Lehmann.

»Wundert mich«, sagte sie. »Er ist nicht der Typ, der von mir erzählt.«

»Wieso«, sagte Herr Lehmann, »wir waren doch letztens erst hier.«

»Na und? Habe ich etwa mit am Tisch gesessen?«

»Nein. Warum nicht?«

»Gute Frage.«

Herr Lehmann mochte diese Unterhaltung nicht. Sie aber schien schon lange darauf gewartet zu haben. Herr Lehmann musterte sie verstohlen, während sie weitersprach. Sie sah nett aus. Und irgendwie traurig. Sie hatte etwas Tragisches um die Augen, fand Herr Lehmann, darin erinnerte sie ihn an Romy Schneider, aber im Gegensatz zu Romy Schneider mochte er sie. Romy Schneider konnte er nicht ausstehen, außer in den Sissy-Filmen, aber das hätte er nie zugegeben.

»Für Karl gibt es die eine Welt und die andere Welt«, sagte sie. »Du bist in der einen Welt, ich bin in der anderen Welt. Und er achtet fein säuberlich darauf, daß sich diese beiden Welten nicht berühren. Die Frage ist bloß: Welche von beiden Welten ist für ihn die richtige?«

»Welche?« fragte Herr Lehmann, um irgendwie am Ball zu bleiben.

»Eure Welt natürlich«, sagte sie. »Ich habe darüber viel nachgedacht. Wenn er zu mir sagt: Du bist die Einzige, dann meint er das als Kompliment, und er meint es auch ehrlich. Das Problem ist nur …«, sie wollte das Bier vor Herrn Lehmann hinstellen, aber er nahm es ihr gleich aus der Hand, »… daß sich das nur auf unsere Welt bezieht. Das ist das Bittere daran. Es bedeutet nämlich, daß es in unserer Welt nur uns beide gibt. Und das ist für ihn nicht sehr spannend. Deshalb erzählt er mir von dir, aber dir nicht von mir.«

»Ach so.«

»Er kommt auch nur hierher, wenn er bei euch nicht mehr weiterweiß. Wenn er sich ausruhen muß. Ich bin praktisch seine Luftmatratze.«

»Nun, nun«, sagte Herr Lehmann, dem das jetzt ein bißchen zu weit ging und auch ein bißchen peinlich war. Sie kennt mich kaum, dachte er, und erzählt mir solche Sachen. Die Frau, die Christine hieß, goß sich derweil einen Brandy ein. Was, dachte Herr Lehmann, haben diese Kneipenbesitzer bloß immer mit den braunen Schnäpsen.

»Wobei das schon zu viel gesagt ist«, fuhr sie fort und nippte an ihrem Glas. »Seine Luftmatratze zu sein, würde wenigstens bedeuten, daß er sich ab und zu mal auf mich drauflegt. Damit ist aber in letzter Zeit auch nicht mehr viel los.«

»Ja nun«, sagte Herr Lehmann hilflos. »Hast du denn das Gefühl, daß er sich in letzter Zeit irgendwie verändert hat? Irgendwie abdreht?«

»Ist mir nicht besonders aufgefallen. Kann schon sein, daß das so ist. Das ist dann aber euer Problem. Bei mir ist das egal. Willst du ihn mal sehen? Dann weißt du, was ich meine.«

»Ja.«

Die Frau sagte ihrer Kollegin Bescheid und ging mit ihm hinaus und um die Ecke wieder in dasselbe Haus hinein. So wie es aussah, hatte sie die Wohnung direkt über der Kneipe. Die Leute, die Kneipen haben, dachte Herr Lehmann mal wieder, haben nie das Problem, eine Wohnung finden zu müssen. Sie schloß umständlich auf, fummelte mit den Schlüsseln, bückte sich tief zum Schloß hinunter und führte den Schlüssel vorsichtig ein, so als ob irgend etwas davon abhinge, daß man es auf eine bestimmte Weise tut. Als sie in den Flur der Wohnung kamen, hörte Herr Lehmann ihn schon schnarchen.

»Guck dir das Elend ruhig mal an«, sagte die Frau, »dann weißt du, worum es geht, wenn er hier herkommt.«

Herr Lehmann folgte ihr durch den langen Flur in ein Wohnzimmer, in dem ein großes Sofa stand, auf dem Karl lag und schlief. Er lag in einer eigenartig verdrehten Stellung, halb auf der Seite, seine Beine hingen vom Sofa herunter auf den Fußboden, das T-Shirt war ihm hochgerutscht und entblößte seinen großen Bauch, der wie ein praller Sack zur Seite hing. Er schnarchte, daß die Wände wackelten, und im Zimmer roch es nach Alkohol, Achselschweiß, alten Socken und Zigaretten.

»Alles klar?«

»Alles klar.« Herr Lehmann merkte, daß er Christine auch nicht mochte. Genauso wenig wie Romy Schneider. »Kannst du ihm sagen, daß er sich mal bei mir melden soll, wenn er aufwacht?«

»Wenn er aufwacht, haut er wahrscheinlich gleich wieder ab«, sagte sie. »Das ist meistens so. Ich weiß überhaupt nicht, warum ich ihn überhaupt noch reinlasse.«

»Ja«, sagte Herr Lehmann, »das ist schwer zu verstehen.«

»Wie meinst du das?«

»Na ja, nur so …«

»Ich tu mir das nicht mehr an«, sagte sie. Karl legte derweil beim Schnarchen noch eine Schaufel drauf. »Wenn du ihn sprichst, bevor ich ihn spreche, dann kannst du ihm ja sagen, daß er gar nicht mehr wiederzukommen braucht.«

»Okay.«

»Ich hab die Schnauze voll.«

»Okay.« Herr Lehmann ging zum Ausgang. Sie kam hinter ihm her.

»Das kannst du ihm sagen. Nie wieder. Das kann er sich schenken. Das wird gar kein Problem für ihn sein. Der wird dann nicht mal mehr anrufen.«

»Wie lange kennt ihr euch schon?«

»Du meinst, wie lange wir zusammen sind? Wie lange wir schon ficken, oder was?«

»Na ja, irgend so was.«

»Ha!« Sie holte ihn ein, öffnete vor ihm die Tür und hielt sie ihm auf. »Zwei Jahre. Zwei Jahre für nichts.«

»Was soll ich sagen …«

»Du sollst gar nichts sagen.«

»Nein, tu ich auch nicht.«

»Am liebsten wäre es mir, wenn du ihn gleich mitnehmen würdest«, sagte sie.

Herr Lehmann blieb unschlüssig stehen. Er war schon draußen, sie stand in der Tür und blickte ihn an. »Vielleicht sollte ich das tun«, sagte er.

»Den kriegst du jetzt nicht wach«, sagte sie. »Das habe ich schon oft versucht.«

»Dann nicht«, sagte Herr Lehmann. »Tragen kann ich ihn nicht.«

»Nein«, sagte sie und lächelte freudlos. »Den kann man nicht tragen.«

»Mach's gut«, sagte Herr Lehmann und ging. Sie blieb in ihrer Wohnungstür stehen und sah ihm nach wie einem alten Bekannten, der sich nach all den Jahren mal wieder gemeldet hatte und auch leider schon wieder gehen mußte.

17. ÜBERRASCHUNG

Als Herr Lehmann Christines Haus verließ, war es nach seiner Schätzung erst halb sechs, und er hatte überhaupt keine Lust, Erwin vorzeitig aus seinem Elend zu erlösen. Ich hätte mich vorhin einfach hinlegen sollen, dachte er, ich hätte niemals ans Telefon gehen dürfen, dann würde ich jetzt schlafen, so wie Karl. Nun war es dafür zu spät. Außerdem hatte er Hunger, also entschloß er sich, am Kottbusser Tor etwas zu essen. Aus Kreuzberg 61 wollte er so schnell wie möglich wieder raus, das deprimierte ihn immer, und durch Neukölln, und sei es nur das kleine Stück Bürknerstraße, das er auf dem Hinweg hatte nehmen müssen, wollte er schon gar nicht mehr gehen, das war noch schlimmer, deshalb war das Kottbusser Tor die beste Lösung, es war nicht weit dahin, und dort gab es einige gute türkische Restaurants. Zuerst ging er dort in eine Telefonzelle und rief bei Katrin an, aber da meldete sich wieder nur der Anrufbeantworter. Langsam begann er sich Sorgen zu machen. Dann ging er in ein nahe gelegenes türkisches Restaurant der strengeren Sorte, eines mit Koran-Inschriften an der Wand und ohne Alkohol und so weiter, er hatte es vor einigen Wochen erst entdeckt, und es war zwar eigentlich mehr ein Imbiß, aber dieser Imbiß hatte ein paar Tische, an denen man sitzen konnte, und das Essen war das beste türkische Essen in der Stadt, davon war Herr Lehmann überzeugt. Er war damals, nachdem er es entdeckt hatte, gleich mit Katrin hingegangen, und ihr hatte es auch gefallen, das kleine, seltsame Restaurant, das eigentlich mehr ein Imbiß war, und es hatte, zumindest nach Herrn Lehmanns Meinung, auch unter romantischen Gesichtspunkten ordentlich was hergemacht.

Das ist das Gute an ihr, dachte Herr Lehmann, als er den kleinen Laden betrat, der unten im Neuen Kreuzberger Zentrum untergebracht war, etwas versteckt hinter den Gehwegeinfassungen aus Beton, daß sie sich, zumindest was Essen betrifft, nicht von Schnickschnack wie Kerzenlicht und arroganten Kellnern mit Schürzen blenden läßt, dachte er, daß es ihr um die Sache selbst geht, um das Essen vor allem. Und auch bei der Romantik, dachte Herr Lehmann, geht es um etwas ganz anderes als um diesen äußeren Schnickschnack, ob es romantisch ist oder nicht, dachte er, während er das Angebot in der Vitrine studierte, hängt in erster Linie davon ab, mit wem man ißt und was man ißt, das hat nichts mit schummrigem Licht und gefalteten Servietten zu tun. Und schummriges Licht war hier nicht, im Gegenteil. Es war auch nicht besonders voll, tatsächlich war Herr Lehmann der einzige Kunde. Dieser Laden wird seine Zeit brauchen, dachte Herr Lehmann, aber er war optimistisch, daß er überleben würde, es gab ihn noch nicht lange, da machte es nichts, wenn erst einmal keiner kam. Es wird auf Dauer schon genug Leute geben, dachte Herr Lehmann, die so dermaßen gute Köfte wie die hier zu schätzen wissen. Und Köfte bestellte er sich, so wie die letzten beiden Male auch, dazu Reis und eine Menge »von diesem Salat aus Petersilie und Kram«, wie er es nannte, als er mit dem Mann hinter dem Tresen sprach, der kaum ein Wort deutsch verstand, aber Köfte machte, daß es einem, wie Herr Lehmann dachte, das Wasser in die Augen treibt.

Außerdem, dachte er, als er sich mit einem Glas Tee an einen Tisch hinten an der Wand setzte und auf sein Essen wartete, ist in den mediterranen Ländern immer alles gut beleuchtet, es ist eine fröhlich machende Sache, dachte er, daß sie ihre Imbisse und Restaurants immer schön hell ausleuchten, die Türken lieben das Licht und nicht die Grotte, aber je mehr sie sich assimilieren, dachte er und rührte die beiden Stücke Zucker in das kleine, taillierte Teeglas, desto grottiger werden ihre Lokale, als ob das Altfränkische immer und überall durchbricht, dachte Herr Lehmann, fehlt nur noch, daß sie Butzenscheiben in die Fenster tun.

Davon konnte hier aber keine Rede sein, im Gegenteil, hier war alles blendend hell erleuchtet und die Fensterscheiben nahmen die ganze Wand nach draußen ein, und Herr Lehmann fühlte sich wie im Urlaub, als er seinen Tee schlürfte. Es wird Zeit, dachte er, wieder positiv zu denken, Hauptsache ist erst einmal, daß Katrin heil aus dem Osten raus ist, aber was soll ihr schon passieren, dachte Herr Lehmann, sie hat ja nun überhaupt gar nichts getan, da können die Ostler sagen, was sie wollen, außerdem haben die gerade andere Sorgen, und Geld hat sie auch nicht, das sie ihr abnehmen können, beruhigte er sich. Die düsteren Gedanken, die er auf dem Weg zum Savoy gehegt hatte, versuchte er jetzt zu vertreiben, das bringt nichts, so negativ zu denken, dachte er, es gibt auch eine Menge Gründe, warum man das alles nicht so ernst nehmen sollte, und der erste dieser Gründe ist, daß man niemals nach 61 gehen sollte, dachte Herr Lehmann, und wenn, dann schon gar nicht durch Neukölln, es sind die schlechten Vibes von Neukölln, dachte er, die schwallen auf einen ein, während man durch die Bürknerstraße läuft, da kommt man übel drauf. Dann kam sein Essen auf einem ovalen Blechteller und alles war gut, selbst daß es hier kein Bier gab, störte ihn nicht wirklich.

Er hatte alles aufgegessen und sich gerade noch einen Tee geholt, als Katrin und Kristall-Rainer hereinkamen. Sie sahen ihn nicht und hielten sich an den Händen, während sie mit dem Rücken zu ihm an der Theke standen und ihr Essen auswählten, und dann machte Kristall-Rainer auch noch zu allem Überfluß seine Hand los und streichelte, mehr unten als oben, über ihren Rücken, so als ob er es nur für ihn, Herrn Lehmann, täte, als ob Herr Lehmann besonders begriffsstutzig wäre, und sie ließ das nicht nur geschehen, sie schien es, soweit Herr Lehmann das von hinten beurteilen konnte, auch noch zu mögen.

Herr Lehmann wollte nicht glauben, was er sah. Er saß, mit dem Rücken an der Wand, das Teeglas in der Hand, einfach nur da und starrte sie an, und er wollte es nicht glauben. Und er dachte erst einmal nichts. Und als er wieder etwas dachte, dachte er: Mein Gott, was müssen die blind sein, die müssen mich doch sehen, wenn sie hereinkommen, ich sitze doch nicht hinter einem Wandschirm oder so, hier ist es doch taghell, dachte er, dies ist doch nicht der Goldene Anker, und dann wurde ihm klar, daß das nun wirklich nicht das Problem war, das ist Kristall-Rainer, dachte er dann, den hält man nicht an den Händen, dem schiebt man ein Weizenbier rüber, so einfach ist das, ohne Zitrone und fertig, aber damit wurde es auch nicht besser.

Es kam ihm ewig vor, wie sie dort standen und mit dem total bescheuerten Türken, der sichtlich von ihnen angetan war, über sein bescheuertes Essen redeten. Dann bekam jeder von ihnen ein Getränk, Katrin eine Cola und Kristall-Rainer eine Fanta. Eine Fanta, dachte Herr Lehmann, das geht nicht, so geht das nicht, Kristall-Rainer kann doch nicht einfach eine Fanta trinken. Das brachte ihn auf den Gedanken, daß vielleicht alles gar nicht wahr sei, aber dieser schöne Gedanke hielt nicht lange vor. Ich muß irgendwie die Initiative ergreifen, dachte Herr Lehmann schließlich, sie ansprechen, auf dem falschen Fuß erwischen und so weiter, dachte er, aber dann dachte er wieder: falsch, ganz falsch, so geht das nicht, man kann überhaupt nichts machen, man kann gar nichts tun, was nicht falsch wäre, dachte er und wünschte sich, es gäbe einen Hinterausgang in diesem Scheißladen, aber, dachte er, die haben ja nicht einmal ein Klo, die dürfen überhaupt keine Stühle und Tische aufstellen, wenn sie kein Klo haben, dachte er, wenn man kein Klo hat, dann sind nur Hocker und Stehtische erlaubt, man sollte sie bei der Gewerbeaufsicht anscheißen, dachte er, und dann kämpfte er kurz mit den Tränen, es war ein langer Tag, dachte er, da kann man schon mal labil werden, aber das geht natürlich nicht, dachte Herr Lehmann, das wäre ja wohl das Letzte, wenn sie sich jetzt umdrehen und mich heulen sehen, vor allem Kristall-Rainer, dachte er und kämpfte die Tränen nieder, aber er hatte trotzdem keinen Plan, was er tun sollte, wenn sie sich umdrehten, und irgendwann, dachte Herr Lehmann, werden sie sich umdrehen, er spielte zwar mit dem Gedanken, sie dann seinerseits zu ignorieren und irgendwo anders hinzugucken, konsequent die Koransuren an den Wänden zu studieren zum Beispiel, aber, dachte er dann, das ist ja noch lächerlicher als zu heulen, und so blieb ihm nichts anderes übrig, als sich nichts anmerken zu lassen, mit zittrigen Fingern sein Teeglas an den Mund zu halten und zu warten, bis sie sich umdrehten.

Und das taten sie schließlich. Nachdem sie lange anbiedernd, wenn nicht gar belästigend, wie Herr Lehmann fand, mit dem völlig deutschunkundigen Türken herumgealbert hatten, drehten sie sich beide zugleich und beide mit ihren albernen Getränkedosen in der Hand um und sahen ihn an, es blieb ihnen jetzt auch gar nichts anderes übrig, er saß ja direkt gegenüber, mit dem Rücken zur Wand, und es war sonst keiner da. Herr Lehmann hob die Hand zu einem Gruß. Sie erstarrten und die Fröhlichkeit wich aus ihren Gesichtern, wenigstens glaubte Herr Lehmann das so zu sehen. Katrin hob ebenfalls die Hand, die mit der Coladose drin, es sah aus, als wollte sie ihm zuprosten, die dumme Kuh, dachte er, und sie versuchte ein Lächeln, das gründlich mißlang. Dann sagte sie leise irgend etwas zu Kristall-Rainer und kam alleine zu ihm hin.

»Ich weiß, was du jetzt denkst«, sagte sie, als sie vor seinem Tisch stand.

»Ich denke gar nichts«, sagte Herr Lehmann. »Was soll ich denn denken?«

»Hör zu, Frank«, begann sie.

»Setz dich mal lieber hin«, sagte Herr Lehmann, »das macht mich nervös, wenn du stehst und ich sitze.«

Sie setzte sich, stellte ihre Cola ab und machte ihren Anorak auf. Kristall-Rainer zahlte schon mal und ging dann raus.

»Wo will denn der Zivilbulle hin?« fragte Herr Lehmann. »Hat der keinen Hunger mehr?«

»Ach, hör doch auf«, sagte sie. »Ich hab ihm gesagt, daß ich mal eben alleine mit dir reden will.«

»Na dann mal los«, sagte Herr Lehmann.

»Wo warst du überhaupt?«

»Sie haben mich durchsucht und mir das Geld abgenommen«, sagte Herr Lehmann. »Wegen Zoll- und Devisenvergehen. Wieso? Hast du dich vor Angst verzehrt? Hast du Kristall-Rainer um Hilfe gebeten? War der gerade zufällig im Osten und du hast ihn da getroffen?«

»Wieso willst du das denn jetzt wissen?«

»Was ist das für eine blöde Frage«, sagte Herr Lehmann. »Wieso sollte ich das nicht wissen wollen? Ich wollte mit dir einen Ausflug in den Osten machen, man hat mich verhaftet, verhört, mir das Geld abgenommen, mich zurückgeschickt, und ich Trottel habe mir noch Sorgen gemacht wegen dir. Dann sehe ich, wie du ein paar Stunden später turtelnd und tätschelnd mit Kristall-Rainer hier hereingeschneit kommst.

Das wirft eine Menge Fragen auf, oder? Und da kann ich doch genausogut damit anfangen, wo du Kristall-Rainer heute aufgegabelt hast. Oder er dich.«

»Na schön, wenn du's unbedingt wissen willst: Ja, ich habe ihn in Ostberlin getroffen. Der hat's nämlich wenigstens bis über die Grenze geschafft.«

»Was hat er da gewollt? Nur wie üblich hinter dir herhecheln, oder hatte er noch irgendwelche Zivilbullengeschäfte da drüben? Ist der jetzt auch noch Geheimagent oder so was?«

»Hör doch mit dem Quatsch auf. Ich habe ihn zufällig da getroffen.«

»Zufällig! Kristall-Rainer in Ostberlin getroffen! Zufällig!«

»Aber darum geht es doch gar nicht.«

»Worum geht's denn dann?«

»Ich finde nicht, daß du irgendwelche Ansprüche auf mich hast.«

»Habe ich gesagt, daß ich irgendwelche Ansprüche habe? Habe ich irgendwelche Ansprüche angemeldet?«

»Nein, aber du tust so.«

»Moment mal. Wie tu ich?«

»Ich habe dir ja gesagt, wie es ist. Ich habe dir gleich zu Anfang gesagt: Ich bin nicht verliebt in dich.«

»Was soll das denn jetzt heißen? Du hast aber auch gesagt: ›Ich liebe dich, bestimmt‹.«

»Nein, ich habe gesagt: ›Ich liebe dich, natürlich, aber ich bin nicht in dich verliebt‹.«

Das geht genauso wie im Osten, dachte Herr Lehmann, das ist genau so eine Scheißdiskussion wie mit dem Grenzbeamten.

»Und was heißt das jetzt konkret?« fragte er. »Was hat das mit Kristall-Rainer zu tun? Liebst du den auch nur oder bist du auch noch in ihn verliebt?«

»Ach, Frank ...« Sie schaute ihn an, als ob sie Mitleid mit ihm hätte, und das haßte Herr Lehmann mehr als alles andere. Die blöde Schnappe, dachte er.

»Ach Frank ...«, äffte er sie nach. »Was soll das heißen, ach Frank? Ach Frank, der arme Willi oder was? Ach Frank, was soll jetzt werden? Ach Frank, so was verstehst du nicht? Du kommst hier händchenhaltend mit Kristall-Rainer rein, redest Blödsinn erster Ordnung, antwortest nicht auf vernünftige Fragen und bist dann noch so hochnäsig, hier ein ›ach Frank‹ abzulassen wie einen kalten Furz! Spinn ich eigentlich, oder was?«

»Jetzt reg dich doch nicht so auf.«

»Wieso soll ich mich nicht aufregen? Mal ehrlich, wieso soll ich mich nicht aufregen? Ich liebe dich, verdammte Kacke, und wenn ich mich nicht mal mehr darüber aufregen kann, daß du hier mit Kristall-Rainer reinkommst und rumturtelst, dann bin ich tot, verstehst du? Wenn man sich über so was nicht aufregen kann, dann gibt es überhaupt nichts mehr, worüber man sich aufregen kann. Dann ist alles nur noch egal. Meinst du, das bedeutet nichts, wenn ich so was sage?«

»Ich habe dir doch gesagt, daß es für mich anders ist. Und daß du keine Ansprüche an mich stellen sollst.«

»Okay, ich stelle keine Ansprüche. Tu ich sowieso nicht. Aber ich rege mich auf. Das ist mein gutes Recht. Verdammte Scheiße, es ist mein gutes Recht, mich wenigstens aufregen zu dürfen.«

»Dann reg dich halt auf«, sagte sie trotzig.

»Kristall-Rainer im Osten getroffen, ha!«

»Was kann ich dafür, daß du so blöd bist, nicht in den Osten reinzukommen?«

»Nichts. Habe ich gesagt, daß du dafür was kannst? Habe ich das? Habe ich gesagt: Du bist schuld, daß ich nicht in den

Osten reingekommen bin? Und tätschelt Kristall-Rainer jetzt nur deshalb an dir rum, weil ich nicht in den Osten reinkam? Was wäre denn gewesen, wenn ich nicht von den Vopos zurückgeschickt worden wäre? Wäre dann noch alles beim alten? Oder ein flotter Dreier mit Kristall-Rainer in der Hauptstadt der DDR? Wie lange geht das denn schon so mit dem?«

»Was weißt du denn schon!«

»Nichts. Das ist es ja, ich weiß nichts. Wahrscheinlich läuft das schon länger, was? Da geht schon einige Zeit was ab, oder wie? Wahrscheinlich muß ich bloß mal Heidi fragen, die weiß doch immer alles über alle, vielleicht sollte ich sie mal fragen, ficken die beiden schon lange, Kristall-Rainer und Katrin? Ich wette, die weiß was, Heidi weiß immer was.«

»So nicht«, sagte sie und schaute ihm wütend in die Augen. Über ihrer Nasenwurzel bildeten sich zwei senkrechte Falten, die bekam sie immer, wenn sie wütend war, und Herr Lehmann liebte diese beiden Falten, aber für diese Art Gefühle war im Moment keine Verwendung. Es ist alles aus, dachte Herr Lehmann, und er wunderte sich ein bißchen, daß ihn das nicht überraschte. Wahrscheinlich war es nie an, dachte er fahrig. Man kann nur ein Licht ausmachen, das auch richtig an ist, ein gedimmtes Licht, dachte er, macht man nicht aus, man dimmt es einfach runter auf Null. Er wußte selbst nicht genau, was er sich damit sagen wollte, aber es hatte etwas Beruhigendes. »So nicht«, wiederholte sie, »so kannst du nicht mit mir reden.«

»Ich rede, wie es mir paßt.«

»Es ist aus, Frank.«

»Sag du mir nicht, daß es aus ist, das ist Blödsinn. Du hast überhaupt nicht zu sagen, daß es aus ist. Das ist mein Text. Und ich sage dir mal was: Es ist aus. Und ich sage dir noch was: Ich bin nicht nur nicht mehr in dich verliebt, ich liebe dich auch nicht mehr. Für mich ist das nämlich ein und dasselbe.«

»Das glaube ich dir nicht.«

»Was glaubst du mir nicht? Daß das für mich ein und dasselbe ist?«

»Nein, das andere.«

Das ist typisch, dachte Herr Lehmann, daß sie sich das nicht vorstellen kann. Sie kann sagen, daß es aus ist, dachte er, aber sie kann sich nicht vorstellen, daß *ich* das sage.

»Das solltest du aber. Und nun husch husch zu Kristall-Rainer, da haben sich ja wirklich zwei gefunden.«

Er stand auf und legte einen 20-Mark-Schein auf den Tisch.

»Hier, zahl für mich mit, da bleibt noch was übrig für Fanta-Rainer.« Er mußte lachen. Fanta-Rainer, das war gut.

Er lachte noch, als er rausging, er konnte überhaupt nicht mehr aufhören zu lachen, Fanta-Rainer, er lachte, bis ihm die Tränen kamen und sich am Kottbusser Tor die Leute nach ihm umdrehten, was außergewöhnlich war, denn hier drehte sich nie irgend jemand nach irgend etwas um.

18. ZIVILDIENST

Vier Tage später träumte Herr Lehmann am Nachmittag gerade einen wüsten Traum, der im Prinzenbad, im Görlitzer Park und, seltsam genug, in Tempelhof, in der Nähe des S-Bahnhofes Papestraße spielte, als er vom Telefon geweckt wurde. Es war Erwin.

»Frank, du mußt mal schnell herkommen, ins Einfall.«

»Erwin, es reicht. Es reicht wirklich. Du hast mich aufgeweckt. Ruf doch mal jemand anders an.«

»Darum geht es nicht, du Vogel. Karl ist hier.«

»Na und?«

»Wir wissen nicht, was wir mit ihm machen sollen.«

»Was ist denn mit ihm?«

»Der spinnt. Der spinnt wirklich. Außerdem redet er dauernd von dir. Wir wissen überhaupt nicht, was wir machen sollen.«

»Wer ist wir?«

»Alle. Verena, ich, Jürgen, Marko, Rudi und Katrin.«

»Wer ist Rudi?«

»Ist doch egal, verdammt noch mal. Das ist jetzt wirklich nicht die Zeit für Kleinkram, Frank. Das ist ernst.«

»Ich komme«, sagte Herr Lehmann, der sich sowieso schon die Hose angezogen hatte und nur noch ein Paar Socken suchte. »Ist er besoffen?«

»Keine Ahnung, was der ist. Wahrscheinlich auch. Aber das ist nicht das Problem.«

»Reg dich ab, ich bin gleich da.«

»Mach hin, Kerle, das geht hier nicht mehr lange gut.«

Fünf Minuten später war Herr Lehmann im Einfall. Dort sah es seltsam aus. Gäste waren nicht da, statt dessen war Verena hinter dem Tresen, während Jürgen, Marko, Erwin und ein junger Spund, den er nicht kannte und der wohl Rudi sein mußte, um einen Tisch in der äußersten Ecke herumstanden. Mitten in der Kneipe saß Karl auf einem Stuhl, groß und massig, und Katrin sprach leise auf ihn ein, aber sie hielt dabei mehr als einen Meter Abstand, was irgendwie seltsam aussah. Um Karl herum waren die Tische und Stühle in alle Richtungen beiseite- und zusammengeschoben, so daß eine freie Fläche entstanden war mit ihm in der Mitte und Katrin am Rand.

»Siehst du, da kommt er schon«, sagte Katrin.

»Was ist denn hier los?« fragte Herr Lehmann unbestimmt in die Runde.

Verena, die hinter dem Tresen stand, kämpfte mit den Tränen. »Das ist ganz schrecklich«, sagte sie, »der ist ja gar nicht mehr bei sich.«

Herr Lehmann ging zu Karl und hockte sich neben ihn. »Hallo Alter«, sagte er und klopfte ihm auf die Schulter. »Was läuft denn so?«

Karl hob langsam den Kopf und sah ihn an. Sein Gesicht sah müde und eingefallen aus, so als ob jemand die Luft herausgelassen hatte. Nur seine Augen waren weit offen und glänzten.

»Frank«, sagte er. »Es ist das Wetter. Die machen mit dem Wetter, was sie wollen.«

»Wer macht was mit dem Wetter?«

»Das geht schon die ganze Zeit so«, rief Erwin von hinten.

»Halt doch mal die Klappe, Erwin. Was machen die mit dem Wetter?«

»In Kreuzberg«, sagte Karl, »scheint die Sonne länger.«

»Und darum geht es jetzt?« fragte Herr Lehmann vorsichtig.

»Du hast immer die falschen Bücher gelesen, Frank«, sagte Karl. »Ich würde gerne mal wieder Minigolf spielen.«

Herr Lehmann blickte ratlos zu den anderen hin, wobei er jeden Blickkontakt mit Katrin vermied. »Wie kommt ihr eigentlich alle hierher?« fragte er. Er fand es nicht gut, daß sie alle hier herumstanden und seinen besten Freund beglotzten wie einen Affen im Zoo.

»Vor ein paar Stunden war er noch ganz okay«, sagte Jürgen. »Ich meine, er hat die letzte Nacht durchgemacht, dann ist er heute morgen um fünf im Abfall aufgeschlagen, da war er noch ganz lustig, dann haben wir irgendwann zugemacht, und er wollte noch nicht nach Hause, da ist er mit uns frühstücken gegangen, ins Schwarze Café.«

»Ins Schwarze Café? Ihr seid zum Frühstücken extra ins Schwarze Café gefahren?«

»Ist doch egal, uns war halt danach. Da ging das auch noch mit ihm, da war er ganz still, nur ein bißchen hibbelig und so, na ja, ein bißchen seltsames Zeug hat er schon geredet, aber was soll's. Dann sind wir irgendwann nach Hause mit dem Taxi, und er wollte noch weitermachen, wir sind ihn kaum losgeworden. Ich meine, man muß ja auch mal schlafen.«

»Jedenfalls war er dann in der Markthalle«, fuhr Erwin die Erzählung fort, »da wollten die ihm eigentlich schon nichts mehr geben, ich meine, der wollte Whisky trinken und so, dabei war der doch schon völlig drüber.«

»Und dann hat er irgendwann bei mir an die Tür getreten und hat mich aufgeweckt und diese Scheiße erzählt. Was er dazwischen gemacht hat, wissen wir auch nicht«, sagte Jürgen.

»Und er hat die letzte Nacht durchgemacht?«

»Die davor, glaube ich, auch«, sagte Marko.

»Der ist ja total übergeschnappt«, sagte der junge Kerl, den Herr Lehmann nicht kannte. Herr Lehmann schaute ihm ins Gesicht. Er war höchstens 18 oder 19.

»Wer bist du überhaupt?« fragte er.

»Das ist Rudi«, sagte Erwin. »Der arbeitet jetzt auch hier.«

»Wenn ich deine Meinung hören will, Rudi«, sagte Herr Lehmann mühsam beherrscht, »dann frage ich dich. Bis dahin hältst du mal schön die Fresse. Kein Wort.«

»Na hör mal«, sagte Katrin.

»Halt du dich da raus. Der soll das Maul halten, der Spasti.«

»Jetzt fang du nicht auch noch so an«, sagte Erwin. »Das mit Karl war jetzt schon hart genug. Guck dir mal an, wie das hier aussieht.«

Herr Lehmann schaute sich um und sah erst jetzt die vielen Glasscherben auf dem Fußboden. »Sieht so aus, als ob Karl nicht gerade gut auf dich zu sprechen wäre, Erwin«, sagte er und schaute wieder seinen Freund an. Der hatte ihrer Unterhaltung aufmerksam zugehört und lächelte, aber es war kein schönes Lächeln, es paßte nicht in dieses müde Gesicht. »Erwin«, sagte er schnaufend, »ist ein alter Vogel.«

»Ja Karl.« Herr Lehmann stand auf. »Ich werd mal sehen, daß er sich hinlegt«, sagte er. Vor allem aber wollte er mit Karl hier raus. Er haßte es, wie sie ihn alle anschauten. »Komm, Karl.« Er führte einen Arm unter Karls Arm und zog ihn ein bißchen nach oben, da stand er auf.

»Wir gehen mal nach Hause«, sagte Herr Lehmann.

Karl stand unschlüssig und leicht schwankend da. Er sah sich ratlos um.

»Komm schon, los geht's«, sagte Herr Lehmann. Er legte seinem besten Freund eine Hand auf den Rücken und schob ihn sachte zur Tür. »Wird Zeit für ein bißchen Matratzenhorchdienst, technischer Dienst am Auge und so.« Manchmal, dachte Herr Lehmann, sind diese Bundeswehrbegriffe seltsam beruhigend.

Draußen dämmerte es bereits, und die Sache gestaltete sich für Herrn Lehmann schwierig. Wenn er seinen besten Freund losließ, lief er sofort aus dem Ruder, er war sehr sprunghaft und wollte dauernd woanders hin. »Laß uns in die Potse gehen und einen wegstecken ... wo ist mein Kreuzschlitzschraubenzieher ... da muß man wachsam sein, wegen dem Spreewaldbad und dem Chlor, dafür gibt es so Streifen ...«, so redete er in einem fort und Herr Lehmann versuchte, irgendwie dagegenzuhalten: »Wir waren doch noch nie in der Potse, das ist doch gar nicht unser Ding ..., den brauchst du jetzt nicht ..., dann gehen wir eben nicht schwimmen ...«, aber es hatte überhaupt keinen Zweck, sein bester Freund blieb nie bei einem Thema stehen, und er reagierte auch nicht auf Herrn Lehmanns Antworten, er wechselte wie aufgezogen und willenlos die Richtung seiner Gedanken und Reden, und dazu passend wollte er jedes Mal einen andren Weg einschlagen, mit jedem neuen Gedanken zog es ihn hierhin oder dorthin. Herr Lehmann hatte keine Lust, ihn am Arm festzuhalten, das hatte so etwas polizeimäßiges, und Karl schien es auch nicht zu gefallen, aber Herr Lehmann hatte große Angst, daß Karl ihm weglief, am Ende gar auf die Wiener Straße und vor ein Auto. Deshalb nahm er ihn an der Hand wie ein kleines Kind, und das half, Karl beruhigte sich und ging ohne Gegenwehr mit, nicht aber ohne pausenlos weiter Quatsch zu reden:

»Was ist eigentlich mit dir und Heidi?«

»Was soll schon sein mit mir und Heidi?«

»Macht doch nichts!«

»Was macht nichts?«

»Ohne Eis kann man Whisky eigentlich gar nicht trinken!«

»Das sehen aber viele Leute anders.«

Irgendwann gab Herr Lehmann es auf. Er drang ja doch nicht zu ihm durch. Es schien überhaupt keine Rolle zu spielen, ob er etwas sagte oder nicht. Vielleicht wird es bei ihm zu Hause besser, dachte er verzweifelt, vielleicht muß er sich nur mal richtig ausschlafen, zwei Nächte durchgemacht, dachte er, da würde ja jeder verrückt werden.

Sie gingen durch den Görlitzer Park, der immer noch, wie seit Jahren schon, eine Baustelle war und der, wie es Herrn Lehmann schien, auch immer eine Baustelle bleiben würde, Herr Lehmann konnte sich schon gar nicht mehr erinnern, wie das früher hier mal ausgesehen hatte. Sie waren ein seltsames Paar, Herr Lehmann und sein riesiger Freund, wie sie da händchenhaltend über die durchgepflügte, aufgeweichte Erde stapften, Karl dabei unaufhörlich redend, er murmelte jetzt nur noch so in sich hinein, und Herr Lehmann verstand gerade mal einzelne Fetzen, »Schweine … immerhin … muß man auch mal … wird endlich mal renoviert, das wurde auch Zeit, DAS WURDE AUCH ZEIT«, rief sein bester Freund plötzlich ganz laut und blieb mitten im Park stehen.

»Was wurde auch Zeit?«

»Daß die mal was tun hier«, sagte Karl. »Sonst werden die ja nie fertig.«

»Ja, Karl. Aber andererseits arbeitet ja gerade niemand«, sagte Herr Lehmann. Vielleicht kann ich ihn an dem Thema mal ein bißchen festhalten, dann kommt er vielleicht zur Besinnung, dachte er in seiner Verzweiflung. »Das ist ja das Komische«, fuhr er fort, »daß hier dauernd diese Baumaschinen rumstehen, Bagger und der ganze Scheiß«, er zeigte für Karl auf die Bagger und Raupen, die inmitten großer Sandberge links von ihnen standen, »aber andererseits arbeitet ja mal wieder niemand. Hier arbeitet doch schon seit Tagen keiner mehr. Ich meine«, ließ er gar nicht erst eine Pause aufkommen, »heute ist Donnerstag und gerade mal vier, na ja, halb fünf, da haben die wahrscheinlich schon Feierabend, aber in den letzten Tagen haben die auch nicht gearbeitet, oder wenn, dann weiß ich nicht, wie, weil das hier ja seit Wochen gleich aussieht.« Ich rede belanglosen Scheiß, aber ich muß ihn an das Thema binden, dachte Herr Lehmann, ihm war, als wäre das der Ausweg, nur ein konkretes Gespräch, ein richtiges Gespräch von ihm und mir über ein und dasselbe Thema, dachte er fahrig, dann wird das schon wieder. »Ich glaube, denen geht immer zwischendurch das Geld aus«, fuhr er wie aufgezogen fort, »wahrscheinlich ist das hier so eine Generalübernehmerscheiße, und dann müssen die immer erst so Raten bezahlen, und das muß dann vom Bezirk genehmigt ...«

Karl blieb stehen und schaute mit erhobener Nase nach links und rechts in die Gegend wie ein Erdmännchen, das nach Feinden Ausschau hält.

»... werden, und die haben natürlich immer kein Geld, ist ja klar, das wird das Problem sein.«

»Ja, ja«, sagte Karl. »Du willst ja immer nur ficken.«

»Karl, das ist jetzt Quatsch. Laß uns mal weitergehen.«

»Wohin?«

»Zu dir, Karl. Wird Zeit, daß du dich mal hinlegst.«

»Bei mir ist es gut.«

»Ja, Karl, das ist super bei dir, das wird schon.«

»Was wird schon?«

»Alles. Du mußt dich erst mal ein bißchen ausschlafen.«

Herr Lehmann zog ihn weiter. Sie blieben, solange es ging, im Park, Herr Lehmann wollte den Straßenverkehr möglichst vermeiden. Wenn der sich mal losreißen will, dachte er, dann ist er nicht zu halten, und dann fiel ihm auf, daß er über seinen besten Freund schon dachte wie über einen Hund, und das gefiel ihm nicht. So darf man gar nicht erst anfangen, dachte er.

»Schlafen, schlafen«, sagte Karl. »Alles klar. Und Fenster putzen.«

»Das kommt später.«

»Ich wollte mal Fensterputzer sein.«

»Klar, Karl.«

»Im Urbankrankenhaus. Immer rum, immer rum.«

»Ist schon gut, das kannst du immer noch werden.«

»Wenn man einmal rum ist, fängt man vorne wieder an.«

»Das ist praktisch.«

»Die machen jetzt Autos.«

»Wer macht jetzt Autos?«

»In Charlottenburg. Wenn sie nicht aufpassen.«

»Wenn wer nicht aufpaßt?«

»Da, ein Hund.«

»Da ist kein Hund, Karl.«

»Der ist niedlich.«

Es stimmte. Da war ein Hund. Der Hund. Herr Lehmann fand ihn zwar alles andere als niedlich, aber darauf kam es jetzt nicht an. Er wühlte direkt vor ihnen mit der Schnauze im Dreck, aber Herr Lehmann war so damit beschäftigt gewesen, Karl um irgendwelche Pfützen herumzulotsen, daß er ihn nicht bemerkt hatte. Der Hund sah auf und wedelte mit dem Schwanz.

»Guter Hund«, sagte Karl und ging in die Hocke. Der Hund kam zu ihm hin und leckte seine Hand.

»Ich kenne den Hund«, sagte Herr Lehmann. »Schon lange. Den habe ich mal auf dem Lausitzer Platz getroffen. Morgens früh.«

»Guter Hund«, sagte Karl und setzte sich in den Dreck. Der Hund sprang auf ihn drauf und leckte ihn ab. Karl lachte und strampelte mit Armen und Beinen.

»Karl, das ist jetzt vielleicht ein bißchen zuviel des Guten«, sagte Herr Lehmann vorsichtig. Er war ja im Grunde froh, daß sein bester Freund mal normales Zeug redete, auch wenn es dummes Zeug war. Aber es war sicher nicht gut, wenn er sich in schlammigen Pfützen wälzte.

Karl achtete nicht auf ihn. Er rangelte mit dem Hund und wälzte sich mit ihm herum, bis er oben lag. Der Hund japste und quiekte unter seinem Gewicht.

»Was hat er denn?« fragte Karl.

»Du liegst auf ihm drauf. Das tut ihm weh.«

»Ach so.« Karl stand auf, und der Hund lief weg.

»Blöder Hund«, sagte Karl und lachte. Er war von oben bis unten voller Matsch, aber das machte ihm nichts aus.

»Karl, wir sollten mal zu dir nach Hause gehen. Du könntest vielleicht eine Dusche nehmen und ein bißchen schlafen.«

»Ich will nicht nach Hause«, sagte Karl und wollte in die andere Richtung. Herr Lehmann hielt ihn fest.

»Mach doch keinen Scheiß, guck doch mal, wie du aussiehst. So kannst du doch nirgendwo hingehen.«

»Na gut«, sagte Karl und stiefelte los, diesmal in die richtige Richtung. Herr Lehmann hatte fast Mühe, hinterherzukommen, Karl schritt weit aus und stiefelte geraden Weges durch alle Pfützen zum Ausgang des Parks oben an der Görlitzer Straße. Kaum hatten sie allerdings den Park verlassen, blieb er wieder stehen.

»Ich muß noch was besorgen.«

»Nein, laß mal.«

»Doch, ich muß noch was besorgen.«

»Du mußt erst mal nach Hause, so kannst du doch nichts besorgen.«

»Was?«

»So kannst du nichts besorgen.«

»Die wollen alle bloß ficken«, sagte Karl und zog dazu mit seinem rechten Arm einen Halbkreis. »Alle.«

»Es ist niemand da, Karl.«

»Doch, alle. Heidi auch. Heidi hast du besonders lieb.«

»Ja, ja!«

Herr Lehmann nahm Karl wieder an der Hand und zog ihn über die Görlitzer Straße zur Cuvrystraße. Wenn er erst einmal in seiner Wohnung ist, dachte er, wird alles gut. Karl folgte ihm brav und sagte nichts mehr.

»Gib mal den Schlüssel«, sagte Herr Lehmann, als sie vor Karls Laden standen.

Karl stand nur da und guckte sich interessiert um.

»Gib doch mal den Schlüssel«, sagte Herr Lehmann.

»Weißt du noch, wie wir zusammengewohnt haben?«

»Ja klar. Gib doch mal den Schlüssel. Oder schließ selbst auf.«

»Du hast immer Schokoladenpudding gemacht.«

»Ich habe nie Schokoladenpudding gemacht. Ich mag überhaupt keinen Schokoladenpudding.«

»Das war gut.«

»Gib doch mal den Schlüssel, Karl.«

»Ich muß noch was besorgen. Ich geh in die Markthalle.«

Karl wandte sich zum Gehen. Herr Lehmann schnappte ihn am Ärmel.

»Bitte, Karl, jetzt gib doch mal den Schlüssel.«

»Hab ich nicht.«

Herr Lehmann griff in Karls Anoraktaschen und fand ein riesiges Schlüsselbund.

»Welcher ist es, Karl?« fragte er, aber Karl stand nur da und grinste.

»Ist doch alles in Ordnung«, sagte er.

Herr Lehmann seufzte und probierte ein paar Schlüssel aus. Beim dritten klappte es. Er stieß die Tür auf und zog Karl mit hinein in die dunkle Werkstatt, dann schloß er die Tür und knipste ein Licht an. Was er sah, war ein Schlachtfeld.

Die vielen Kunstwerke, die hier vor kurzem noch gestanden hatten, waren zertrümmert, und die Metallteile, aus denen sie zusammengeschweißt gewesen waren, lagen verstreut umher.

»Was war denn hier los?«

»Dekonstruktion«, sagte Karl. »Dekonstruktion.« Er lachte fröhlich.

»Das ist dein ganzer Kram für die Galerie, Karl.«

»Dekonstruktion.« Karl setzte sich auf den Fußboden und nahm ein Stück Schrott in die Hand. So wie es aussah, war es der Zahnkranz eines Fahrrads. »Da kann man was draus machen.«

Herr Lehmann war erschüttert. Aber, dachte er und riß sich zusammen, dies ist nicht der Moment, sich Gedanken über Kunst zu machen. Karl muß ins Bett, das ist das Wichtigste, dachte er. Der Aufgang zu Karls Wohnung, die über dem Laden lag und genauso groß wie dieser war, bestand aus einem wackeligen Mittelding zwischen Treppe und Leiter, das hinten im Laden nach oben führte. Eigentlich hatte die Wohnung einen Extra-Eingang übers Treppenhaus, aber den benutzte Karl nie, und Herr Lehmann war sich nicht sicher, ob es für diesen anderen Eingang überhaupt noch einen Schlüssel gab.

»Wir gehen mal nach oben, Karl.«

»Da kann man was draus machen.«

»Karl, du hast das alles kaputtgemacht, jetzt laß es auch so.«

»Herr Lehmann«, rief Karl und sah zu ihm hoch. Plötzlich fing er an zu weinen. Herr Lehmann hätte am liebsten mitgeweint, aber das ging natürlich nicht.

»Komm mit«, sagte er und half ihm auf.

»Herr Lehmann, du bist das einzig Wahre«, sagte Karl.

»Ist schon klar«, sagte Herr Lehmann. »Wir gehen jetzt mal schön in die Wohnung und schlafen ein bißchen.« Mein Gott, dachte er, ich rede schon wie ein Krankenpfleger oder sonst so ein Blödmann.

Karl ließ sich von ihm durch den Laden und die Treppe hinaufschieben. Die Treppe war schwierig, Herr Lehmann mußte Karl mit beiden Händen am Hintern hochstemmen, und er hatte panische Angst, daß sein bester Freund dabei auf ihn drauffallen könnte. Dann stieg er hinterher. Sie landeten in der Küche von Karls Wohnung, und hier war alles noch schlimmer. Es stank nach Schimmel und altem Fett und überhaupt allem, was faulen konnte. Der Abwasch stapelte sich in der Spüle und auf dem Küchentisch, der Fußboden war übersät mit Müll und noch mehr Metallteilen, die Karl wohl nach seiner Dekonstruktionsaktion mit nach oben genommen hatte. Karl setzte sich mitten hinein und begann, den Karton einer Tiefkühlpizza in kleine Stücke zu reißen.

»Karl, du mußt aus diesen Klamotten raus.«

»Man müßte mal verreisen.«

»Funktioniert eigentlich deine Dusche?« Herr Lehmann betrachtete zweifelnd die Duschkabine mit Boiler, die in der Ecke stand. Er hatte selbst so eine, es war ein wackeliges Ding mit Wänden aus Preßpappe, und um zu duschen, mußte man das Wasser vorheizen, das dauerte, wenn es überhaupt funktionierte. Das kann er immer noch machen, dachte er, wenn er irgendwann wieder aufgewacht ist.

»Du hast doch immer nur von mir profitiert.«

»Was soll das denn jetzt heißen?«

»Ich will nicht mit dir unter die Dusche.«

»Brauchst du auch nicht, Karl.«

»Ich mach mir jetzt Schokoladenpudding.«

Karl sprang auf und ging zu einer kleinen Speisekammer, in der er herumkramte. Es raschelte, und dann krachte es, so als ob ein Regalbrett zu Boden ging. Herr Lehmann zog ihn da weg.

»Hör doch auf, das bringt doch jetzt nichts. Du hast ja gar keine Milch.«

»Ich muß Milch holen.« Karl riß sich los und wollte wieder die Treppe hinunter.

»Hör auf, das bringt doch jetzt nichts, Karl, du mußt dich mal hinlegen.«

»Wie du meinst.« Karl ging in den Raum nebenan und durch diesen Raum, der als Wohnzimmer diente, mit Sofa und Bücherregal und allem, hindurch in ein kleines Schlafzimmer, das dahinter lag. Dort waren nur eine Matratze, ein Fernseher und ein großer Haufen alter Wäsche. Karl knipste ein Licht an, legte sich in voller, eingematschter Montur auf die Matratze und zog die Decke über sich. »So gut?«

»Ja«, sagte Herr Lehmann, machte das Licht aus und schloß die Tür. Wenn er zwei Nächte durchgemacht hat, dachte er, dann braucht er nur einzuschlafen, und dann ist erst einmal für lange Zeit Ruhe.

Im Gegensatz zur Küche war das Wohnzimmer in gutem Zustand. Sieht so aus, als ob er kaum hier war, dachte Herr Lehmann, und wenn, dann nur zum Kaputtmachen. Draußen war es schon dunkel. Von nebenan drang ein Schnarchen durch die Tür. Er atmete auf. Er zündete sich eine Zigarette an und beschloß, in der Küche ein bißchen Ordnung zu schaffen, bevor die Ratten das taten.

Er fand unter der Spüle eine Rolle Müllbeutel und hatte gerade einen davon prall gefüllt, als er von nebenan ein Lärmen hörte. Er ging schnell hin und sah Karl, der im Dunkeln vor dem Bücherregal stand, einzelne Bücher herauszog und zu Boden warf. Herr Lehmann machte Licht. Karl grinste ihn an.

»Das muß raus«, sagte er.

»Warum schläfst du nicht weiter, Karl?«

»Schlafen. Ich habe nicht geschlafen.«

»Ich hab dich doch schnarchen gehört.«

»Ich habe geschnarcht, aber nicht geschlafen.«

Herr Lehmann mußte lachen. Selbst als Verrückter war Karl noch ziemlich gut.

»Leg dich mal wieder hin, Karl, du mußt jetzt schlafen, ehrlich.«

»Faß mich nicht an.«

»Ich faß dich doch gar nicht an.«

»Ich will nicht, daß die meinen Kram sehen.«

»Was ist denn jetzt dein Kram? Und wer sind die?«

Karl überlegte. Er schwitzte stark, der Schweiß lief ihm nur so übers Gesicht.

»Du hast doch nur Scheiß im Kopf«, sagte er schließlich.

Herr Lehmann hatte langsam die Schnauze voll. Das bringt alles nichts, dachte er, ich mache alles falsch.

»Ich muß jetzt gehen«, sagte Karl und war in einer Geschwindigkeit, die Herrn Lehmann verblüffte, an der Treppe nach unten.

»Nein, geh nicht«, rief Herr Lehmann und stürmte hinterher. »Bleib hier.« Er kriegte Karl, der schon halb im Fußboden verschwunden war, am Kragen seines Anoraks zu fassen. Karl hielt inne.

»Du mußt schlafen, Karl. Du bist ja total fertig.«

Karl kam wieder hoch und ging schnurstracks in das Schlafzimmer. Dort begann er sich auszuziehen.

»Das hast du doch immer gewollt«, sagte er.

»Nix.«

»Wir müssen uns mehr mit dem Osten beschäftigen.«

Karl hatte jetzt nur noch seine Unterhose an. Er legte sich ins Bett und zog sich wieder die Decke bis ans Kinn. »Ich schlafe schon.« Er machte Schnarchgeräusche mit offenen Augen. »Nachti, Nachti, Herr Lehmann.«

Herr Lehmann schloß die Tür und dachte nach. Dann ging er an Karls Schreibtisch und durchsuchte ihn. Es dauerte eine Weile, dann hatte er etwas gefunden. Es war ein Zettel mit einer Telefonnummer, die mit 691 begann, das war Kreuzberg 61, und Herr Lehmann nahm an, daß es die Nummer von Karls Freundin Christine war, oder wenigstens die vom Savoy. Karl schnarchte immer noch affektiert vor sich hin, als er die Nummer wählte.

»Savoy, Inge.«

»Kann ich Christine sprechen?«

»Ist nicht da.«

»Ist sie zu Hause?«

»Weiß ich nicht.«

»Hör mal, ich brauche dringend ihre Nummer zu Hause. Das ist dringend.«

»Wer spricht da überhaupt?«

»Herr Lehmann. Es geht um Karl.«

»Um wen?«

»Um Karl. Ihren Freund.«

»Ich bin neu hier.«

»Hör mal, ich brauche ihre Nummer. Da ist doch sicher irgendwo ein Zettel mit ihrer Privatnummer.«

»Du glaubst doch nicht, daß ich ihre Privatnummer rausgebe. Da kann ja jeder kommen.«

»Okay, aber es ist wichtig. Es geht um Leben oder Tod.« Herr Lehmann war selber peinlich berührt von dieser dramatischen Formulierung, aber es ging jetzt nicht anders. Diese Penner in 61, dachte er, die glauben an so einen Scheiß.

»Was soll das denn heißen, Leben oder Tod?«

»Okay, ich sag dir mal was: Es ist wirklich wichtig, verstehst du? Das ist jetzt kein Spaß. Also, wenn du mir die Nummer nicht geben willst, dann mach doch einfach folgendes: Ruf bei ihr an, und wenn sie da ist, dann sag ihr bitte, daß Herr Lehmann angerufen hat und daß sie dringend zurückrufen soll, bei Karl zu Hause, es ist sehr wichtig.«

»Immer mal langsam. Wo soll sie jetzt anrufen?«

Herr Lehmann erklärte es ihr noch einmal, dann bat er sie, sich die wichtigsten Eckpunkte doch einfach mal eben zu notieren, und dann wurde sie pampig und sagte, daß er ganz schön frech sei, dann wiederholte Herr Lehmann, daß es um Leben oder Tod ginge, und dann hatte er sie endlich so weit, daß sie versprach, Christine anzurufen. Danach ging Herr Lehmann in die Küche und suchte nach Bier. Er fand tatsächlich eins, es stand hinter dem Mülleimer und war dort wohl vergessen worden. Es war warm, aber das machte nichts. Er hatte gerade den ersten Schluck genommen, als das Schnarchen aufhörte. Er ist eingeschlafen, dachte Herr Lehmann.

Statt dessen stand sein bester Freund plötzlich in der Tür. Er trug nur die Unterhose, sonst nichts. Und er sagte nichts, stand nur da und trat von einem Fuß auf den anderen. Er sah unglaublich traurig aus.

»Ich muß noch was einholen«, sagte er. »Wo sind meine Sachen?«

In diesem Moment klingelte das Telefon. Herr Lehmann lief schnell hin, um Karl zuvorzukommen, aber das wäre nicht nötig gewesen, Karl nahm es gar nicht wahr.

»Bei Karl Schmidt«, sagte Herr Lehmann.

»Was ist denn los?« fragte Christine, die Frau vom Savoy. »Was soll der Scheiß mit Leben oder Tod?«

»Es geht um Karl«, sagte Herr Lehmann. »Er ist …« Herr Lehmann hielt inne. Er konnte ja schlecht in Karls Beisein sagen, daß Karl übergeschnappt war. »Es geht ihm schlecht. Sehr schlecht.«

»Und da ruft ihr mich an, oder was? Das ist alles, was euch einfällt, mich dann anzurufen? Wenn Karl lustig ist, dann ruft mich kein Schwein an. Wenn's ihm schlecht geht, ruft man mich an. Ist ja super. War das seine Idee?«

»Nein, natürlich nicht. Es geht ihm viel zu schlecht.«

»Und was soll ich da tun? Was hat er denn?«

»Er, na ja, er ist nicht ganz bei sich.«

»Nicht ganz bei sich«, äffte sie ihn nach. »Ich dachte schon, es wäre was Schlimmes. Das ist doch sein Normalzustand. Jedenfalls hat er noch meine Schlüssel. Der Scheißkerl hat mein ganzes Schlüsselbund mitgenommen. Da hängt die Kneipe dran und alles. Das hätte ich gerne mal wieder. Ist er da bei dir?«

»Ja.«

»Gib ihn mir mal.«

»Ich glaube, das geht jetzt nicht.«

»Ich glaube, das geht jetzt nicht«, äffte sie ihn schon wieder nach. Herrn Lehmann ging das gehörig auf die Nerven. »Jetzt gib ihn mir schon.«

»Sie will dich sprechen«, sagte er zu seinem besten Freund Karl, der sich inzwischen auf den Boden gesetzt hatte und an seinen Füßen puhlte.

»Wer?«

»Christine.«

»Ich muß mal.«

»Tut mir leid«, sagte Herr Lehmann in den Hörer. »Ich glaube, das geht jetzt nicht. Er kriegt das nicht hin. Hör mal, wenn ich sage, er ist nicht ganz bei sich, dann meine ich das ernst. Ich meine, mehr so klinischerweise.«

»Was redest du denn da?«

»Na ja, ich meine so medizinisch«, raunte Herr Lehmann. »Er ist wirklich nicht wie sonst.«

»Wie jetzt? Ist er übergeschnappt, oder was?«

»Ja.«

»Was soll das denn heißen?«

»Es ist wirklich so. Es ist ein klinischer Fall, glaube ich.«

»Ach Scheiße«, sagte sie, und Herr Lehmann glaubte, sie weinen zu hören. »Ach Scheiße.«

»Ich meine, ehrlich mal. Der ist total drüber.«

»Laß mich doch in Ruhe«, schluchzte sie. Nach einer Weile, die Herrn Lehmann ewig erschien, denn er konnte es nicht ertragen, wenn andere Menschen weinten, schon gar nicht, wenn es am Telefon war, schien sie sich wieder gefangen zu haben. Herr Lehmann hörte, wie sie sich schneuzte. »Wenn es klinisch ist«, sagte sie trotzig, »dann bring ihn doch zum Arzt. Dafür sind die doch da. Oder ins Krankenhaus, was weiß ich denn. Bin ich hier die Klinik, oder was? Zwei Jahre. Hast du gewußt, daß wir seit zwei Jahren was miteinander hatten? Oder bist du noch so jung, daß ich sagen muß: Miteinander gegangen sind?«

»Nein«, sagte Herr Lehmann, dem das irgendwie gefiel. Vielleicht bin ich mit Katrin ja bloß gegangen, dachte er abschweifend. »So jung bin ich auch nicht mehr. Ich bin genauso alt wie Karl.«

»Hätte ich nicht gedacht.«

»Was soll ich denn jetzt machen?«

»Ich weiß es auch nicht. Ich kann nicht mehr. Es tut mir leid, aber ich kann nicht mehr«, sagte sie und zog die Nase hoch. »Tu mir einen Gefallen, paß gut auf ihn auf. Ich glaube, dich mag er von allen am liebsten, ehrlich. Er hält viel von dir. Du bist der einzige, von dem er immer erzählt hat. Du bedeutest ihm viel mehr als ich. Und ich kann nicht mehr.«

»Ist ja gut«, sagte Herr Lehmann, der Angst hatte, daß sie wieder zu weinen anfing. Außerdem war er gerührt. Er sah zu Karl hinüber, aber der saß nur auf dem Fußboden und spielte mit seinen Füßen. Der muß doch frieren, dachte Herr Lehmann, so kalt wie das ist. Statt dessen aber schwitzte er wieder, auch auf der Brust liefen ihm dicke Schweißtropfen herunter, und er atmete heftig. »Ich muß jetzt aufhören«, sagte er in den Hörer. »Ich kümmer mich drum.«

»Mach das bitte«, sagte sie und wiederholte dann noch einmal: »Bitte!«

Herrn Lehmann war das unangenehm. »Alles klar, mach dir keine Sorgen«, sagte er. »Tschüß dann.« Dann legte er auf.

Er ging in die Küche und holte ein Handtuch, damit trocknete er seinem besten Freund den Schweiß ab. Dann suchte er ein T-Shirt und einen Pullover und zog sie ihm über. Karl ließ das alles mit sich geschehen. Mit der Hose war es schon schwieriger. Herr Lehmann fand zwar eine Jeans in der schmutzigen Wäsche, die noch ganz okay war, aber das Anziehen war mühsam und ging nur mit viel Überredung. So muß es sein, wenn man kleine Kinder hat, dachte er, als er Karl die Hose zuknöpfte, einen Gürtel durchzog und verschloß. Aber er war froh, daß sein bester Freund gerade so friedlich war und alles mit sich machen ließ. Dann ging er ans Telefon und bestellte ein Taxi.

19. URBAN

Als sie am Urbankrankenhaus ankamen, ging Herr Lehmann mit Karl gleich zur Aufnahme der Ambulanz. Er kannte sich ein bißchen aus, er war schon zweimal hiergewesen, einmal mit einer Nebenhodenentzündung und einmal, als er sich beim Gläserwaschen die Hand aufgeschnitten hatte. Das war beides schon einige Jahre her, aber seitdem hatte sich hier nichts geändert.

»Wo brennt's denn?« fragte der Mann in der Aufnahme. Er saß in einer Art Glaskiosk mit Rundumsicht und hatte gute Laune.

»Wir müßten mal einen Arzt sehen«, sagte Herr Lehmann. Karl stand neben ihm und ließ sich nichts anmerken. »Ambulanz und so.«

»Worum geht's denn?«

»Um meinen Freund hier.«

»Was ist denn mit dem?«

»Der fühlt sich nicht wohl.«

»Wie, fühlt sich nicht wohl?«

»Na ja, so geistig.«

»Sie meinen, so nicht ganz auf der Höhe?« Der Mann machte eine Handbewegung, als schraubte er sich eine Glühbirne seitlich in den Kopf.

»Ja, so was.«

»Drogen?«

»Weiß nicht, vielleicht.«

»Ach Kinders«, der Mann seufzte. »Na dann geht mal rein, da vorne durch die Tür. Macht er Krawall?«

»Nein, eigentlich nicht. Jedenfalls nicht richtig. Vielleicht schon, was weiß ich.«

»Dann setzt euch da mal hin, da kommt gleich einer.«

Sie gingen durch eine Tür und landeten in einem Flur, der zugleich als Warteraum diente, und in dem es nach kaltem Zigarettenrauch und Desinfektionsmitteln roch. Außer ihnen war dort keiner. Herr Lehmann setzte sich und Karl auf Plastikstühle an der Wand und rauchte erst einmal eine. Plötzlich sprang Karl auf.

»Hier können wir nicht bleiben«, rief er aufgeregt und wollte zur Tür. Herr Lehmann hängte sich an ihn dran.

»Das geht gleich weiter, Karl.«

»Ich muß den Hund füttern.«

»Du hast keinen Hund, Karl.«

Karl schwitzte wieder.

»Man muß mehr arbeiten«, sagte er. Dann fing er an zu weinen. Herr Lehmann setzte ihn wieder hin. Kurze Zeit später ging eine Tür auf und eine Frau mit einem weißen Kittel kam heraus.

»Sind Sie das mit dem Mann?« sagte sie zu Herrn Lehmann.

»Ja«, sagte Herr Lehmann.

»Na, dann kommen Sie mal.«

Sie gingen in einen kleinen Raum, in dem eine Liege, ein Waschbecken, ein kleiner Schreibtisch und zwei Hocker waren, außerdem ein Schrank mit Verbandszeug und anderem Kram darin.

»Setzen Sie sich mal hin.«

Herr Lehmann versuchte, Karl auf den Hocker zu setzen, aber Karl blieb einfach stehen.

»Nun setz dich schon, Karl.«

»Nix«, sagte Karl.

»Setz dich doch mal.«

»Nix.«

»Lassen Sie ihn doch«, sagte die Frau. »Setzen *Sie* sich doch einfach hin.«

Herr Lehmann setzte sich. Karl legte sich auf die Liege und machte Schnarchgeräusche.

»Wie heißt Ihr Freund?«

»Karl Schmidt.«

»Was hat er denn für Probleme?«

»Er redet wirres Zeug. Und schwitzt immer so komisch. Und schläft nicht. Er hat wohl zwei Nächte durchgemacht, aber er schläft trotzdem nicht.«

»Ist er ansprechbar?«

»Das hängt davon ab, ich meine, meistens nicht oder so. Ich meine, man kann zwar mit ihm reden, aber das ergibt keinen Sinn, was er sagt.«

»Waren Sie die ganze Zeit dabei?«

»Wie, die ganze Zeit?«

»Seit er so ist.«

»Nein.«

»Seit wann ist er denn so?«

»Also, ich habe ihn heute nachmittag getroffen, da war er schon so. Andere Leute haben gesagt, heute morgen wäre er noch einigermaßen normal gewesen.«

»Gut, da kommt dann gleich noch ein anderer Arzt. Jetzt brauche ich noch ein paar Angaben.«

Sie fragte Herrn Lehmann eine Menge Dinge über Karl, und vieles davon wußte Herr Lehmann nicht. Seine Krankenkasse zum Beispiel. Er wußte nicht einmal, ob sein bester Freund überhaupt krankenversichert war. Ebensowenig kannte er die Anschrift seiner Eltern, und auch die Namen seiner beiden Schwestern waren ihm unbekannt.

»Das ist schon ein Problem«, sagte die Frau. »In solchen

Fällen«, sie machte eine Kopfbewegung zu Karl hin, der jetzt hektisch auf engstem Raum auf und ab ging, »ist es schon wichtig, daß man die nächsten Verwandten erreicht. Hat er eine Freundin?«

»Nicht eigentlich.«

»Was heißt nicht eigentlich«, fragte sie amüsiert. »Aber uneigentlich schon, oder wie?«

»Nein, er hat keine Freundin.«

»Hat er sonst irgend jemanden in der Gegend? Außer Ihnen?«

»Nein.«

»Wo kommt er denn her? Aus Berlin?«

»Er lebt seit zehn Jahren hier. Seine Eltern sind in Ostwestfalen, ich glaube in Herford. Ich werd mal sehen, daß ich die herausfinde.«

»Na, wenn er Schmidt heißt, dann werden Sie eine Menge zu tun haben.«

»Krieg ich schon raus.«

»Dann: Hat Ihr Freund irgendwelche Allergien? Unverträglichkeiten mit Antibiotika oder so?«

»Weiß ich nicht.«

»Trinkt er viel Alkohol?«

»Na ja, was heißt viel?«

»Jeden Tag?«

»Denke schon.«

»Nur Bier? Oder Wein? Harte Alkoholika?«

»Ja.«

»Alles?«

»Ja klar.«

»Hm … Drogen? Hat er Drogen genommen?«

»Ich denke schon, nehm ich mal an. Wenn er zwei Nächte durchgemacht hat …«

»Welche?«

»Ja, also da bin ich eigentlich überfragt.«

»Kokain? Amphetamine? Heroin?«

»Heroin nicht, das glaube ich nicht, da bin ich mir sicher.«

»Kokain? Amphetamine, Speed?«

»Wahrscheinlich.«

»LSD?«

»Gibt's das noch?«

Die Frau lächelte. »Sie sind da nicht ganz auf dem laufenden, oder?«

»Nein, ist nicht so mein Ding.«

Die Frau stand auf und ging zu Karl. »Herr Schmidt«, sagte sie. Karl saß jetzt aufrecht auf der Liege und ließ den Kopf hängen. »Schauen Sie mich mal an, Herr Schmidt.« Karl schaute hoch. Sein Gesicht hing schlaff auf den Knochen, seine Augen waren verweint, aber weit offen. Die Frau schaute prüfend hinein, dann hielt sie ihm kurz die Hand vor die Augen und nahm sie wieder weg, und dann machte sie dasselbe noch einmal. »Komm schon«, sagte sie. »Na gut, irgendwas Schnelles wird's schon gewesen sein.«

»Ja nun …«, sagte Herr Lehmann.

»Na gut«, sagte sie. »Glauben Sie, daß Sie noch kurz mit ihm hier warten können, bis der andere Arzt kommt?«

»Ja sicher, das geht schon.«

»Ich werde mal sehen, daß er schnell kommt.«

»Das ist gut.«

Sie wollte schon gehen, drehte sich aber in der Tür noch einmal um. »Ach so«, sagte sie, »Ihre Personalien brauche ich ja auch noch.«

Sie setzte sich wieder hin und schrieb sich seinen Namen, Geburtsdatum, Adresse und Telefonnummer auf.

»Alles klar, Herr Lehmann«, sagte sie und lächelte. »Ich hol dann mal den anderen Arzt.«

Dann ging sie und nahm ihre Papiere mit.

Kurz darauf kam der andere Arzt. Herrn Lehmann kam er ziemlich jung vor. Der ist auch nicht viel älter als ich, dachte er, und irgendwie gefiel ihm das. Der Arzt sah müde aus und schüttelte Herrn Lehmann schlaff die Hand. Er hatte die Papiere dabei, setzte sich hin und las erst einmal alles durch. Dann sah er Herrn Lehmann an.

»Wo fehlt's denn?«

»Nicht mir, es geht um ihn«, sagte Herr Lehmann.

»Aha, logisch«, sagte der Arzt und ging zu Karl hinüber. »Wie heißt er denn?«

»Schmidt. Karl Schmidt.«

»Richtig, steht ja in den Papieren, dumme Frage. Herr Schmidt?«

Karl, der einfach nur auf der Liege saß und ihn anschaute, regte sich nicht.

»Wie geht's Ihnen denn so?«

Karl lächelte ihn an. »Du bist ein schlauer Fuchs«, sagte er. Der Arzt nickte. »Das wollen wir mal hoffen. Und sonst?«

»Man sollte mal wieder verreisen.« Dann fing Karl an zu weinen.

»Hm«, sagte der Arzt und setzte sich wieder. »Dann erzählen Sie mal«, sagte er zu Herrn Lehmann.

Herr Lehmann erzählte die ganze Geschichte, soweit er sie kannte, das mit der Ausstellung, mit der zerstörten Kunst, mit Karls komischem Verhalten, mit dem Schwitzen, mit dem Durchmachen und so weiter, bis hin zu dem Punkt, an dem Karl völlig ausgeklinkt war. Der Arzt stellte nur selten Fragen, und wenn, dann solche, die darauf hinausliefen, daß Herr Lehmann immer weiter zurückgehen und immer mehr erzählen mußte. Er ist wirklich ein schlauer Fuchs, dachte Herr Lehmann.

»Okay, okay«, sagte der Arzt endlich, »das ist ja schon mal ganz aufschlußreich.«

»Und jetzt?«

»Jetzt schau ich ihn mir mal ganz genau an.«

Er ging zu Karl. »Ja, bleiben Sie mal schön da so sitzen, das ist genau richtig«, sagte er, »Sie machen das ganz prima. So, und so, und so …«

Er fühlte Karls Puls, schaute ihm in die Augen, in die Nase, in den Mund, dann prüfte er ein bißchen seine Reaktionen auf dies und das und verwickelte ihn in ein kleines Gespräch.

»Haben Sie heute schon was gegessen?«

Keine Antwort.

»Na, irgendwas werden Sie doch gegessen haben.«

»Ich muß gehen.«

»Wohin?«

»Was einholen.«

»Was wollen Sie denn einholen?«

»Herr Lehmann raucht zuviel.«

»Oho!«

Der Arzt drehte sich nach Herrn Lehmann um. »Nennt Ihr Freund Sie ›Herr Lehmann‹?«

»Meistens«, sagte Herr Lehmann. »Aber nur anderen gegenüber. Das sollte mal ein Witz sein, der hat sich dann verselbständigt.«

»Und? Rauchen Sie zuviel?«

»Ich habe gerade erst angefangen.«

»Na dann: herzlichen Glückwunsch!«

»Danke.«

Karl wurde unruhig. Er atmete heftig und begann wieder zu schwitzen. Der Arzt schaute sich das an und fühlte wieder seinen Puls. »Na ja«, sagte er mit dem Rücken zu Herrn Lehmann, »wie war das mit den Drogen?«

»Ich weiß es nicht genau. Er hat mindestens zwei Nächte durchgemacht.«

»Das paßt.«

»Wozu paßt das?«

»Das gehört dazu.«

»Wozu? Zu den Drogen?«

»Die Drogen sind nicht entscheidend. Sieht mir nicht nach einem Drogenproblem aus. Das kommt nur dazu.«

»Ich muß gehen«, sagte Karl und stand auf.

»Ich kann Sie nicht daran hindern«, sagte der Arzt. »Trinken Sie aber erst einmal einen Schluck Wasser.«

Er ging zum Waschbecken und füllte einen kleinen Plastikbecher mit Wasser. Dann nahm er Karl beim Arm. »Setzen Sie sich doch mal eben kurz noch einmal hin«, sagte er und führte Karl sanft wieder auf die Liege. »Und trinken Sie mal einen Schluck.« Er gab Karl den Becher. Karl hielt ihn in der Hand und starrte hinein. Der Arzt ging an den Schrank, schloß ihn auf und kramte darin herum. Als er wieder auftauchte, hatte er etwas in der Hand.

»Mund auf«, sagte er. Karl machte den Mund auf, und der Arzt warf etwas hinein, wahrscheinlich Tabletten, Herr Lehmann konnte das nicht genau erkennen, und dann führte er Karls Hand mit dem Becher an seinen Mund und ließ ihn trinken. »Schön runterschlucken.«

Der Arzt wartete ein Weilchen und beobachtete Karl dabei. Dann fühlte er noch einmal seinen Puls und nickte dazu. Karl entspannte sich.

»Legen Sie sich ruhig hin, wenn Ihnen danach ist«, sagte der Arzt und hob Karls Beine auf die Liege. »Sie waren ja nun lange genug auf den Beinen.« Er sah ihm noch einige Zeit beim Liegen zu, dann setzte sich der Arzt wieder Herrn Lehmann gegenüber auf den Stuhl. Herr Lehmann schaute immer noch zu Karl hinüber, aber der schien sich wohl zu fühlen und lag ganz ruhig da.

»Also, körperlich fehlt ihm nichts Ernstes«, sagte der Arzt

und schrieb etwas in seine Papiere. »Er ist ein bißchen dehydriert, wahrscheinlich auch ein Mangel an Elektrolyten.«

»Mangel an Elektrolyten?«

»Ja. Wundert Sie das?«

»Na ja, er ist ein großer Freund des Kartoffelchips.« Herr Lehmann fühlte sich erleichtert. Es ist gut, wenn man die Profis ranläßt, dachte er. Das ist wie mit Gasherden und so, dachte er, da fummelt man ja auch nicht selbst dran herum, dann fliegt einem sonst noch alles um die Ohren.

»Und nicht nur des Kartoffelchips, würde ich mal sagen. Sieht so aus, als ob er alles mögliche mag. Und Sie? Trinken Sie viel Bier?«

»Ja, wieso?«

»Das sieht man ein bißchen, nehmen Sie's mir nicht übel, aber das schwemmt auf. Im Gegensatz zu Wein. Andererseits brennt die Leber bei Bier nicht so schnell. Na ja, jeder wie er kann.«

Er schrieb wieder ein bißchen in seinen Papieren herum.

»Was ist denn nun mit ihm?« fragte Herr Lehmann ungeduldig.

»Der dürfte gleich einschlafen. Das ist erst mal das Wichtigste. Später muß man weitersehen. Wir sollten ihn auf jeden Fall über Nacht hierbehalten. Na ja …«, er schaute zu Karl hinüber, der jetzt zu schnarchen begonnen hatte, »den würden Sie jetzt auch kaum wieder mitnehmen können, oder?«

»Nein. Ist er denn wieder okay, wenn er geschlafen hat?«

»Das ist schwer zu sagen. Ich denke mal nicht. Ihr Freund hat wahrscheinlich eine Art Depression. Eine Mischung aus Depression und Nervenzusammenbruch. Das haben wir hier öfter.«

»Aber wo kommt das denn her?«

»Na ja«, sagte der Arzt und lehnte sich auf seinem Hocker zurück, bis er fast das Gleichgewicht verlor. Dann entschied er sich dafür, die Hände um eines seiner Knie zu verschränken. »Die sind unbequem, die Dinger«, sagte er. »Aber um auf Ihre Frage zurückzukommen: Oft hängt das mit dem Zerbrechen des Selbstbildes zusammen. So erkläre ich mir das. Vielleicht hat Ihr Freund herausgefunden, daß er nicht der ist, der er die ganze Zeit zu sein glaubte.«

»Wieso sollte er nicht sein, was er zu sein glaubte?«

»Gute Frage. Ich würde mal vermuten, daß er ein depressiver Typ ist. Nehmen Sie mal diese Kunstsache, das mit der Ausstellung. Vielleicht war diese Ausstellung eine Art Stunde der Wahrheit, und da hat er Angst bekommen.«

Das ist alles ein bißchen viel vielleicht, dachte Herr Lehmann. »Was denn für Angst?« fragte er.

»Daß er versagt. Daß für ihn dabei herauskommt, daß er vielleicht gar kein richtiger Künstler ist. Dann bricht vielleicht alles andere auch zusammen. Das Leben hier in der Gegend ist leicht, wenn man jung ist: ein bißchen arbeiten, billige Wohnungen, viel Spaß. Aber die meisten brauchen auf Dauer irgend etwas, wodurch das legitimiert wird. Wenn das wegbricht ... buff!« Der Arzt löste die Hände vom Knie und warf sie zu seinem letzten Wort in die Luft, wie um eine Explosion darzustellen. Dadurch fiel er fast hintenüber, er konnte sich gerade noch seitlich am Schreibtisch festhalten.

»Hoppla! Aber wie gesagt: Kann sein, muß aber nicht. Das muß man erst sehen. Aber wir haben das hier öfter. Und bei ihm paßt alles ganz gut zusammen. Auch das mit dem Durchmachen, so was wird oft angeschoben durch Mangel an Schlaf, die Leute drehen immer weiter auf, Party ohne Ende, dann machen sie zwei, drei Nächte am Stück durch, ein paar Drogen dazu, dann sind sie labil und: buff!« Er warf wieder die Hände in die Luft, war diesmal aber besser vorbereitet. Dann rieb er sich die Augen.

»Körperlich ist Schlaf nicht so wichtig. Aber wenn Sie erst

mal zwei, drei Nächte nicht geschlafen haben, werden Sie auch irgendwann verrückt. Deshalb ist schwer zu sagen, was hier Roß und was Reiter ist. Ist er verrückt geworden, weil er so lange nicht geschlafen hat? Oder hat er so lange nicht geschlafen, weil er verrückt geworden ist?«

»Ja, was?« fragte Herr Lehmann.

»Na ja, ich würde sagen: von beidem ein bißchen. Das muß man erst rauskriegen. Vielleicht ist es nur vorübergehend, aber vielleicht ist es auch eine ausgewachsene Depression.«

Herr Lehmann sah zu Karl hinüber, der auf dem Rücken lag, wie ein gestrandeter Wal, und schnarchte. Er kämpfte mit den Tränen. Jetzt werde ich selber noch labil, dachte er. Wenn das so weitergeht, dachte er, und: buff!

»Was würde das heißen?« fragte er.

»Das dauert. Ich empfehle in solchen Fällen immer, die Leute wieder nach Hause zu schicken und dort zu therapieren. Es sind ja fast immer Leute aus Westdeutschland.«

»Dann soll er wieder nach Herford, oder was?«

»Wenn's schlimm ist – manchmal hilft das. Manchmal ist es auch kontraproduktiv. Das hat ja auch was Regressives, wenn man in so einer Situation wieder heimkommt. Das hängt auch von der Familie ab. Und die Sache kann auch angeboren sein, dann hat man einen mehr davon in der Familie, wer will das schon.« Er lachte. »Muß man mal sehen. Die Frage ist doch: Was will er morgen? Will er wieder raus? Sollen wir ihn hier gegen seinen Willen festhalten, weil er gefährlich oder gefährdet ist? Ihn erst einmal mit Medikamenten ruhigstellen und dann langsam aufmachen und mal gucken? Kann man noch nicht sagen.«

»Und jetzt?«

Der Arzt stand auf, ging zur Liege und schnallte Karl mit zwei daran hängenden Gurten fest.

»Jetzt bringe ich Ihren Freund erst einmal auf die Station,

da betten die ihn dann um. Wenn Sie wollen, können Sie ihn ja morgen mal besuchen.«

»Ja klar«, sagte Herr Lehmann.

Der Arzt nahm die Papiere vom Tisch und legte sie auf Karls Bauch. Dann beugte er sich noch einmal darüber. »Ihre Adresse und Telefonnummer haben wir ja, nicht wahr? Und Sie sagen seinen Eltern Bescheid?«

»Wenn ich sie finde.«

»Gut. Übrigens, haben wir heute nicht den Neunten?«

»Ja.«

»Na dann: Herzlichen Glückwunsch zum Geburtstag.«

»Danke«, sagte Herr Lehmann.

»Können Sie dann mal die Tür aufmachen?«

Herr Lehmann tat das. Der Arzt schob Karl an ihm vorbei nach draußen. Herr Lehmann ging hinterher und schloß die Tür. Der Arzt schüttelte ihm noch einmal schlaff die Hand.

»Ich könnte es auch kerniger machen«, sagte er unvermittelt und schaute seine Hand an. »Aber das liegt mir nicht. Die Leute lesen zu viel in den Händedruck hinein.«

»Gut, daß Sie das sagen«, sagte Herr Lehmann.

»Kommen Sie morgen mal vorbei. Station 7.«

»Okay«, sagte Herr Lehmann, und sie trennten sich. Der Arzt ging zu Station 7, und Herr Lehmann ging seinen Geburtstag feiern.

20. PARTY

Herr Lehmann wollte nicht nach Hause, da erwartete ihn nichts außer ein paar Büchern und einem leeren Bett. Vielleicht sollte ich mir doch mal wieder einen Fernseher anschaffen, dachte er. Er schätzte, daß es etwa acht Uhr abends war. Es ist ein guter Abend, um sich zu besaufen, dachte er. Er hatte frei, was selten genug vorkam, und schon deshalb kam es für ihn überhaupt nicht in Frage, ins Einfall zu gehen, er hatte es sich zum Prinzip gemacht, niemals als Kunde in die Kneipe zu gehen, in der er gerade arbeitete. Das sieht sonst so aus, dachte er immer, als ob man nichts Besseres wüßte oder sonst keine Bekannten hätte. Außerdem wollte er niemanden von der ganzen Bagage sehen, die dort heute nachmittag herumgehangen und ratlos seinen besten Freund angeglotzt hatte. Er wollte auch ihre Fragen nicht hören und keine Erklärungen abgeben und schon gar nicht von ihnen erklärt bekommen, was ihrer Meinung nach mit Karl los war, ihn schauderte bei dem Gedanken an das dumme Geschwätz, das losbrechen würde, wenn er jetzt unter seinen Bekannten auftauchte, die, wenn er ehrlich war, alle mehr oder weniger mit dem Einfall zu tun hatten. Oder mindestens mit Erwin. Es ist alles vorbei, dachte er und merkte erst jetzt, wie sehr ihn das Ende seiner Liebesgeschichte mit Katrin aus der Bahn geworfen hatte.

Ich hätte mich mehr um Karl kümmern sollen, dachte er, während er langsam vom Urbankrankenhaus am Kanal entlanglief. Aber er hatte die letzten Tage fast völlig verschlafen, das war immer so, wenn er Liebeskummer hatte, sein Schlafbedürfnis wurde dann übergroß, und er ging nur noch aus dem Haus, um zu essen. Ich hätte mich statt dessen um Karl kümmern sollen, dachte er, das wäre besser gewesen, als der blöden Kuh hinterherzutrauern. Aber es hatte einmal so gut ausgesehen, dachte er traurig, es hätte so gut werden können mit ihr, aber vielleicht, dachte er dann, ist das auch bloß Quatsch. Er erinnerte sich daran, wie sie immer versucht hatte, ihn dazu zu bringen, sein Leben zu ändern. Vielleicht habe ich es nicht genug versucht, dachte er, aber wozu eigentlich, dachte er dann. Eigentlich ist es gut so, wie es ist, dachte er, aber ich hätte mich mehr um Karl kümmern müssen. Und ohne Karl macht es keinen Spaß, dachte Herr Lehmann. Zum Beispiel dieser Rudi, dachte er, was soll man mit so einem anfangen? Der ist doch höchstens zwanzig, das ist ja trostlos, dachte er und bemerkte am Planufer den Irish Pub, den er bisher immer übersehen hatte, und er dachte sich, daß er auch gleich hier anfangen könnte, sich zu betrinken.

Irish Pubs hatte er immer schon furchtbar gefunden, und dieser hier, das sah Herr Lehmann sofort, als er hereinkam, war auch ganz schrecklich. So kann man das nicht machen, das ist ja alles verlogener Scheiß, dachte Herr Lehmann, während er sich im Inneren des Pubs orientierte, dieses ganze dunkle Holz, diese Vertäfelungen, das ist doch alles kitschiger Unsinn, dachte er und setzte sich an einen Tisch, auf dem eine Kerze in einer Flasche stand. Und dann so eine düstere Grotte, dachte er, nachdem er sich einen halben Liter Guinness bestellt hatte, das ist ja wie in den 70er Jahren, und er erinnerte sich an die Kneipen seiner Jugend in Bremen, das Storyville und andere, wo es in der Regel so dunkel gewesen war, daß man die Hand am Ende des Arms schon nicht mehr sehen konnte, und wo man nur in der Nähe einer Kerze, und es waren nicht überall Kerzen gewesen, sein Gegenüber noch hatte erkennen können.

Na ja, dachte Herr Lehmann gnädig, nachdem er sein Guinness bekommen hatte, das aber nicht als halber Liter, sondern nur als Nullvier ausgeschenkt wurde, und nachdem er einen guten Schluck davon genommen hatte, irgendwie hat das natürlich auch was. Ist ja am Ende egal, wie es irgendwo aussieht, dachte er und erfreute sich ein bißchen an den Dubliners, die hier aus dem Lautsprecher kamen, er konnte sogar ein bißchen davon mitsummen, sie machten ihn auf eine angenehme Weise sentimental, sein großer Bruder hatte immer die Dubliners gehört, als er 15 war oder so, davon will er heute sicher nichts mehr wissen, dachte Herr Lehmann, oder vielleicht gerade wieder, dachte er. Vielleicht sollte ich ihn mal besuchen, dachte Herr Lehmann, schließlich habe ich ein bißchen Geld gespart, obwohl, dachte er, es ist mehr als ein bißchen, es dürfte ziemlich viel sein. Oder nach Bali, dachte er, mit oder ohne Heidi, das könnte lustig werden mit all den Vogelspinnen und Tropenkrankheiten, dachte er und bestellte sich ein zweites Guinness. Dann aber weiter, ermahnte er sich, wenn man sich alleine besäuft, muß man in Bewegung bleiben. Als das zweite Guinness kam, zahlte er es gleich und rauchte, während er es austrank, ein paar Zigaretten dazu, dadurch ging es schneller.

Draußen war er dann wieder etwas ratlos. Sollte er in 61 weitermachen oder doch lieber nach 36 hinübergehen? In 36 bestand die Gefahr, einen von Erwins Deppen, wie er sie jetzt in Gedanken nannte, zu treffen und über Karl reden zu müssen. In 61 bestand die Gefahr, daß er beim Saufen vor Langeweile einschlief. Dann schon lieber 36, dachte er und überquerte den Landwehrkanal am Kottbusser Damm. Dahinter nahm er die Mariannenstraße bis hinauf zum Heinrichplatz, wo es ein paar Kneipen gab, in denen er schon lange nicht mehr gewesen war.

Wenn ich schon im Irish Pub war, dann kann ich auch gleich in die Rote Harfe gehen, dachte Herr Lehmann, als er auf dem Heinrichplatz stand und eine Wahl treffen mußte. Das ist genauso ein auf alt gemachter Scheiß. Oder vielleicht ist die Rote Harfe auch wirklich alt, wer weiß, dachte er. Das Publikum war es jedenfalls. Herr Lehmann trat ein und sah gleich, daß er hier noch einer der jüngsten war. Das ist dann auch nicht so gut, dachte er, außerdem hatten sie nur Bier vom Faß, Herr Lehmann ließ sich einen halben Liter geben, und diesmal gab es wirklich einen richtigen halben Liter. Das ist selten geworden, dachte er, denn komischerweise hat sich irgendwann die Sache mit dem Nullvier durchgesetzt, sie haben beim Bier etwas geschafft, dachte er, was ihnen beim Kaffee nie gelungen ist, und er erinnerte sich an die große Niederlage der Kaffeeindustrie damals, an die Plakate, auf denen es geheißen hatte: Wir geben Ihnen Ihr Pfund wieder. Nun gut, dachte er, auch hier gibt es das Pfund Bier wieder, und der halbe Liter lag denn auch schwer in seiner Hand, das muß runter, dachte er, obwohl er natürlich durch und durch Flaschenbiermann war und nach zwei Dritteln des halben Liters automatisch ein neues Bier bestellen wollte, einfach aus dem Gefühl heraus. Das war das Blödeste, was sie machen konnten, dachte er, als sie die Halbliterflaschen Beck's auf den Markt brachten, das war wirklich das Dämlichste von allem, die waren zuerst im Blockschock aufgetaucht, und Karl und er hatten es gar nicht glauben wollen, als sie die Dinger zum ersten Mal in der Hand gehalten hatten. Ach Karl, dachte er und zahlte.

Dann stand er auf und ging nach nebenan in den Elefanten, dort war es heller und schäbiger, es sah nicht ganz so nach Kreuzberger Nächte sind lang aus, das gefiel ihm gleich besser. Es ist besser, wenn es heller ist, dachte er und versuchte sich zu erinnern, wann er das letzte Mal gedacht hatte, es war nicht lange her, da war er sich sicher, es hatte irgend etwas mit

Katrin zu tun gehabt, aber das ist jetzt leider auch egal, dachte er. Er saß am Tresen und trank eine Flasche Maibock. Wieso sie im Spätherbst Maibock am Start hatten, war ihm nicht ganz klar, der Mann am Tresen hatte etwas von Sonderangebot gesagt, Herr Lehmann hatte es eigentlich nur wegen der Abwechslung genommen, denn Herr Lehmann mochte kein Maibock. Das ist Mistzeug, dachte er, während er es trank, das geht nur zäh runter, wenigstens hat es ein paar Umdrehungen mehr, dachte er, das bringt einen weiter, und dann dachte er kurz darüber nach, ob es nicht möglich war, sich so zu besaufen, daß sie ihn irgendwann ins Urbankrankenhaus bringen müßten, und dann würde er morgen vielleicht in Station 7 neben Karl aufwachen. Na, dachte er, das wäre mal echte Solidarität.

Plötzlich war Sylvio neben ihm. »Hallo Frank«, sagte er.

»Hallo Sylvio. Was machst du denn hier?«

»Keine Ahnung. Ich war eben noch im Dick, aber da war nichts los. Außerdem kann ich das schwule Elend hier in Kreuzberg nicht mehr ertragen.«

»Das Hetero-Elend sieht nicht viel besser aus«, sagte Herr Lehmann und schaute über die Schulter in den Kneipenraum. Es saßen nur ein paar trübe Gestalten herum und schauten in ihre Getränke. »Na ja«, sagte er, »es ist ja noch früh.«

»Stimmt. Wie geht's Karl?«

»Woher weißt *du* das denn?«

»Darüber reden die doch alle. Vorhin hat mich Heidi angerufen und mir alles erzählt.«

»Typisch Heidi«, sagte Herr Lehmann ärgerlich. »Die soll mal schön nach Bali fahren.«

»Wie geht's ihm denn?«

»Ganz gut. Schläft.«

»Schläft? Das ist wahrscheinlich auch mal besser. Der ist ganz schön versumpft in letzter Zeit.«

»Ja.«

»Was will er denn jetzt machen, wo er nicht mehr bei Erwin arbeiten kann?«

»Was weiß ich, mal sehen«, sagte Herr Lehmann. »Kunst.«

»Ja.«

»Ja.«

Sie bekamen beide ein neues Bier und stießen an.

»Hast du heute nicht Geburtstag?«

Herr Lehmann blickte Sylvio an. Das wunderte ihn nun doch, daß Sylvio seinen Geburtstag wußte. Es kann ja sein, dachte Herr Lehmann, daß wir uns irgendwann mal darüber unterhalten haben, aber daß er sich so was merkt … Und er freute sich darüber. Sylvio ist überhaupt der einzige von der ganzen Bande, dachte er, den man an so einem Abend ertragen kann.

»Ja.«

»Hat mir Heidi erzählt. Herzlichen Glückwunsch. Wie alt bist du denn geworden?«

»Dreißig.«

»Dreißig? Das müßte man doch dick feiern.«

»Oh«, sagte Herr Lehmann, »bitte nicht.«

»Schon gut.«

»Weißt du«, sagte Herr Lehmann, »es gibt da einen Film, so aus den 70ern oder so, da sind diese Leute in der Zukunft, und die leben unter so einer Kuppel oder unter der Erde oder so, und immer, wenn einer ein bestimmtes Alter erreicht hat, muß er in die Erneuerung, so nennen sie das. In Wirklichkeit werden die bloß umgebracht, aber sie müssen in die Erneuerung, ob sie wollen oder nicht. Und alle glauben, das ist normal.«

»Kenn ich, den Film. Der Sandmann oder so. Hab ich früher mal im Westfernsehen gesehen, als ich noch im Osten war. Ist mit Michael York.«

»Ja, jedenfalls denken die alle, das muß so sein, die denken, älter kann man gar nicht werden, die haben noch nie einen alten Mann gesehen. Und dann schaffen es zwei doch irgendwie raus …«

»Michael York und die andere, da weiß ich den Namen nicht.«

»Genau, und dann treffen die da einen alten Mann und können es gar nicht fassen.«

»Peter Ustinov, glaube ich.«

»Genau.«

»Ja und?«

»Wie?«

»Was willst du jetzt damit sagen?«

»Na ja, was weiß ich, irgendwie kommt mir das hier auch so vor.«

»Also an alten Leuten ist hier wohl kein Mangel.«

»Nein, das wohl nicht. Aber irgendwie habe ich immer das Gefühl, ich müßte mal in die Erneuerung.«

Sylvio lachte. »Das ist gut. Du mußt in die Erneuerung. Ich habe eine Single zu Hause, die gibt's nur ein paar Mal, das war so 'ne Eigenproduktion, die hat ein Freund von mir mit einem anderen gemacht, da war ein Lied drauf: Die Wichtung. Da singt der immer: Sie müssen mal Ihre Wichtung erneuern.«

»Das ist auch nicht schlecht.«

»Ich würde mir nicht zu viele Gedanken darüber machen, Herr Lehmann.«

»Frank.«

»Entschuldigung, Frank. Darüber würde ich mir nicht zu viele Gedanken machen. Vielleicht kommt die Erneuerung von ganz allein. Kommt Zeit, kommt Rat, kommt Attentat.«

»Wo hast du das denn her?«

»Steht da drüben irgendwo an der Hauswand, geh ich oft vorbei.«

»Na ja, mal sehen.«

»Das kommt alles, wie es kommen muß.«

»Ich glaube, man sollte mal woanders hingehen. Das geht mir hier alles irgendwie auf den Zeiger.«

»Gute Idee.«

»Aber in keinen von Erwins Läden. Ich kann die Penner gerade alle nicht sehen.«

»Ich auch nicht.«

»Wir können ja in die Kaffeebar gehen.«

Sylvio verzog das Gesicht. »Das ist ein Scheißladen, Herr Lehmann. Nichts ist so schlimm wie Kneipen von ehemaligen Besetzern.«

»Ja, das sind alles Scheißläden.«

»Ich kann diese autonomen Arschlöcher nicht ertragen.«

»Dann laß uns hier noch einen nehmen. Aber dann sollte man sich an den Tisch setzen«, schlug Herr Lehmann vor. »Ich krieg's neuerdings immer mit dem Rücken.«

»Du arbeitest zuviel.«

»Was soll ich sonst machen?«

»Du solltest mal Urlaub machen. Mach doch mal Urlaub. Mit Karl, der braucht das auch.«

»O ja«, sagte Herr Lehmann, »der braucht das dringend. Vielleicht sollten wir nach Herford fahren.«

»Sag mal, ist irgendwas?«

»Nein, warum?«

»Du hast irgendwie so was Bitteres. Du läßt dich doch von dieser Dreißigwerdenscheiße nicht fertigmachen, oder?«

»Nix.«

»Dann ist ja gut.«

Zwei Stunden später verließen sie dann doch den Elefanten. Es reichte, und sie waren betrunken und bereit für die Kaffeebar. »Ich brauch jetzt was Perverses«, sagte Sylvio.

Die Kaffeebar war in der Manteuffelstraße. Früher war es

eine kleine Bar gewesen, nicht größer als ein Wohnzimmer und ebenso eingerichtet, seltsam zwar, aber irgendwie nett, wenn man die Leute kannte. Heute war es ein Riesending, die Hausbesitzer waren zu Geld gekommen und hatten im Rahmen ihrer Haussanierung auch gleich die Kneipe ausgebaut. Sie setzten sich an die Bar und betrachteten das Treiben der zumeist männlichen Gäste, von denen viele Stiefel trugen und Bundeswehrhosen, was Herrn Lehmann unangenehm an seine Dienstzeit erinnerte.

»Das sind mal so richtige Hetero-Rabauken«, sagte Sylvio amüsiert, »so richtige Antifa-Deppen, Mannomann, ich glaub, ich muß kotzen.«

»So schlimm ist das auch wieder nicht«, beschwichtigte Herr Lehmann, dem schon alles egal war.

»Seit wann bist du denn so liberal drauf?«

»Na ja, wenigstens ist Kristall-Rainer nicht hier.«

»Ach der … Ich wollte ja nicht fragen, aber ist da nichts mehr mit dir und Katrin?«

»Nix.«

»Hat mir Heidi auch noch erzählt. Mannomann, ist das deprimierend.«

»Ja.«

So ging das immer weiter. Gegen eins kam dann jemand herein, stellte sich neben die beiden an den Tresen und bestellte ein Bier.

»Hast du schon gehört?« fragte er den Mann hinter der Bar.

»Was denn?«

»Die Mauer ist offen.«

»Was ist?«

»Die Mauer ist offen.«

»Ach du Scheiße.«

»Hast du gehört?« fragte Herr Lehmann, der jetzt ziemlich betrunken war.

»Was denn?« fragte Sylvio, der schon Anzeichen machte, wegzunicken.

»Die Mauer ist offen.«

»Ach du Scheiße.«

»Hör mal, Sylvio, schließlich bist du selber aus dem Osten.«

»Das geht mir schon seit Wochen auf die Nerven. Immer, wenn ich den Fernseher anmache: Osten, Osten, Osten. Was kann ich dafür, daß ich aus dem Osten komme? Was meinst du, wie das da war mit den Arschlöchern? Als Schwuler im Osten, das ist der letzte Scheiß. Die Mauer ist offen, was soll das überhaupt heißen, die Mauer ist offen. Der Arsch ist offen.«

Herr Lehmann guckte sich um. Der Barmann erzählte es anderen Leuten, und die Sache schien sich herumzusprechen. Es gab aber keine große Aufregung, alle machten weiter wie bisher.

»Na ja, wenn das stimmt ... Kann doch sein«, sagte Herr Lehmann.

»Und wenn schon, was soll das heißen, die Mauer ist offen.«

»Was weiß ich.«

Sie bestellten noch ein Bier. Als sie es halb ausgetrunken hatten, wurde Sylvio plötzlich munter.

»Das sollten wir uns angucken«, sagte er.

»Laß uns zur Oberbaumbrücke gehen«, sagte Herr Lehmann. »Da geht's doch rüber.«

»Ja. Nur mal gucken.«

»Aber erst austrinken«, sagte Herr Lehmann.

Sie tranken das Bier aus und gingen die Skalitzer Straße hinunter zur Oberbaumbrücke. Viel war nicht los auf der Straße. Wahrscheinlich wieder nur so ein Geschwätz, dachte Herr Lehmann.

Aber als sie an der Oberbaumbrücke waren, kamen da tatsächlich Menschen herüber. Es waren nicht viele. Vielleicht ist der erste Ansturm schon vorbei, dachte Herr Lehmann, es kann doch nicht sein, daß die Mauer offen ist und dann kommen nur so ein paar Leute. Er stellte sich mit Sylvio unter die Kreuzberger, die da standen und sich die Sache anschauten. Ganz friedlich und einer nach dem anderen kamen Leute zu Fuß herüber und gingen dann irgendwo hin. Richtige Stimmung ist das nicht, dachte Herr Lehmann.

»Die kommen da echt einfach rüber«, sagte Sylvio verblüfft. »Ist das überall so?« fragte er einen Mann, der neben ihm stand.

»Mußt mal zu die anderen Übergänge gehen. Das ist doch Kleinkram hier«, sagte der Mann, der auch nicht ganz nüchtern war. »Das ist doch Pipifax hier mit die Fußgänger.«

Herr Lehmann beobachtete die Leute aus dem Osten. Sie wirkten etwas unsicher und sahen sich aufmerksam um. »Das sieht hier ja aus wie bei uns«, hörte er eine Frau sagen.

»Das ist doch Pipifax hier mit die Fußgänger«, sagte der andere Mann wieder. »Ich geh wieder zum Moritzplatz, da ist wenigstens was los.«

»Komische Sache«, sagte Sylvio.

»Laß uns mal zum Moritzplatz gehen«, schlug Herr Lehmann vor.

»Ach Scheiße, das ist mir jetzt zu weit.«

»Ich geb ein Taxi aus.«

»Ich weiß nicht, das ist doch Scheiße.«

»Sylvio, echt mal. Nur mal eben gucken.«

»Jetzt findest du eh kein Taxi.«

»Klar finde ich jetzt ein Taxi.«

Sie gingen zum Schlesischen Tor. Herr Lehmann hatte Glück. Es kam sofort ein Taxi, und es hielt auf Herrn Lehmanns Winken hin auch an.

»Seid ihr aus dem Osten?« fragte der Taxifahrer, als sie einstiegen.

»Klar«, sagte Sylvio und grinste. »Mann, ist das irre hier im Westen.«

»Wo wollt ihr denn hin?«

»Übergang Heinrich-Heine-Straße«, sagte Sylvio. »Da sind meine Verwandten, die wollen mit dem Auto rüber.«

Herr Lehmann schwieg. Er wunderte sich plötzlich über Sylvio, so hatte er ihn noch nie gesehen.

»Habt ihr denn Westgeld?«

»Na logo.«

»Na dann …« Der Taxifahrer fuhr los.

»Wie isses denn so im Westen für euch?«

»Na irre. Ich weiß gar nicht, was ich sagen soll.«

»Sag ich doch. Und wieso habt ihr Westgeld?«

»Von Oma.«

»Ach so.«

Ganz bis zum Moritzplatz kamen sie gar nicht mehr, die Straßen waren zu verstopft.

»Laß uns hier mal aussteigen, Herr Lehmann«, sagte Sylvio. »Das wird uns sonst zu teuer«, sagte er zum Taxifahrer, »wir müssen uns das Westgeld gut einteilen.«

»Kann ich mir vorstellen.«

»Gib mal Westgeld, Herr Lehmann. Hier, stimmt so.«

»Na, ich bedanke mich. Warum ist denn dein Kollege so still?«

»Der ist in der Partei, für den ist heute Trauer.«

»Na, das hab ich gern.«

»Ist kein schlechter Kerl.«

Am Moritzplatz hatte Herr Lehmann jubelnde Massen erwartet, aber dafür war es wohl schon zu spät. Es gab nur eine unendliche Autolawine, die sich aus dem Osten kommend in den Kreisverkehr ergoß und dann in alle Richtungen verteilte. Es war ein Riesenlärm, und es stank höllisch nach Abgasen.

»Ach du Scheiße«, sagte Sylvio. »Ach du Scheiße.«

»Wo wollen die bloß alle hin?«

»Kudamm wahrscheinlich.«

»Wieso Kudamm?«

»Wohin denn sonst …«

Sie standen eine Weile da und schauten sich das an. Dann wurde ihnen langweilig.

»Mir reicht's«, sagte Sylvio, »ich hau ab. Ich geh mal nach Schöneberg.«

»Was willst du denn in Schöneberg?«

»Mal gucken, was jetzt in der schwulen Sub so los ist. Da brennt jetzt die Hütte, da kannst du Gift drauf nehmen. Außerdem kann es ja sein, daß ich ein paar Kumpel von früher treffe.« Er grinste und zwinkerte Herrn Lehmann zu. »Sieht ein bißchen nach Party aus.«

»Ich werde mal sehen, daß ich noch irgendwo einen nehme«, sagte Herr Lehmann.

»Mach das mal. Und laß den Kopf nicht so hängen, wegen dreißig und so. Ich weiß, wovon ich spreche. Ich bin schon 36.«

»Glaube ich nicht.«

»Na ja, Erwin habe ich erzählt, ich sei 28«, sagte Sylvio. »Der hätte mich doch nie genommen, wenn er gewußt hätte, wie alt ich bin. Aber Erwin ist nicht der Typ, der nach dem Ausweis fragt. Obwohl … eigentlich schon. Mach's gut, Herr Lehmann, ich muß mal eben dem Ruf meiner schwulen Natur folgen.«

»Wie willst du denn jetzt nach Schöneberg kommen?«

»Als Ostler wird man heute abend von jedem mitgenommen.«

Sylvio ging an die Oranienstraße, hielt ein Auto an, sprach kurz mit dem Fahrer und stieg dann ein. Und weg war er.

Herr Lehmann stand da, verkehrsumtost, und fühlte sich leer. Er wollte nicht nach Hause, da erwartete ihn nichts außer ein paar Büchern und einem leeren Bett. Vielleicht sollte ich mir doch mal wieder einen Fernseher anschaffen, dachte er. Oder mal Urlaub machen. Mit Heidi nach Bali. Oder nach Polen. Oder was ganz anderes anfangen. Man könnte auch noch einen trinken, dachte er, irgendwo.

Ich gehe erst einmal los, dachte er. Der Rest wird sich schon irgendwie ergeben.

INHALT

» Vielleicht wäre es interessant,
noch etwas über die Jugend
von Herrn Lehmann zu erzählen. «

Sven Regener
Neue Vahr Süd
Roman
592 Seiten · geb. mit SU
€ 24,90 (D) · sFr 44,90
ISBN 3-8218-0743-1

Wie wurde Herr Lehmann überhaupt, was er ist?«
(Sven Regener). Mit *Neue Vahr Süd* hat er Ernst
gemacht und entführt uns in seiner unnachahmlich
lakonischen Art in einen Bremer Vorort, in dem Frank
Lehmann über das »Missverständnis« Bundeswehr,
linke Wohngemeinschaften und die energische Sibille
den Weg ins Leben sucht ...

Sven Regener ist wieder ein hochkomischer und zu-
gleich todtrauriger Roman gelungen, der uns über die
Irrungen und Wirrungen seines Helden die siebziger
Jahre lebensecht nahe bringt.

»Ich habe sehr gelacht ... und ich lache nur selten
unter meinem Niveau.«
Marcel Reich-Ranicki über **Herr Lehmann**

Eichborn BERLIN
www.eichborn.de